初めての和食

基本とコツ

伊藤玲子　著
野澤雅史　写真

西東社《せいとうしゃ》

はじめに

食生活が豊かになり、世界各国のおいしいお料理を気軽に食べられるようになりました。家庭の食卓にも、多彩なメニューがあふれていることでしょう。

でも、わたしたちにとっては、日本の歴史と生活環境の中から生み出されてきた和食が、やはり食事の基本です。

和食には、特別な美しさと香り、味わいがあります。これは、四季折々の新鮮な材料を使い、その持ち味を生かしておいしく食べられるように心をこめて作るお料理だからこその特徴です。

また、素材を大切にすること、低カロリーであること、五味五色のバランス感があることなどから、和食はヘルシー料理の代表格ともいえます。

このようなすばらしい和食を、ぜひおいしく召し上がっていただきたいと思います。

和食の献立を潤いのある楽しいものにするコツは、季節感を意識することです。旬のものは新鮮なうえ、値段も安くて経済的です。とり合わせに季節のものを添え、器を選んでおしゃれに盛りつけてみましょう。

すべての料理にいえることですが、熱くして出すものは冷めないうちに、冷たくして出すものは冷めたいうちにと、手早くお出しする心構えはとても大切です。それは食べる人を思いやる心でもあります。

季節感を大切にし、家族の健康を思い、食卓を楽しいものにする心づかいをして、もっともっと和食に親しんでいただければ幸いです。

伊藤玲子

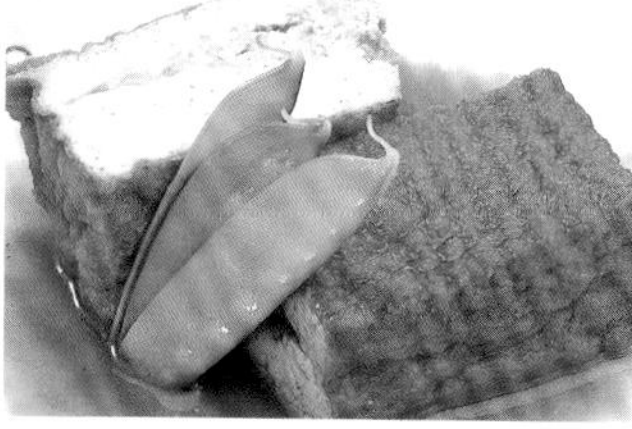
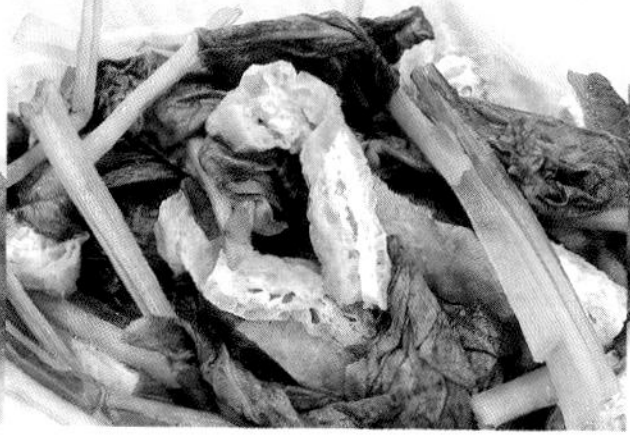

和食の基礎の基礎

和食の基本料理……53〜203

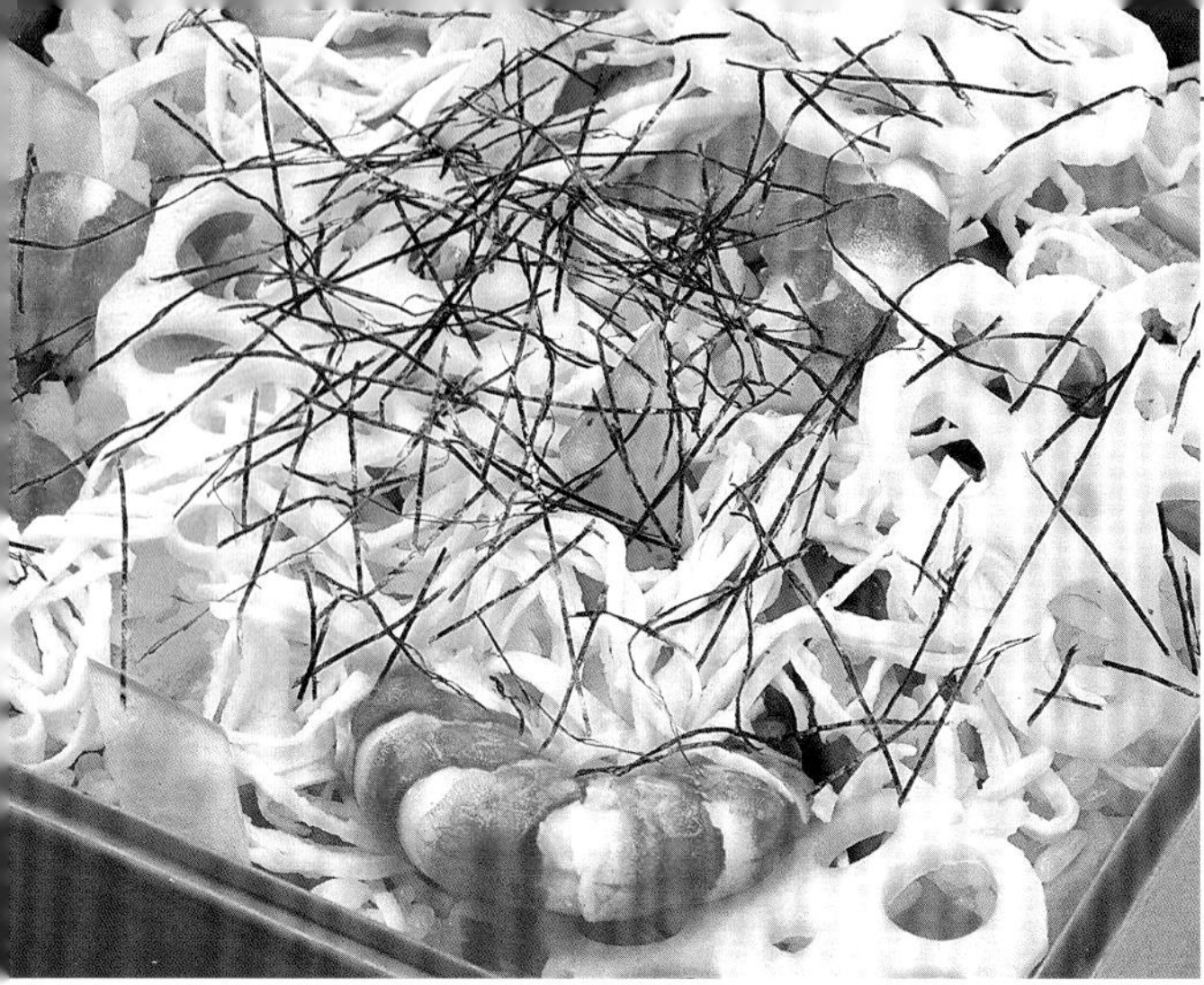

【本書の表記について】

大さじ、小さじ
計量スプーンを使用します。大さじは1は15cc、小さじ1は5ccです。

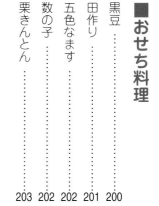

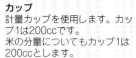

カップ
計量カップを使用します。カップ1は200ccです。
米の分量についてもカップ1は200ccとします。

和食の基礎の基礎

おいしい和食の第一歩はだしから

だし汁の作り方

昆布だし（水出し）

煮物、汁物などあらゆる料理に使える

材料

●昆布…10㎝角のもの2枚（約10g）
●水…5カップ

❶かたく絞ったぬれ布巾で、昆布の表面の汚れを軽くふいて落とす。

煮干しだし

コクがあるのでみそ汁に最適

材料

●煮干し…30g
●水…5カップ

❶煮干しは頭と内臓（わた）をとり、大きいものは二つに裂いて使う。

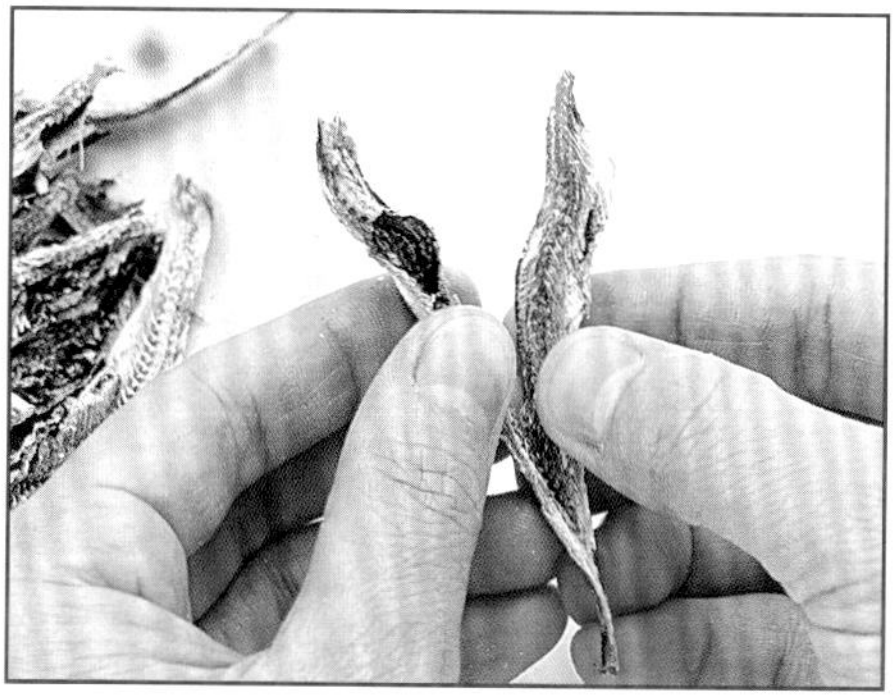

昆布とかつお節のだし（万能だし）

煮物、汁物などあらゆる料理に使える

★この万能だしは、従来の一番だしのとり方とは昆布の扱い方が違うが、簡単な方法なのでおすすめ。

材料

●昆布…10㎝×10㎝のもの1枚（約5g）
●かつお節（けずり節）…5g
●水…5カップ

❶昆布は昆布だし同様、汚れをよくふく。
❷鍋に昆布と水を入れ、そのまま10〜15分おく。
❸❷の鍋を中火にかけ、沸騰する寸前にかつお節を入れる。火を弱めてアクをとり、昆布を入れたまま4〜5分煮る。

だし汁の作り方

❷ボウルに昆布と分量の水を入れて、2〜3時間置く。

❸昆布を引き上げる。

ヒント

急ぐときは昆布と水を中火にかけ、昆布に泡がついて厚い部分に爪が立つぐらいのやわらかさになったら昆布を引き上げる。だし昆布は沸騰させると、ぬめりや匂いが出てしまうので、沸騰する直前に引き出すこと。

❷分量の水に30分くらいつけてから火にかける。沸騰するまでは強火、その後は弱火でアクをとりながら3〜4分煮る。

❸目の細かいザルをボウルに重ね、❷を注いでこす。

ヒント

かたくしぼった布巾かペーパータオルをザルにひろげてこせば、より澄んだだし汁になる。

❹火を止めてかつお節が沈んだら、キッチンペーパー（またはかたく絞った布巾）を広げたこし器をボウルに重ね、だし汁を静かに注いでこす。

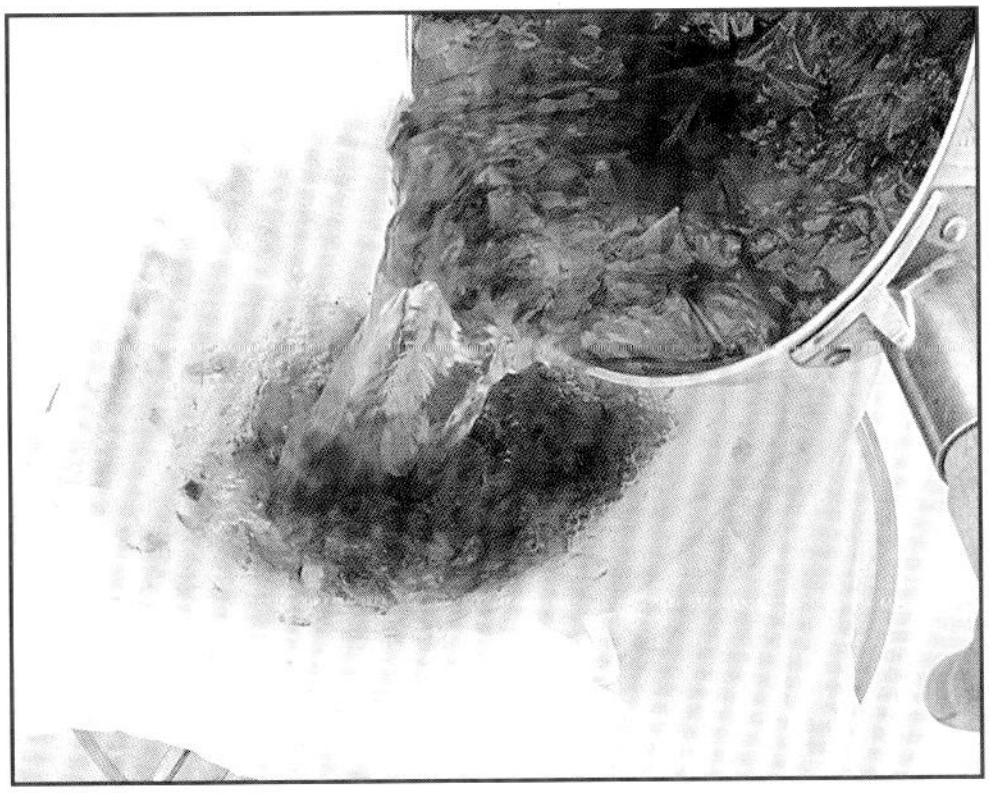

だし汁は保存できるの？
作っただし汁を密閉容器に入れて冷蔵庫で保存すれば2〜3日はもつ。また、冷凍用の袋などに入れて冷凍保存すれば3週間ぐらいは保存可能なので、まとめて作っておくと便利。

市販の粉末だしを使ってだし汁を作るには？
鍋に水を入れ、その中に粉末だしを入れて火にかける(分量はそれぞれの商品の説明書どおりに)。沸騰するとアクが出るので、火を弱くしてアクをとり除くこと。

だし汁を利用しておいしく作る

みそ汁、吸い物の基本

みそ汁

豆腐とわかめのみそ汁

材料(4人分)

- 豆腐…1/3丁
- 生わかめ…30g
- 長ねぎ…1/4本
- だし汁…3 1/2カップ
- みそ…約60g

❶ 長ねぎは小口切りにしておく。

❷ だし汁を鍋に入れ、1cm角に切った豆腐を入れて強火にかけ、沸騰したら中火にする。

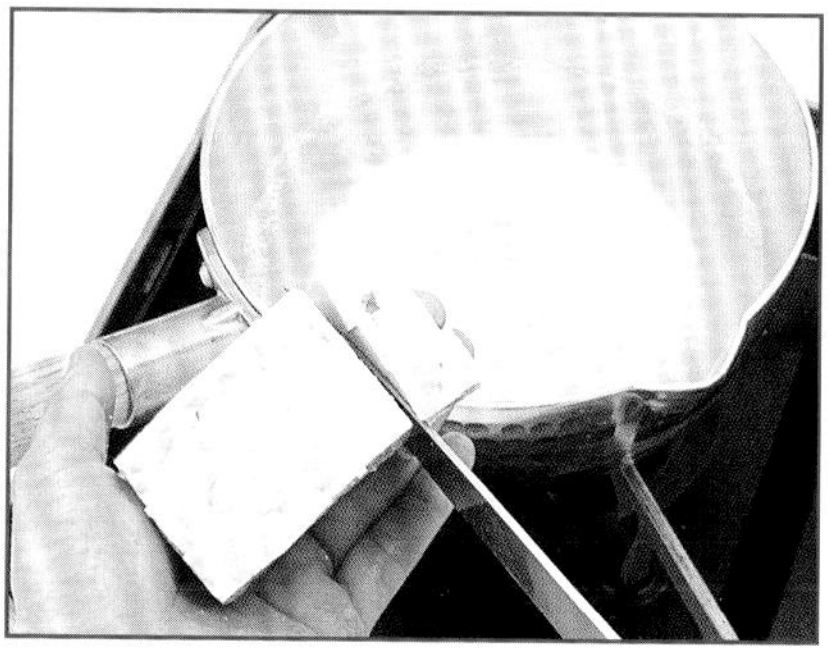

❸ 鍋の中のだし汁を少しとってみそを溶かす。

❹ わかめを入れ、ひと呼吸おいて火を止める。

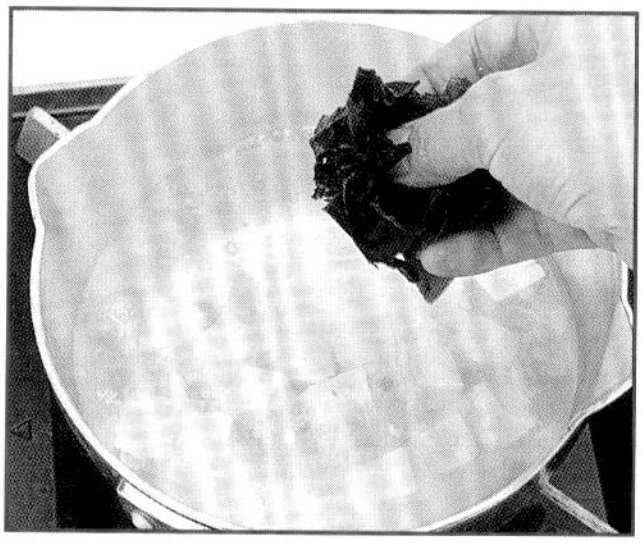

❺ みそを入れて、再び火をつける。

❻ 煮えばなで長ねぎを入れ、火を止める。

ここがコツ！

煮えばなというのは、みそを入れて再び煮立ってきた瞬間をいう。このときが、いちばんみその香りがいいときなので、これ以上煮立たせないで火を止め、お椀に注ぐ。

みそ汁の具のいろいろ

じゃがいも＋わかめ＋三つ葉

大根＋油揚げ＋長ねぎ

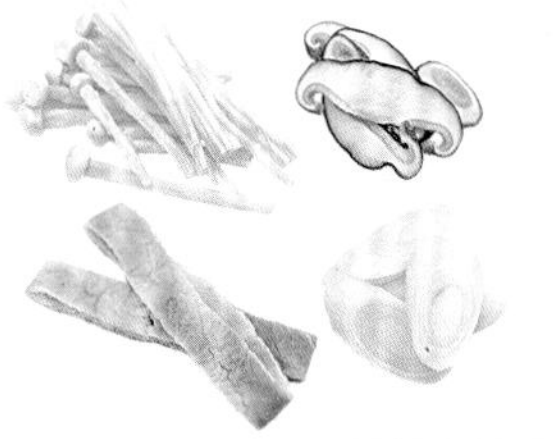

えのきだけ＋しいたけ＋麩《ふ》＋長ねぎ

あさり＋万能ねぎ

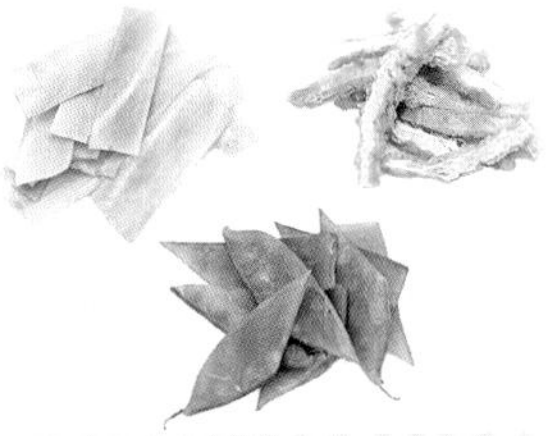

キャベツ＋油揚げ＋きぬさや

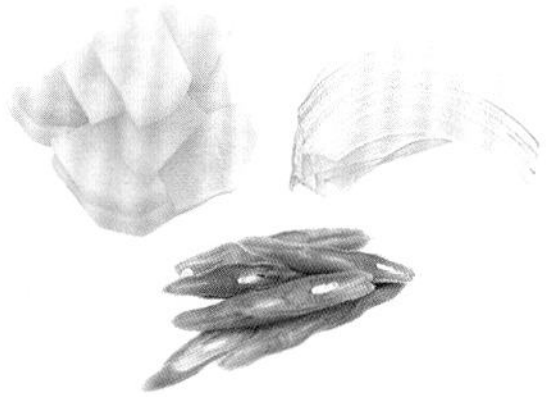

じゃがいも＋玉ねぎ＋いんげん

豆腐＋なめこ＋万能ねぎ
（赤だしみそがおすすめ）

しじみ＋山椒
（赤だしみそがおすすめ）

かぶ＋わかめ＋かぶの葉
（赤だしみそがおすすめ）

具を入れる順番は？

1. だし汁または水を鍋に入れる
火が通りにくい**根菜類（大根、じゃがいもなど）、豆腐、あさりやしじみなどの貝類など**は最初から入れる

2. 強火にかける

3. 沸騰したら、中火にしてしばらく煮る
さっと煮ればいいもの（**青菜、いんげん、きぬさや、わかめなど**）は、火を止める直前に入れる

4. 火を止めてみそを入れる

5. 再び火をつけ、沸騰しかけたら火を止める
長ねぎや万能ねぎなどは最後に入れる

★かき玉汁

材料(4人分)

- 生しいたけ…2枚
- 卵…2個
- 三つ葉…6本
- だし汁…3 1/2カップ
- 塩…小さじ2/3
- 薄口しょうゆ…小さじ1
- 酒…少々
- 水溶き片栗粉
  片栗粉、水…各小さじ2

❶ 生しいたけは軸をとり、細切りにする。三つ葉は2㎝長さに切る。卵はよくときほぐしておく。

❷ 鍋にだし汁と生しいたけを入れて強火にかけ、煮立てる。

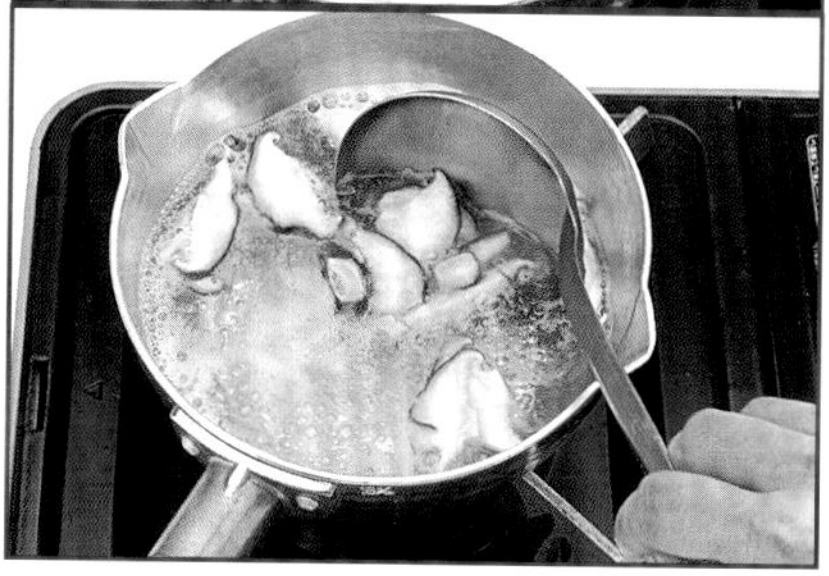

❸ 中火にし、塩、薄口しょうゆ、酒で味つけをし、水溶き片栗粉を加えてとろみをつける。

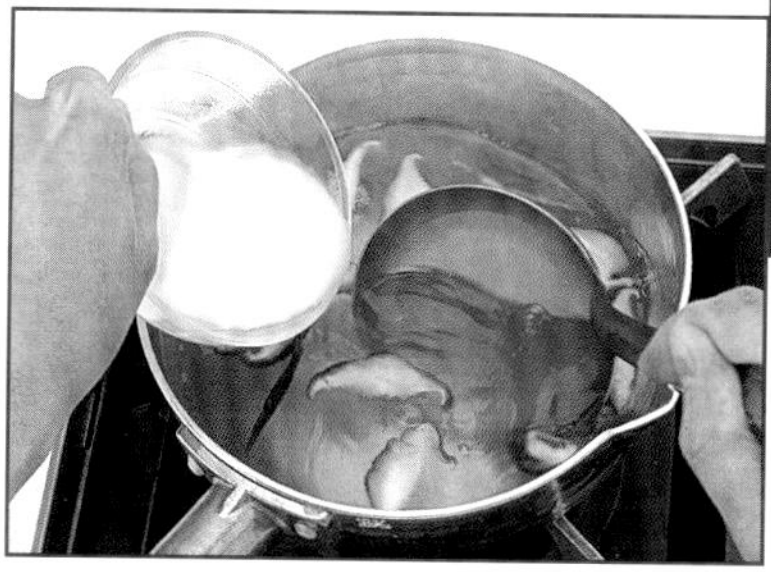

ここがコツ!

吸い物の味つけは、ひと口飲んだときに少し薄く感じる程度にするとちょうどいい。味見をするときは、あたためた小皿に汁をとると正確な味がわかる(小皿に一度汁を入れてすぐに鍋にもどし、改めて汁を入れればOK)。

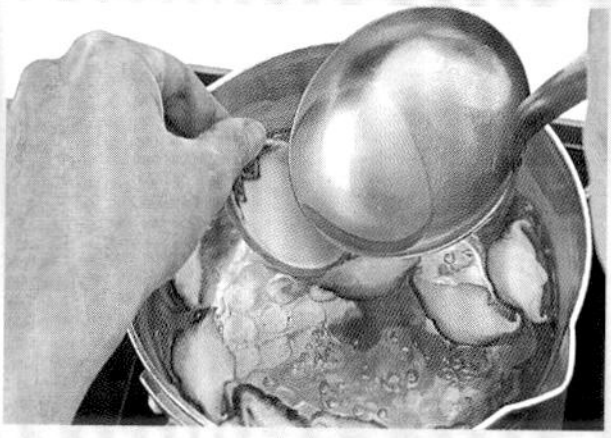

❹ 煮立った❸の中に溶き卵を箸づたいに回しながら入れる。全体をはしで大きくかき混ぜ、溶き卵がふんわり浮き上がったら、三つ葉を加える。

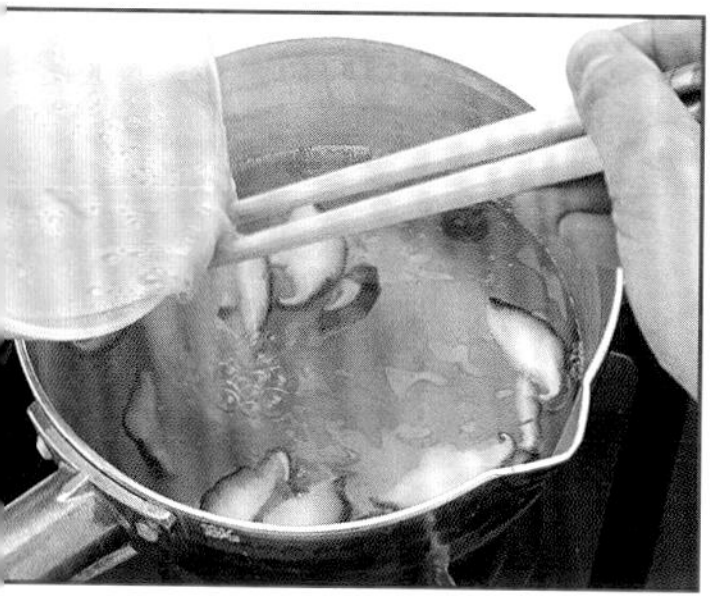

吸い物の具のいろいろ

例外もあるが、たんぱく質のもの（魚肉加工品、鶏肉、貝など）と色のきれいな野菜、香りのあるものをとりそろえるのが原則。

とろろ昆布＋なると＋万能ねぎ

まつたけ＋麩《ふ》＋三つ葉

えび＋そうめん＋長ねぎ

鶏肉＋かまぼこ＋ゆず＋春菊

たけのこ＋わかめ＋木の芽

はまぐり＋ゆず＋三つ葉

おもてなし料理には吸い物を

同じ汁物でも、みそ汁よりも吸い物（おすまし）のほうが格が上になる。おもてなし料理に添えるのであれば、迷わず吸い物を。

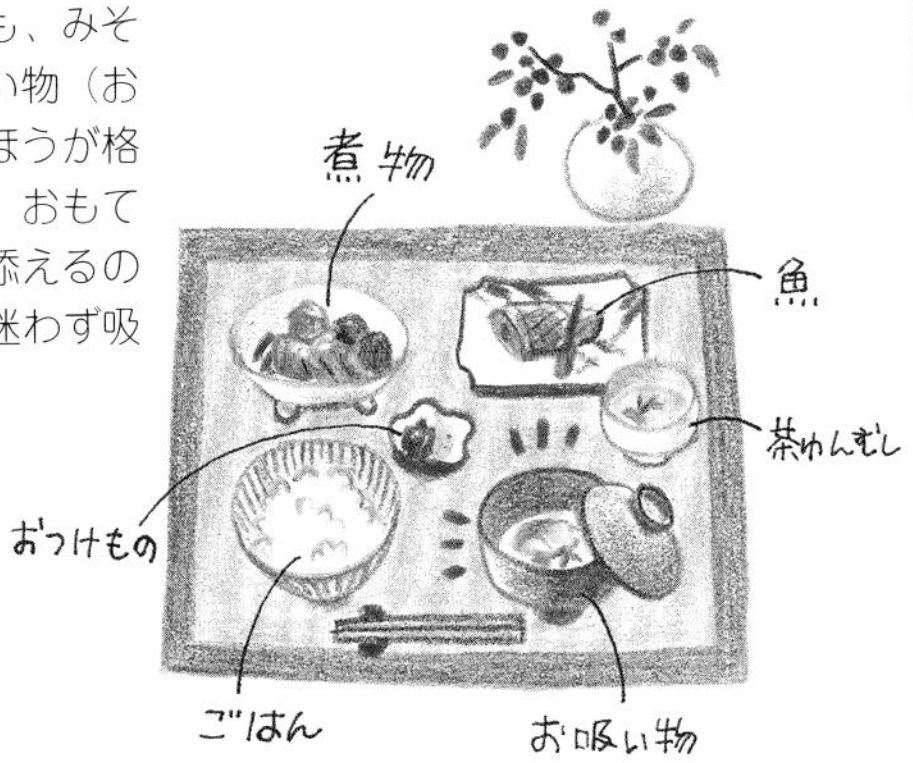

ヒント

最後に酒を少量加え、ひと煮立ちさせてから火を止めると、香りと味がまろやかになる。

正しく使ってきちんとお手入れ
包丁を使いこなす

包丁の持ち方

親指と人差し指をあて、柄を手のひらで包むように持つ。主にものを刻むとき。

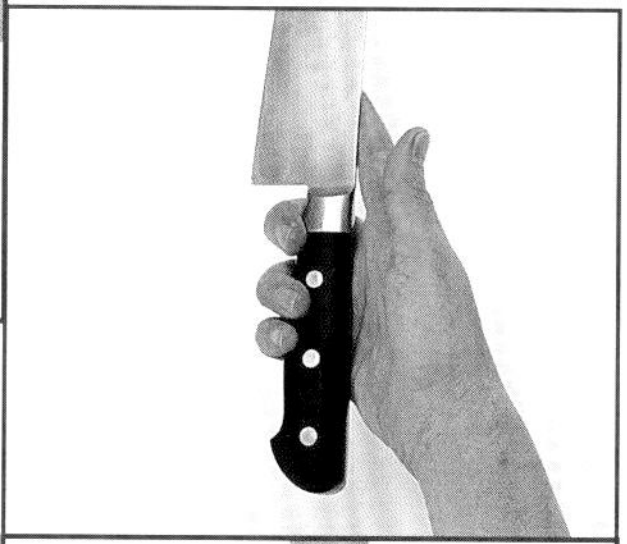

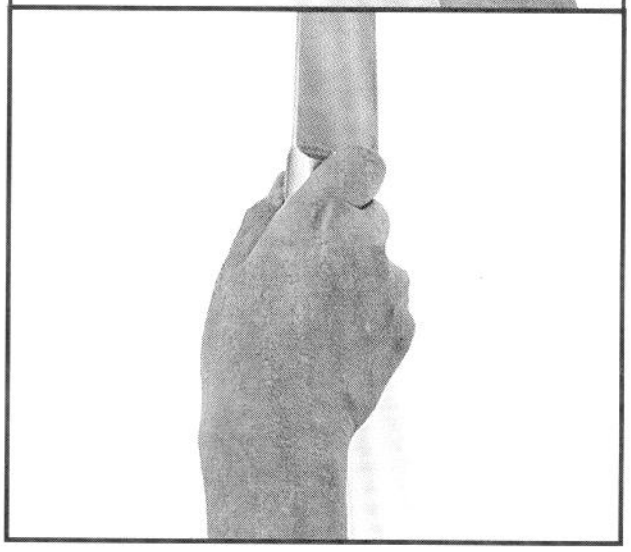

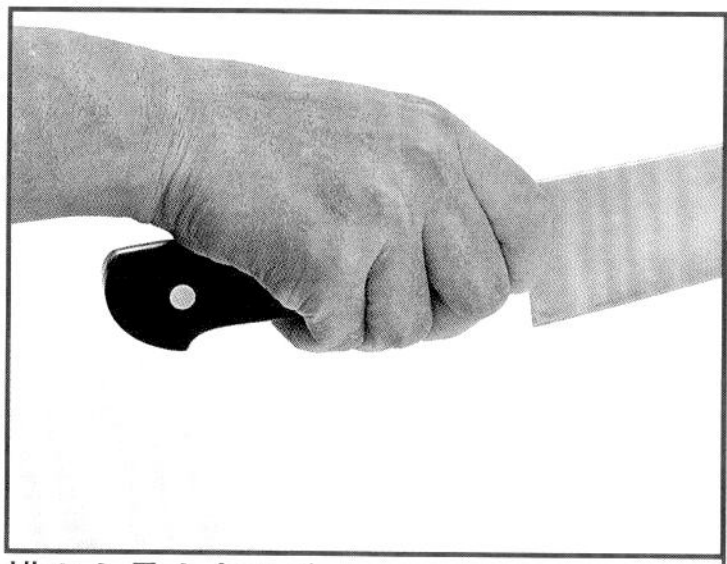

横から見たところ

方向を定めたり、細かい作業をするときは、人差し指を伸ばし、包丁のみねにあてて持つ場合もある。刺し身を切るときに使う。

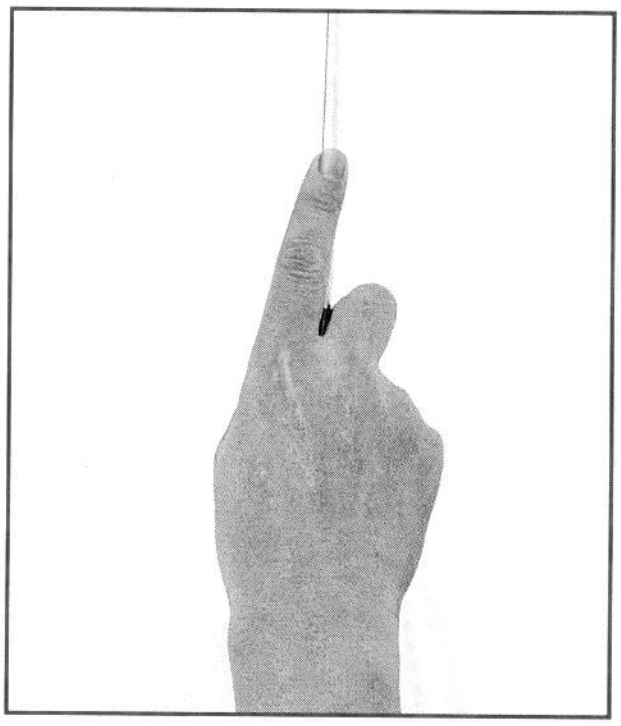

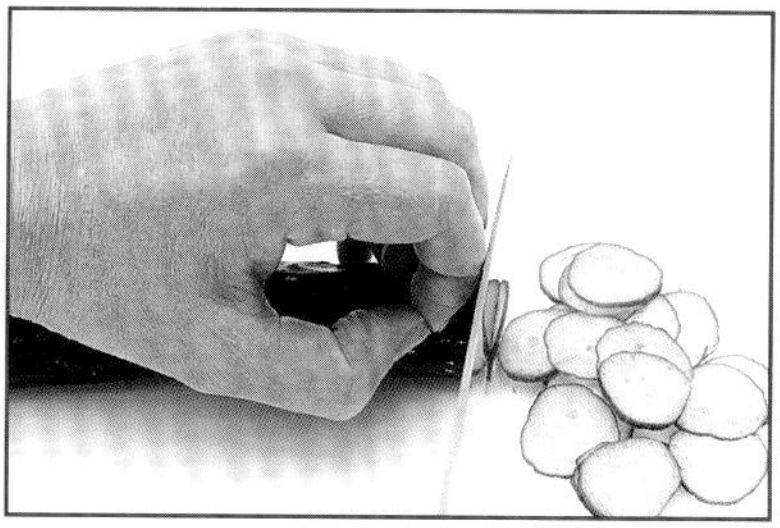

左手は指を内側に曲げて材料を軽く押さえる。

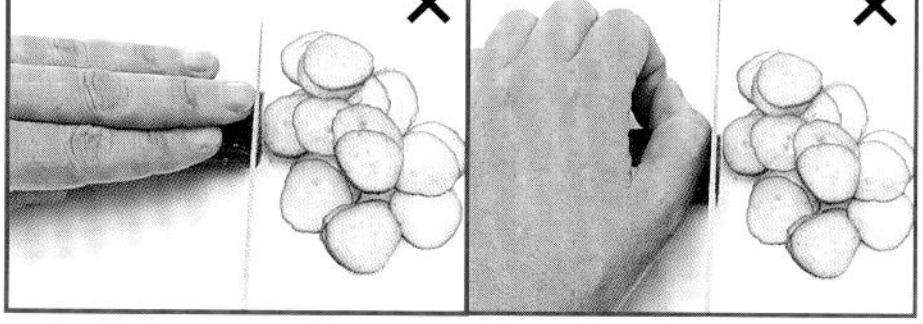

これはよくない押さえ方。指を切りやすい。

包丁の構え方

足を肩幅くらいに開き、利き手の反対側の足を少し前に出す。まな板との間ににぎりこぶし１個分入るくらいに離れ、心持ち少し斜めに立つ。

毎日の手入れ法

❶ 使ったら必ずすぐ洗う
ふだんは粉末のクレンザーをスポンジにつけて洗う。コルクに洗剤をつけて洗ったり、大根の切れ端で洗うとよりきれいになる。

❷ 水気をしっかりふきとる
洗ったら、乾いた布巾で水気をしっかりふきとる。ぬれたまま放置すると切れ味が悪くなる。

包丁の研ぎ方

包丁のいちばんの命は切れ味。切れ味が悪くなったら、すぐに研ぐように。研ぐ道具としては研ぎ器と砥石がある。

研ぎ器
手軽に使えるが、ひんぱんに研がないとよい切れ味は持続できない。週に1回程度は研ぐように。

砥《と》石《いし》
月に1回程度のお手入れなら砥石がおすすめ。砥石には荒砥、中砥、仕上げ砥と3種類あるが、家庭なら中砥が一つあれば十分。

牛刀が1本あれば困らない

牛刀とは、万能包丁と呼ばれるもので、肉、魚、野菜と何にでも使える包丁。これが1本あれば料理をするのには困らない。刃の長さが18～21cmのもので、錆びないステンレス製が便利。

その他、あると便利な包丁は？

薄刃包丁は、桂むき、かさのある野菜、かたい野菜などを切るのに便利。

また、刺し身包丁は刺し身をきれいに切りたい場合は持っていると重宝する。刃渡りが長いのが特徴で、刺し身を切るほか、小さな魚をおろすときに使う。

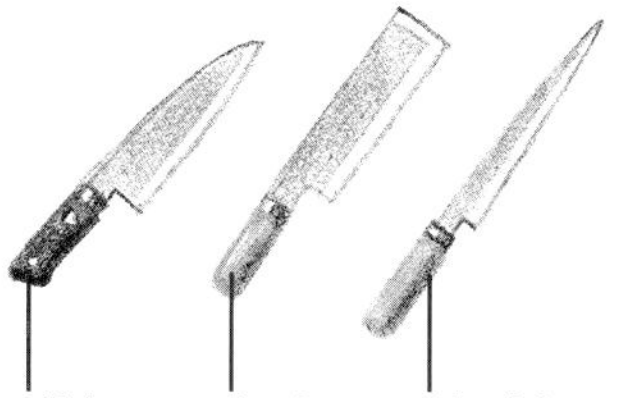

砥石の使い方

❶ 砥石は、十分に水をしみ込ませるために、洗いおけなどに水をはって、気泡がでなくなるまでつけておく（10～20分）。

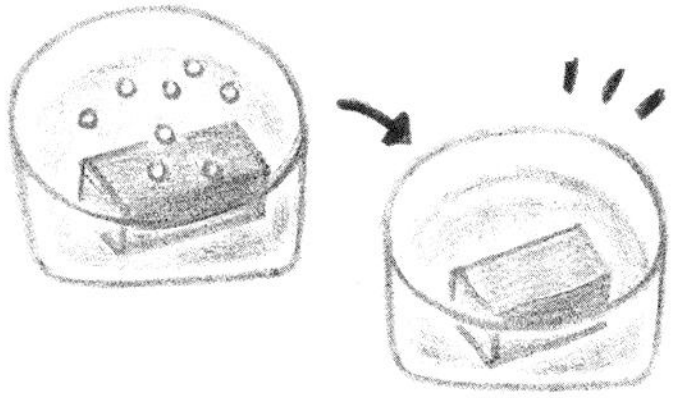

❷ 砥石に60度の角度で、刃をあて、切っ先から刃先に向けて上下に動かして研ぐ。

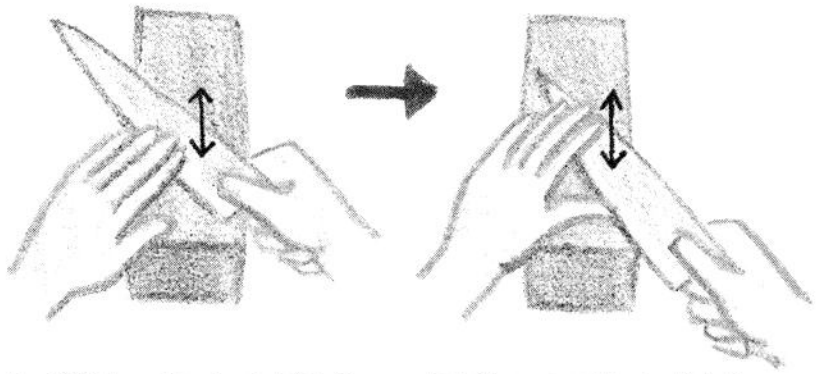

まず切っ先から研ぐ。　最後に刃先を研ぐ。

これだけ知っていればお料理上手になれる 基本の料理用語とテクニック

洗う

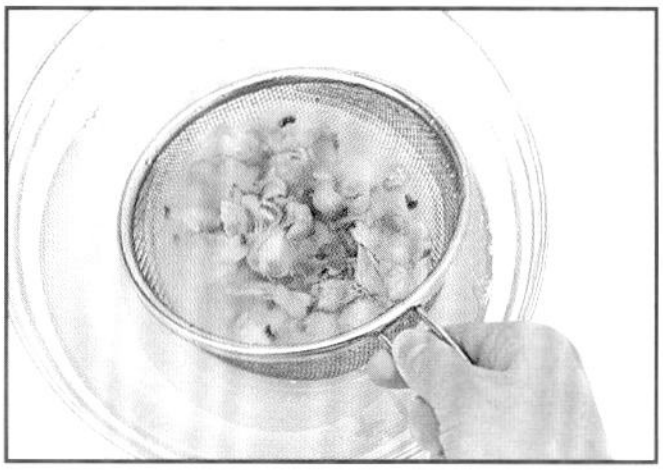

ふり洗い
貝のむきみのようなやわらかいものは、目のあらいザルに入れて水の中でふるように洗うと身がくずれない。

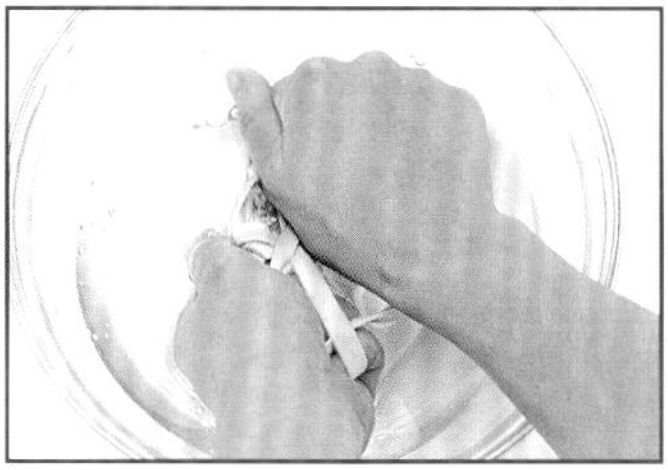

もみ洗い
切り干し大根、かんぴょう、乾めんをゆでたとき、手でもむようにして洗う洗い方。

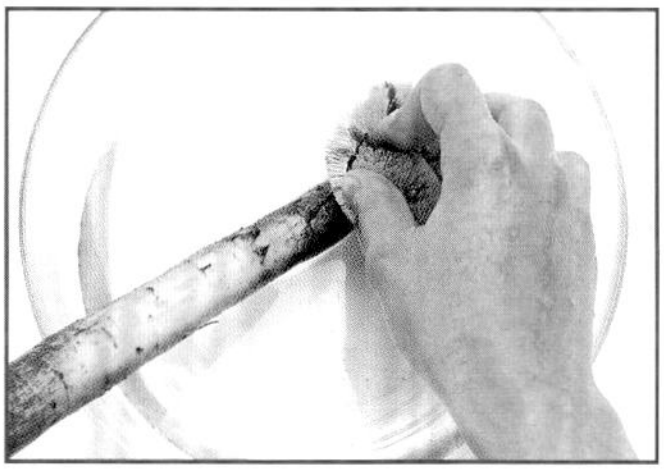

こすり洗い
里いも、ごぼうなど、泥のついた根菜は、たわしでこすりながら洗って汚れをとる。

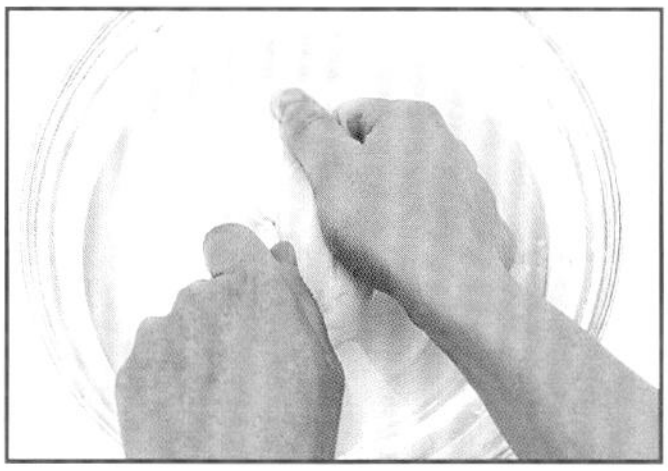

包み洗い
さらし玉ねぎ、ねぎ、パセリのみじん切りなどは、材料を布巾に包み、流水で軽くもみながら洗う。

つける

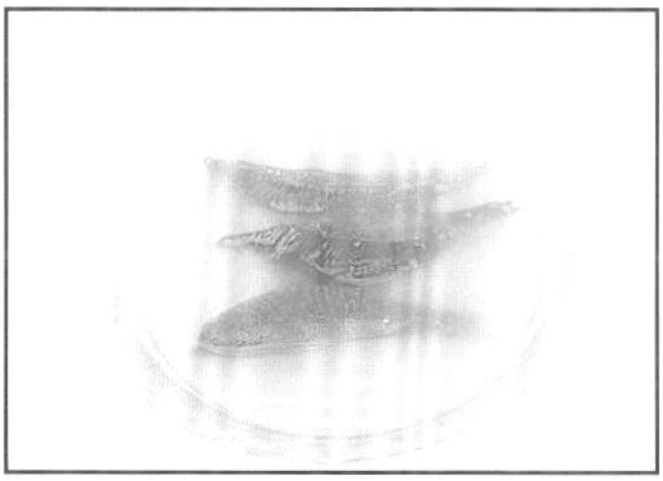

米のとぎ汁につける
塩数の子やにしんの干物などをもどすときは、脂肪が酸化されて渋みが出てくるので、米のとぎ汁（あれば灰汁）につけて渋みをとるといい。米のとぎ汁に含まれるコロイド状の物質が渋みをとる働きをし、しかも材料のうまみを逃がさない。

食塩水につける
あさり、はまぐりは海水と同じくらいの濃度の塩水につけると、呼吸を続け、体内の砂を吐き出す。また、魚介類の塩蔵品を塩抜きするときは、薄い塩水につけておくと、うま味を逃がさないで塩分をとることができる。

裏ごす

材料を裏ごし器にのせてこし、つぶすこと。いもなどの、でんぷん質のものは熱いうちに行うこと（冷めると粘りが出てしまう）。

＜裏ごし器の使い方＞
網の上に材料をのせ、へらを上から下へ動かしてつぶす。へらに対して網目が斜めになるように用いるとうまくこせる。

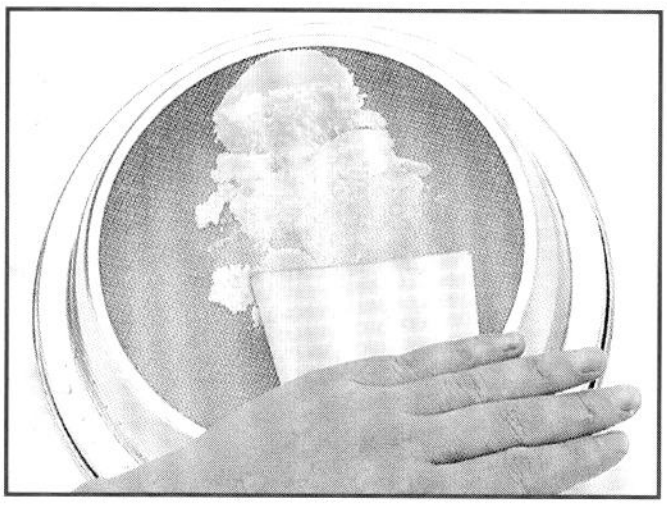

さらす

キャベツの千切りや大根のけん、白髪ねぎ、針しょうがなどは、仕上げに水に少しさらすと、シャキッとして歯触りがよくなる。

また、アクの強い野菜（ごぼう、山菜、ほうれん草、みょうが、青じそ）などは、アク抜きのために水にさらす。

油抜き

油揚げ、生揚げ、さつま揚げなどの揚げた加工品を煮る前に、熱湯をかけたり、熱湯の中に入れたりして、表面の油を落とすこと。表面の油が除かれるので、味がしみこみやすくなるとともに、油臭さがとれる。

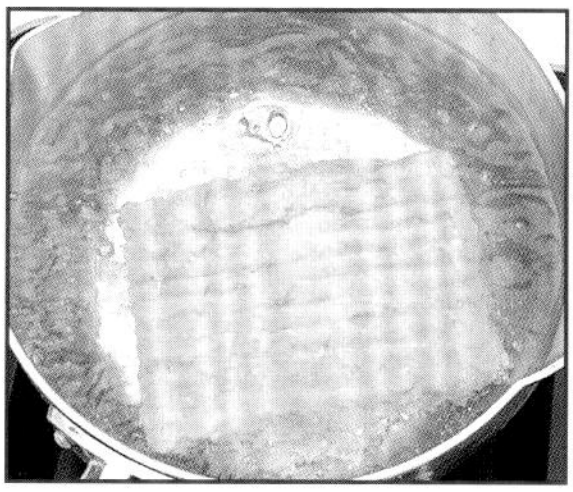

ゆでる

塩でゆでる
色の青い野菜は、塩をひとつまみ加えてゆでると、葉緑素が安定して色よくなる。

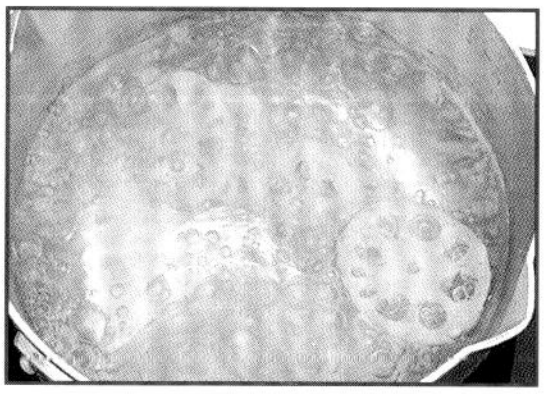

酢でゆでる
れんこん、ごぼう、カリフラワーなどは、酢を少々加えてゆでると、酢酸の働きで色が褐色がかるのが抑えられ、白くなる。

米のとぎ汁やぬかでゆでる
たけのこ、さといも、大根などはとぎ汁またはぬかでゆでると、変色を防ぎ、えぐみがとれる。また、材料の表面をおおい、うま味を逃がすことなく、ゆでることができる。

酒炒り

魚介類や肉類などの材料の生臭みをとり、酒の風味を移す調理法。鍋に材料と少量の酒を加え汁けがなくなる程度に炒りつける。

板ずり

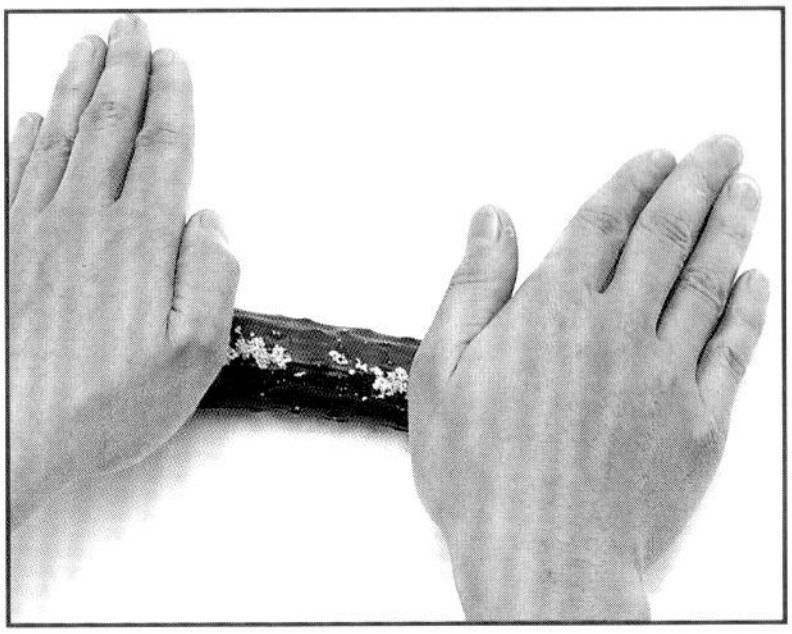

きゅうりに塩をふり、両手で軽く押さえ、まな板の上でころがすこと。イボイボの部分の汚れがとれ、色も鮮やかな緑色になる。あとで水洗いして塩は落とす。

塩をする

たて塩

海水よりやや薄い食塩水のこと（3〜4%程度）。まんべんなく塩をするのが難しいときやごく薄い塩味をつけたいとき、用いる。さらに、うま味を加えるために、昆布を一切れ加える場合もある。

ふり塩

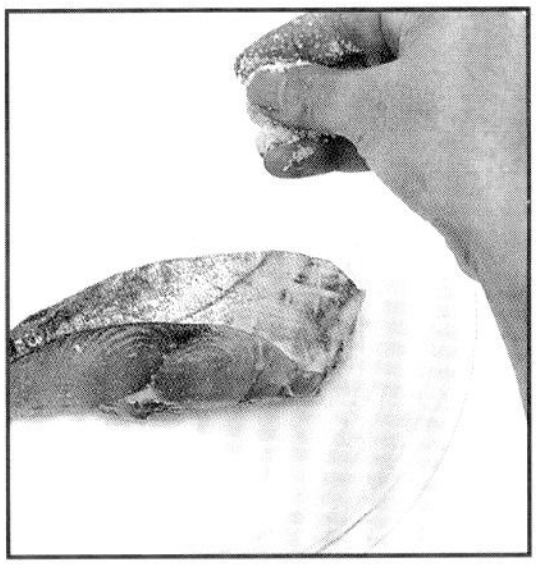

材料に塩をふること。材料の身を引き締め、生臭みをとって味をつけるために行う。材料から20〜30cm離し、指の間から塩を落とすようにふる。一般的には焼き魚にする。目安で肉は重さの1%、魚は2〜3%くらいの塩をふる。

べた塩

魚に塩をする方法の一つで、脂肪が多く、背の青い魚を酢じめなどにするときに用いる。おろした魚を塩の入った平らな容器に入れ、両面に均等にたっぷり塩をして、ザルにのせる。これで生臭みや水っぽさがとれる。

化粧塩

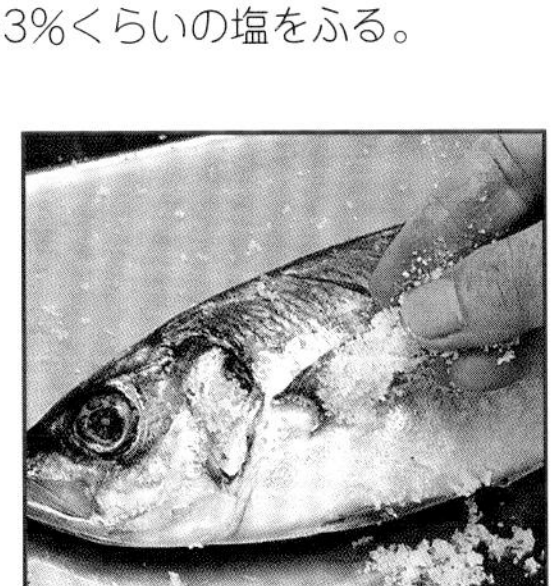

1尾の魚を丸ごと塩焼きする場合、ひれに塩をつけて仕上がりをきれいに見せること。あゆ、あじ、たいなどにする。尾びれ、胸びれはそのまま焼くとすぐに焦げてしまうが、塩をこすりつけておけば形のまま残る。

落としぶた

煮物をするときに用いる鍋の口径よりも小さいふたのこと。材料の上に直接のせて使う。材料を軽く押さえる役割をするので、材料が鍋の中を動き回って煮くずれるのを防いだり、煮汁が落としぶたに当たって絶えず下に回るので少ない煮汁が材料に均一に回る。

木製の落としぶた
鍋の直径マイナス2cmくらいのものがベスト。使用前に水や湯にひたしておくと、煮汁がふたにしみ込まず、においがつくのを防げる。

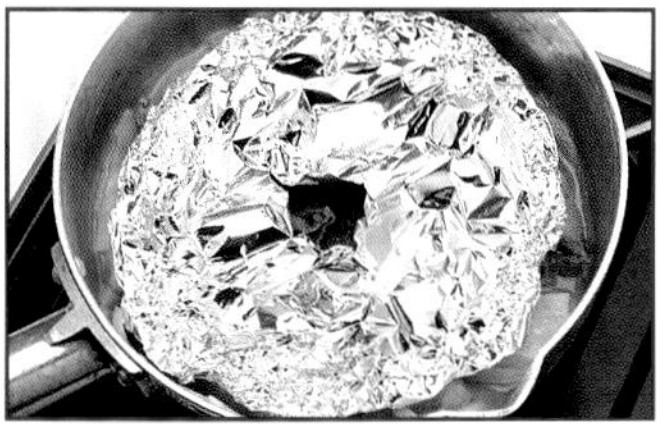

アルミホイルを利用した落としぶた
アルミホイルを丸く切れば、落としぶたの代用になる。真ん中に穴をあけておくと安定する。

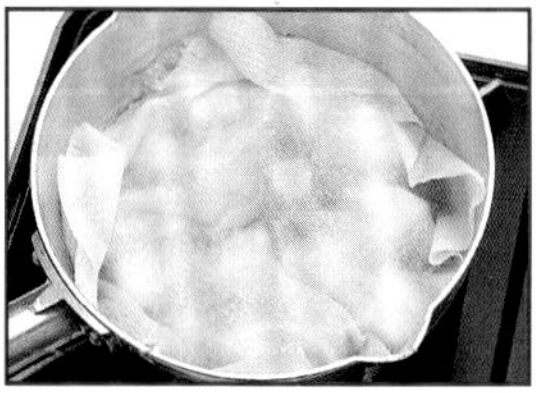

煮くずれしやすい材料に使う紙ぶた
甘露煮、豆の含め煮など、やわらかくてくずれやすい材料を長時間煮込むとき、表面の乾きや煮くずれを防ぐために、落としぶたの代わりに用いる。和紙、クッキングシートなどで鍋の口径よりひと回り大きめのものを作り、煮汁に直接密着させて使う。

霜降り

魚介類、肉類に用いる下処理法で、表面だけが白くなる程度に材料を熱湯に通したり、熱湯をかけたりする。その後、冷水にとり、冷やしてから水気をよくふきとる。こうすることで、材料表面のぬめり、うろこ、血、脂肪を除き、表面を固めてうま味を逃がさない。

表面に霜が降ったように白くなることからこう呼ぶ。

水加減

ひたひた
材料と水分（水、だし汁）が同じ高さ、または少し材料が出るくらいの状態の水加減。

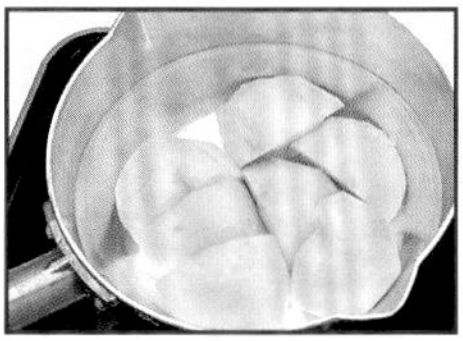

かぶるくらい
材料が完全につかる程度までだしや水を入れた状態の水加減。

ごまをする

炒ったごまをすり鉢に入れ、すりこぎですりつぶすこと。すりこぎの上に左手の手のひらをのせ、真ん中あたりを右手で支えて、まわすように動かすとスムーズにすれる。

これだけ知っていれば困らない

野菜の切り方

基本の切り方

小口切り

きゅうりや長ねぎなど、細長いものを端から適当な厚さで切る。

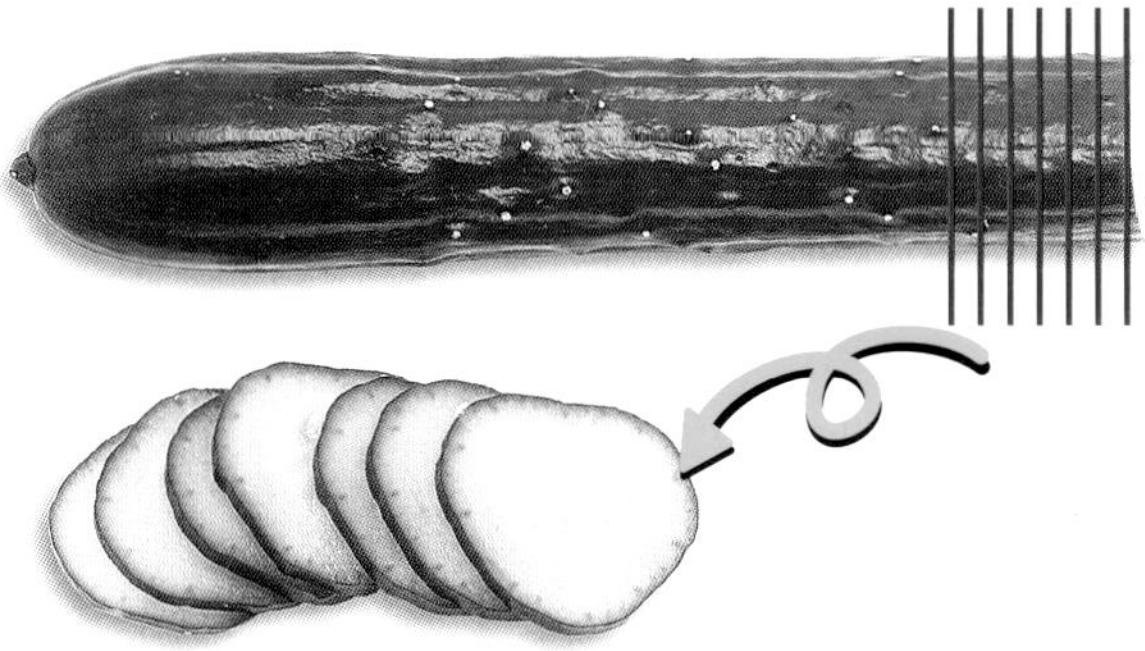

輪切り

大根やにんじんなど、切断面の丸い材料を端から切る。用途によって厚さを変える。

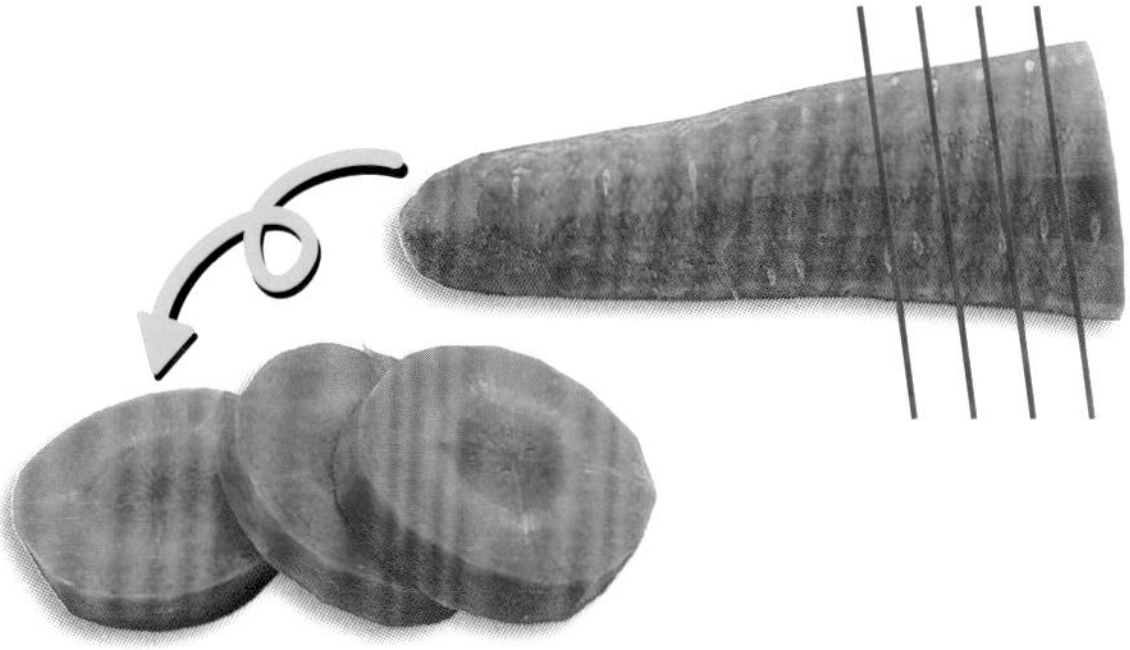

乱切り

にんじん、ごぼう、うど、きゅうりなど、細長いものは回しながら切り口の面の角度を変えて斜めに切る。

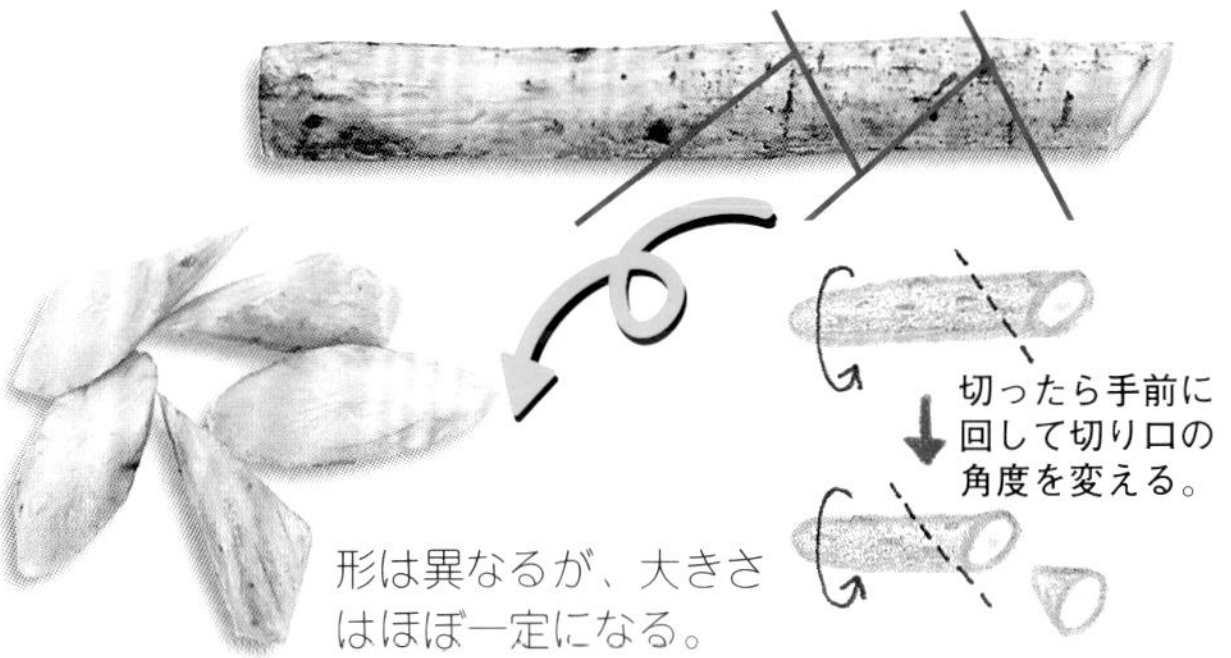
切ったら手前に
回して切り口の
角度を変える。

形は異なるが、大きさはほぼ一定になる。

薄切り

端から薄く切る。

筒切り

長ねぎやごぼうのように丸くて細長いものを3〜4cmに切る。

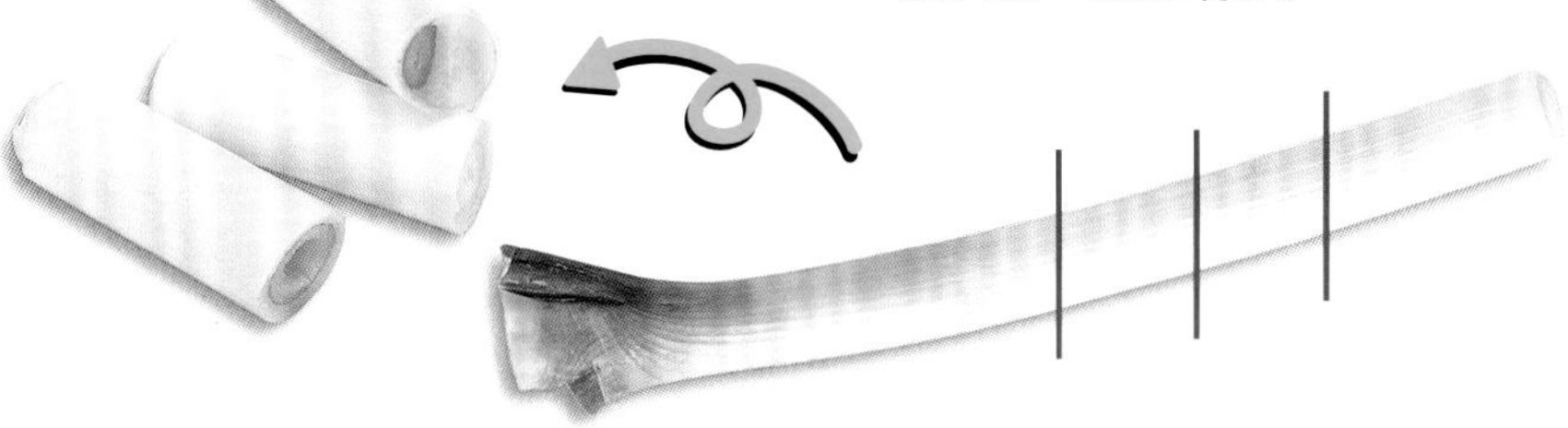

斜め輪切り

端から斜めに切る。

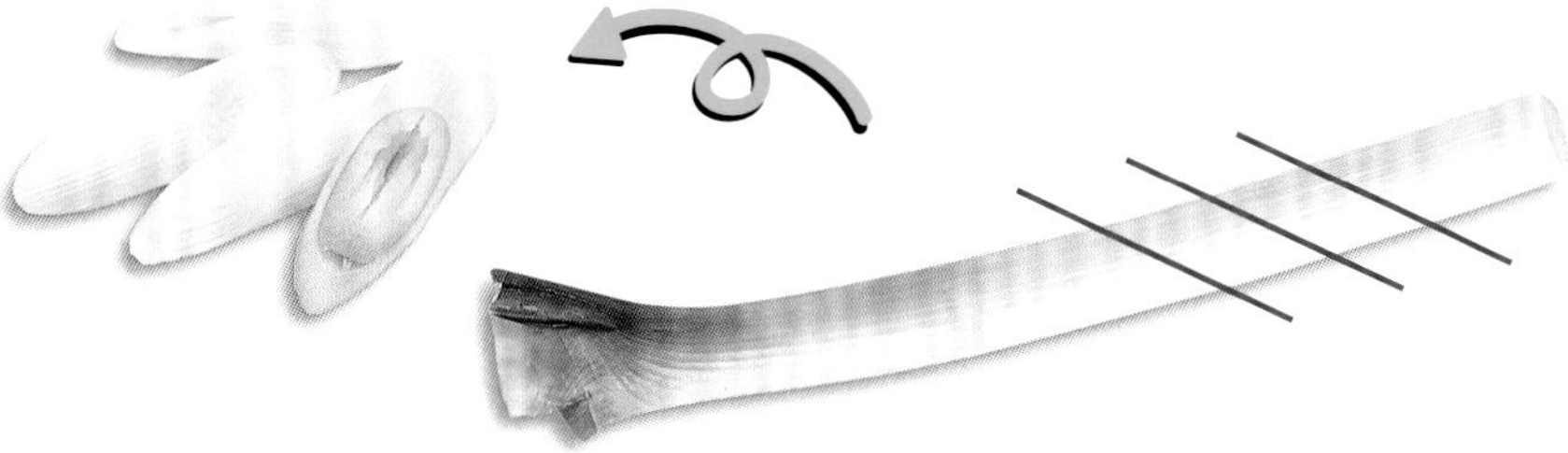

半月切り

円筒状のものを縦二つに切り、端から切る。

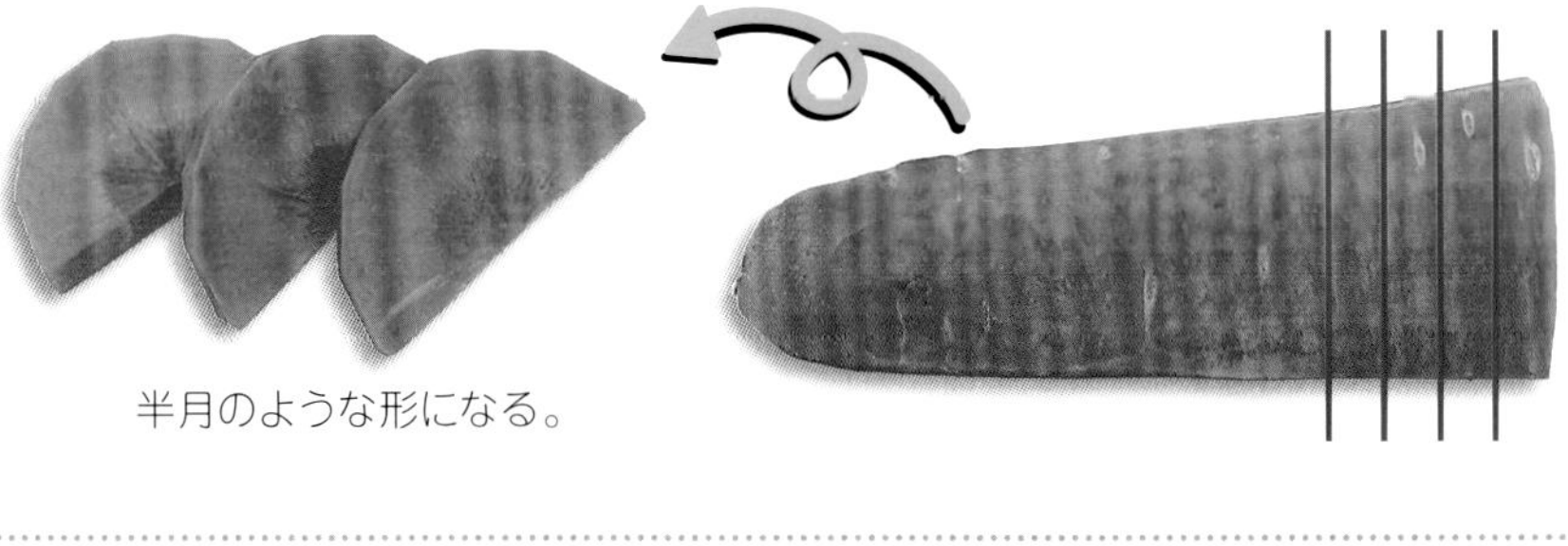

半月のような形になる。

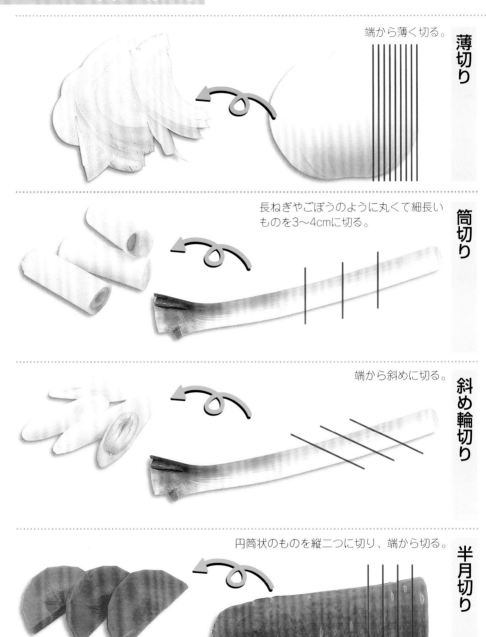

いちょう切り

大根やにんじんなど、円筒状の材料を
縦十文字に四つ割りにし、端から切る。

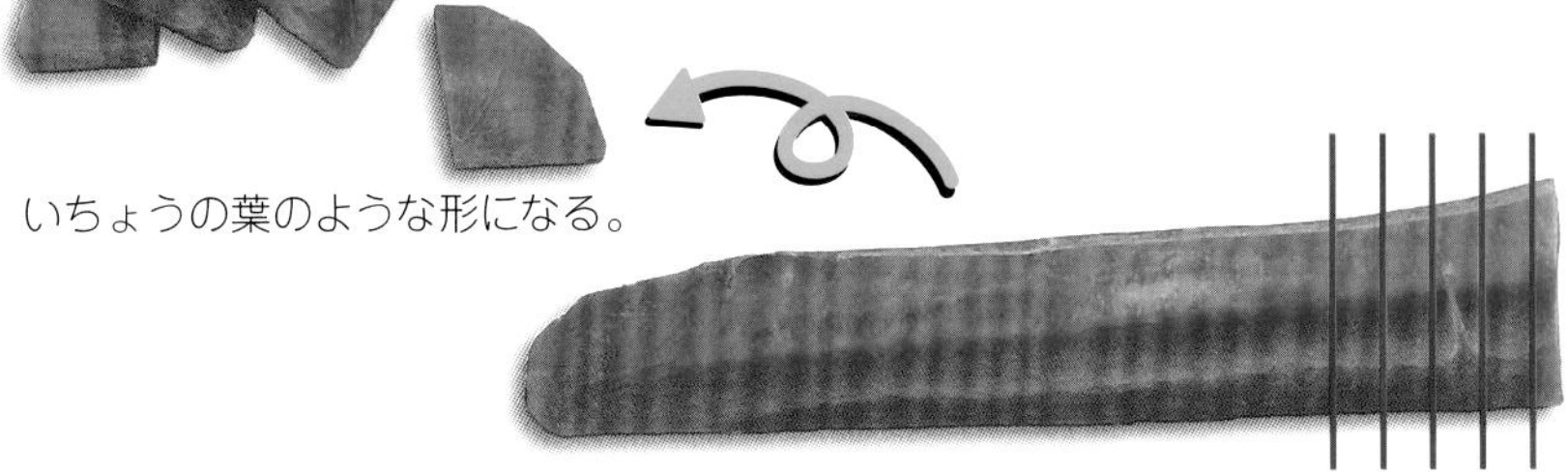

いちょうの葉のような形になる。

拍子切り

幅1cm、長さ4～5cmほどの長方形に木取り（形を整え）、
横にして繊維にそって端から約1cm幅に切る。

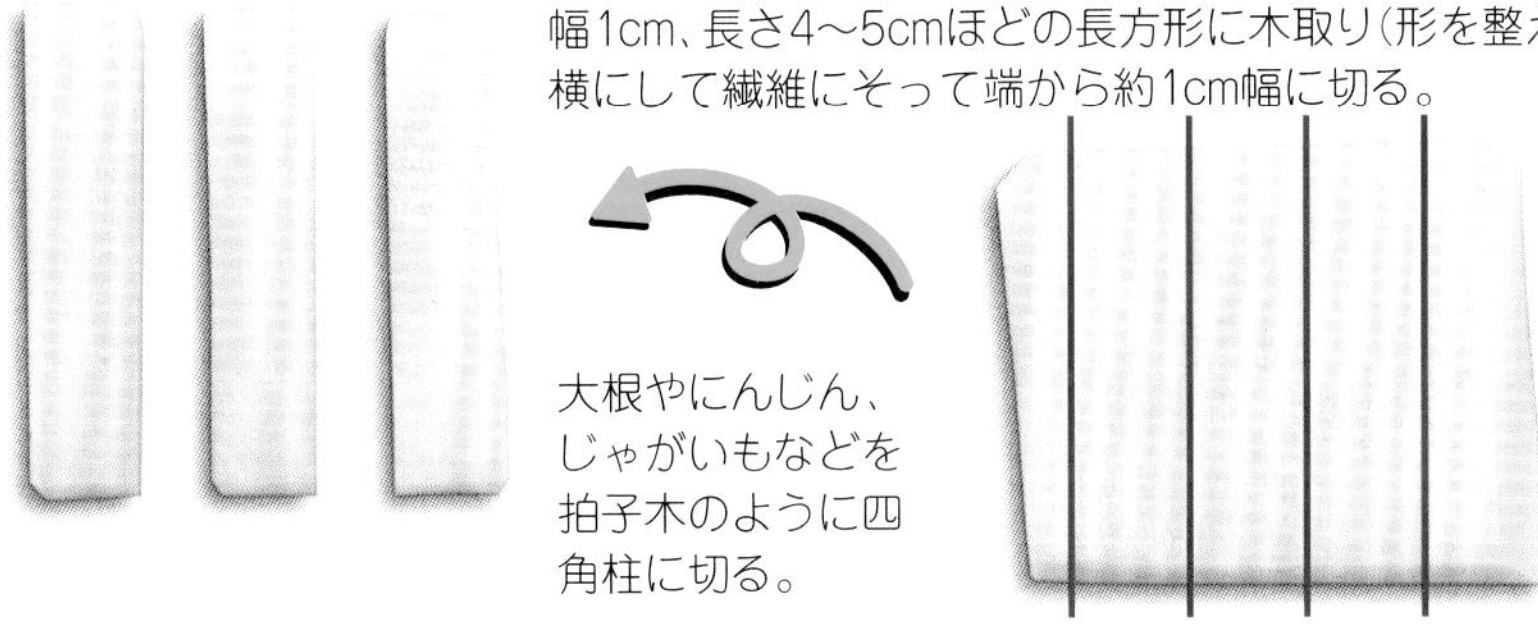

大根やにんじん、
じゃがいもなどを
拍子木のように四
角柱に切る。

さいの目切り

1cmの拍子切りにし、端から1cmの幅に切る。

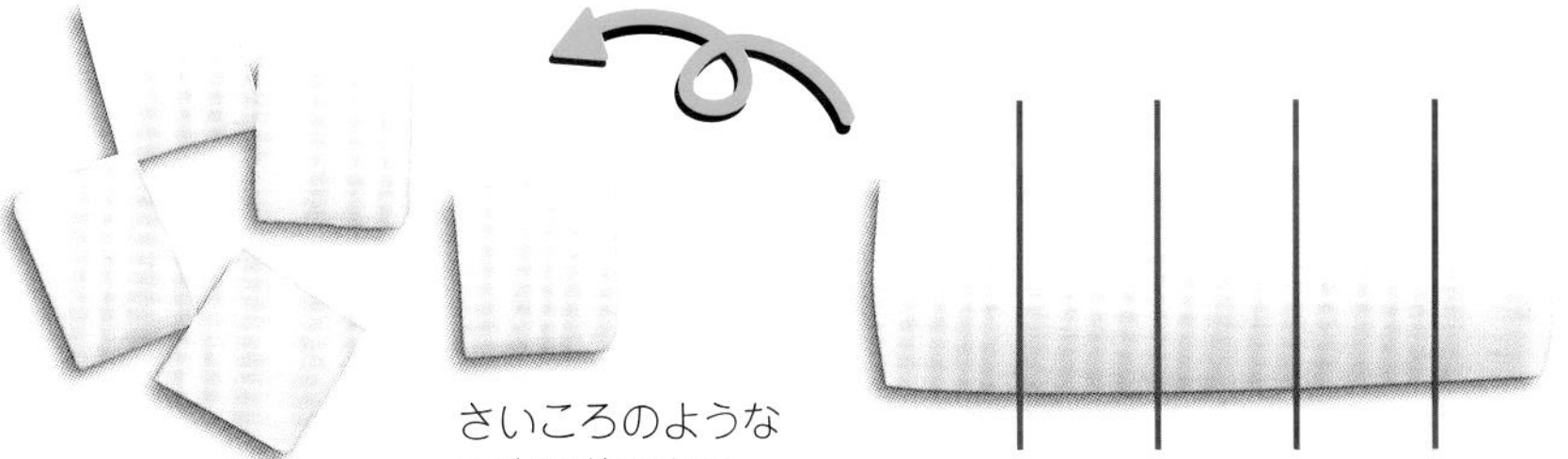

さいころのような
正六面体になる。

色紙切り

1cmの拍子切りにし、端から薄く切る。

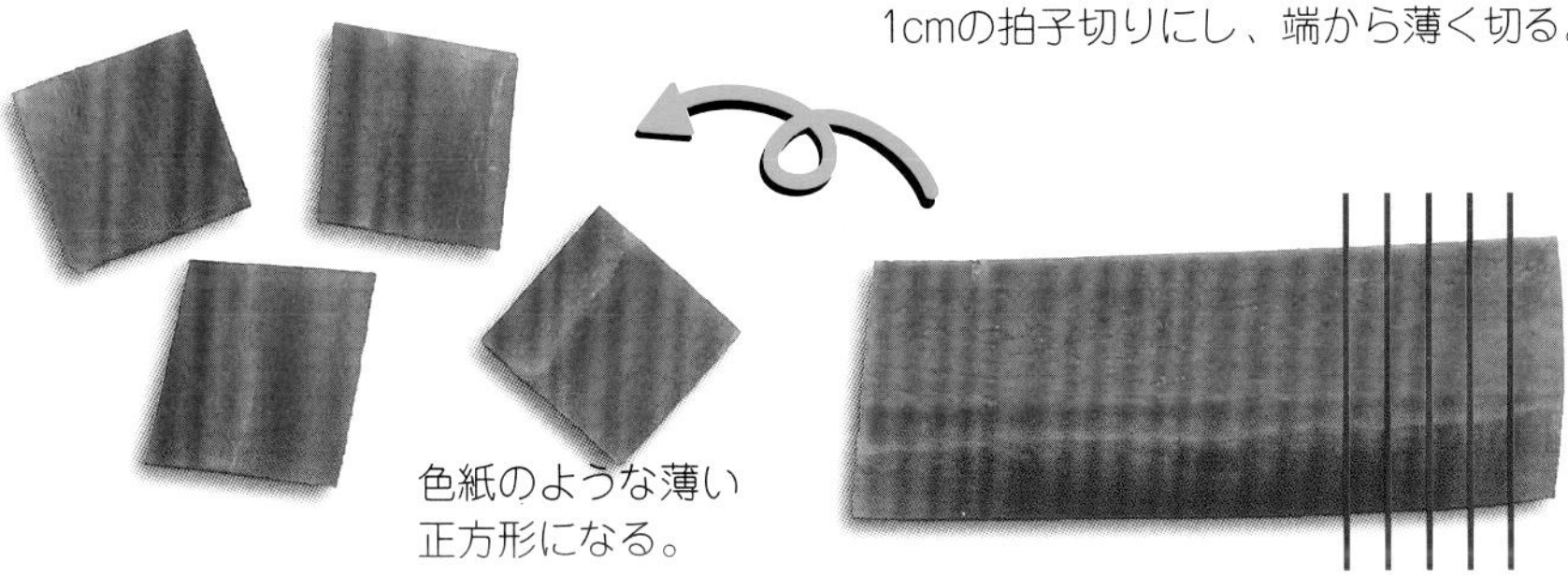

色紙のような薄い
正方形になる。

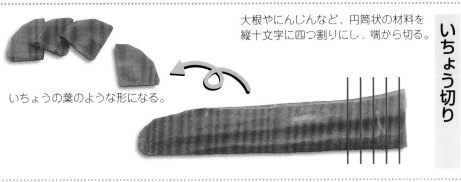

短冊切り

幅1cm、長さ4〜5cmほどの長方形に木取り（形を整え）、横にして繊維にそって端から薄切りにする。

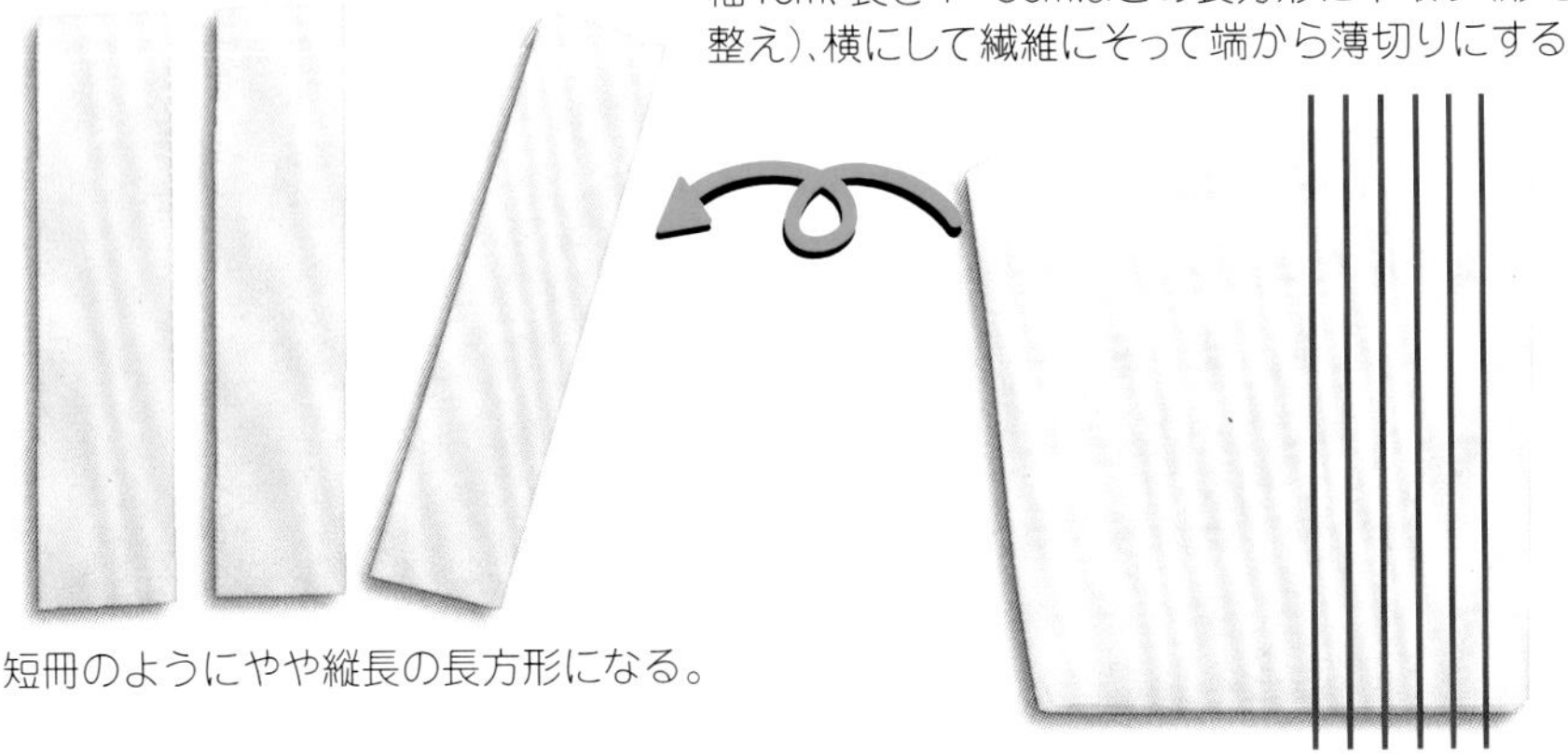

短冊のようにやや縦長の長方形になる。

細切り

薄切りにしたものを重ね、繊維にそって細く切る。

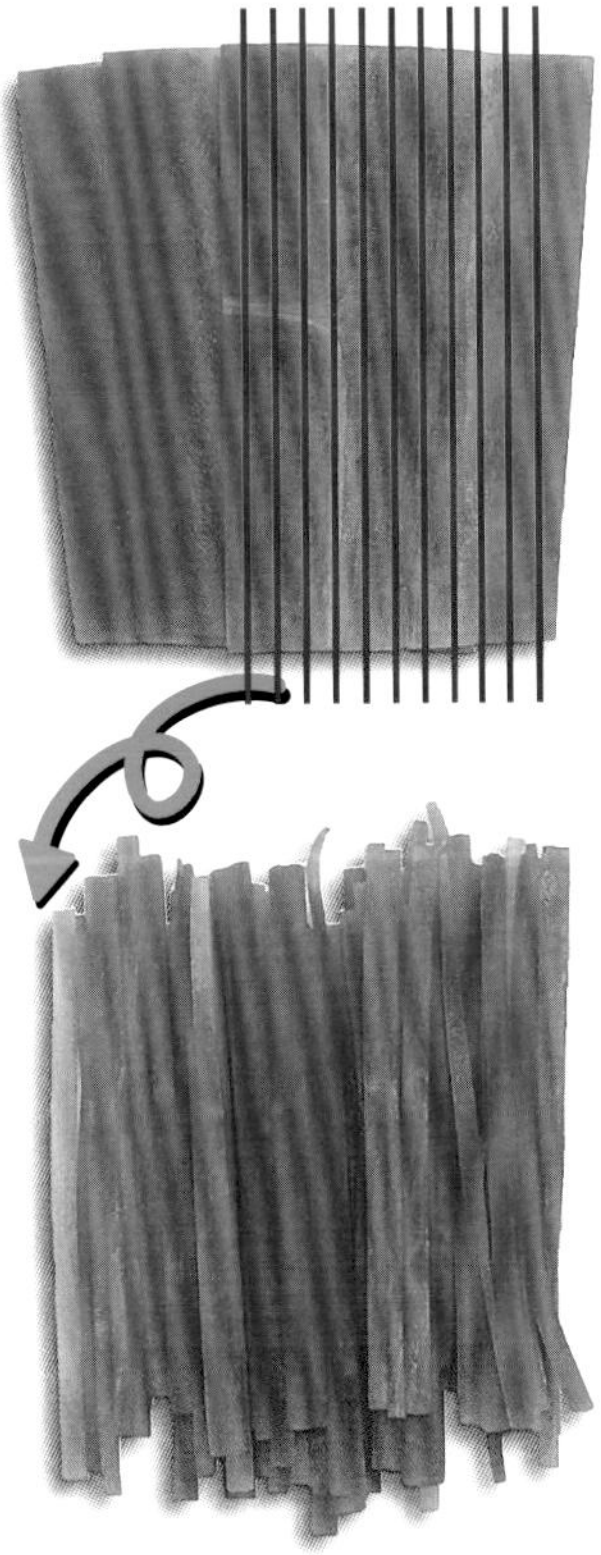

白髪ねぎ（長ねぎの細切りのこと）

4〜5cm長さに切ってから、縦に切り込みを入れ、中の芯（青い部分）をとり除いたものを、繊維にそって細く切る。

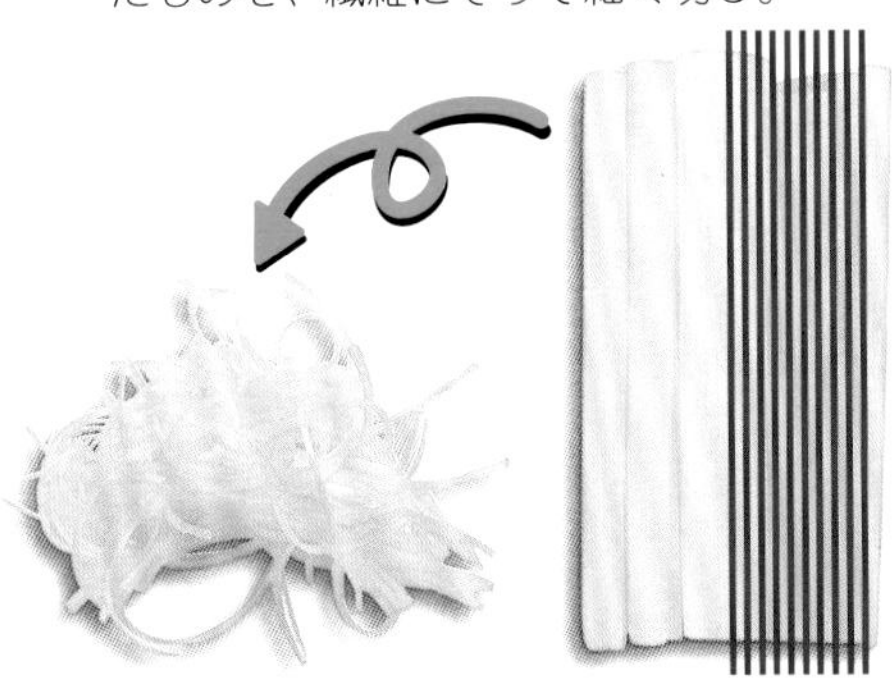

針しょうが（しょうがの細切りのこと）

薄切りにしたものをずらして重ね、繊維にそって針のように細く切る。

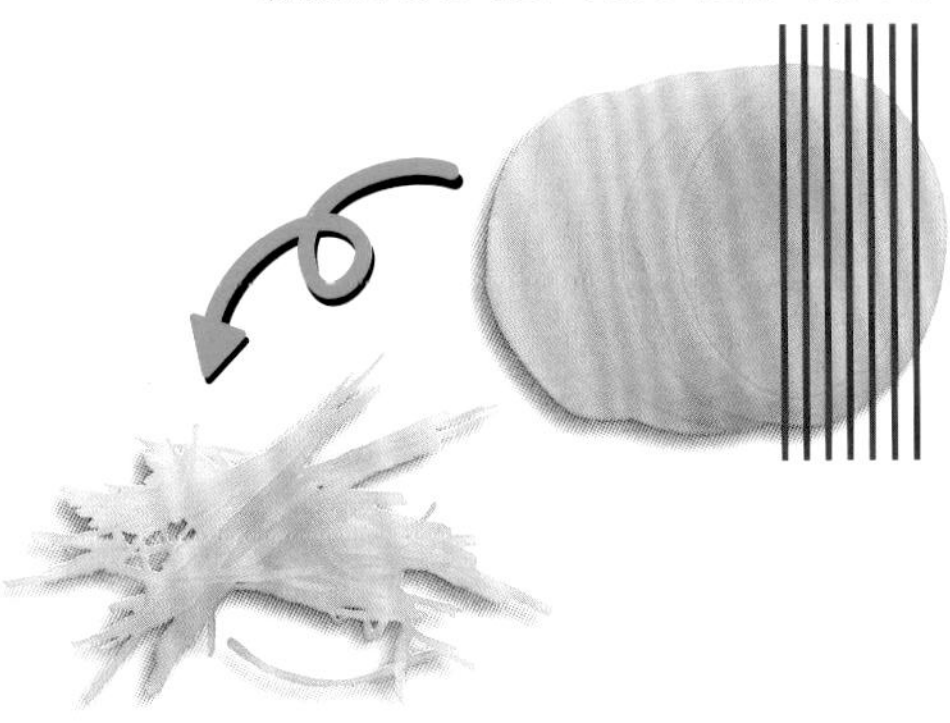

あられ切り

5〜8mmの細切りにし、端から5〜8mm幅で切る。

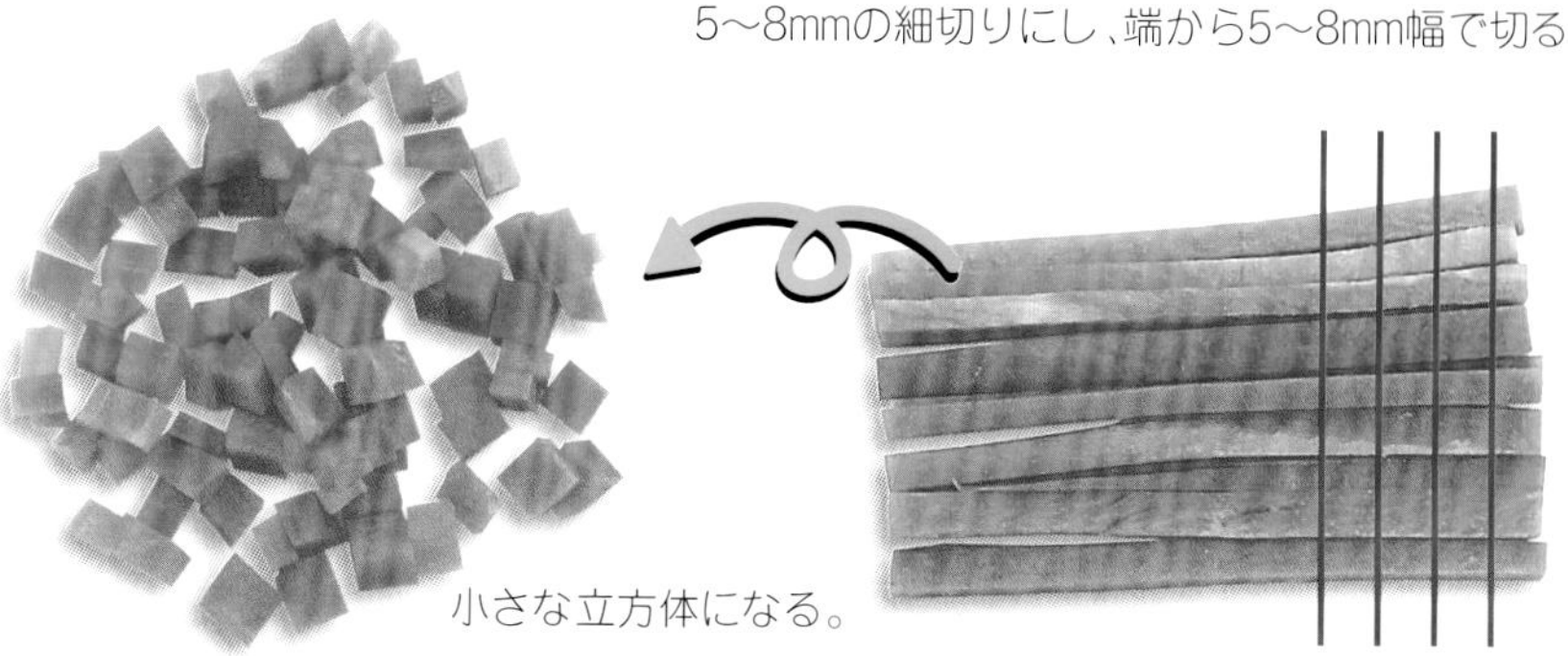

小さな立方体になる。

みじん切り

❶ 左端を残して細かく切る。

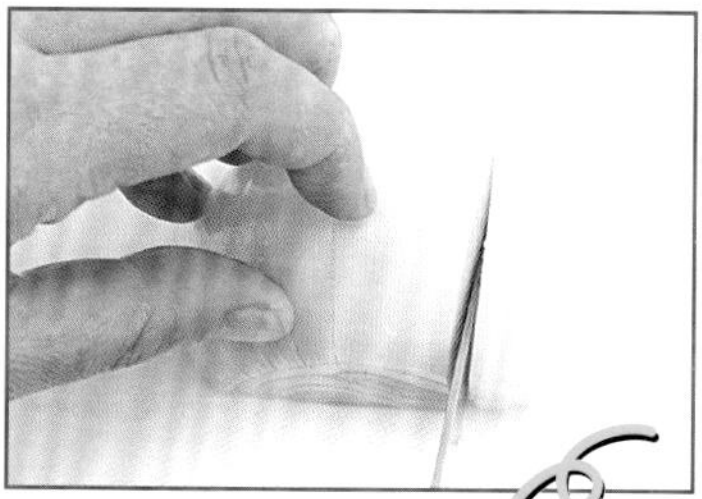

❷ 横から包丁を入れ、細かく切る。

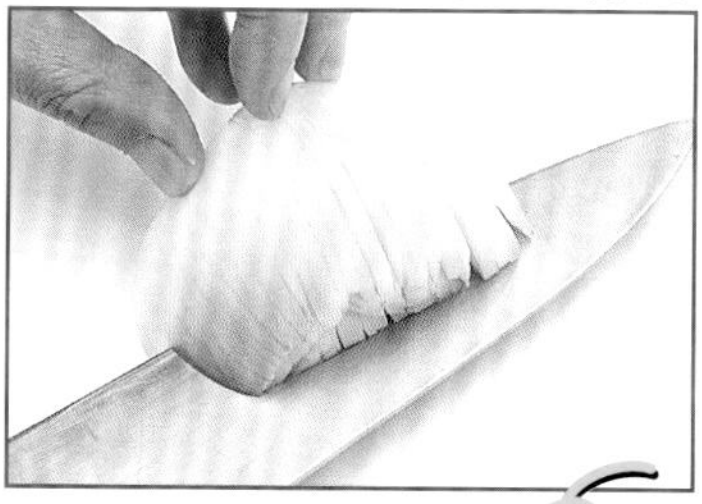

❸ 右側から細かく切る。

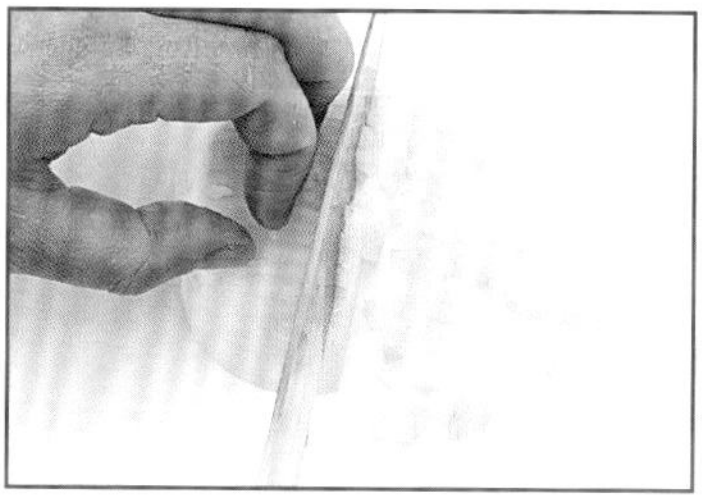

くし形切り

トマト、レモン、玉ねぎなど、球形のものを縦に放射状に切る。

くしのような形になる

そぎ切り

包丁を寝かせるようにして入れ、そぐように切る。切断面が広くなるので、味のしみ込みがよくなる。

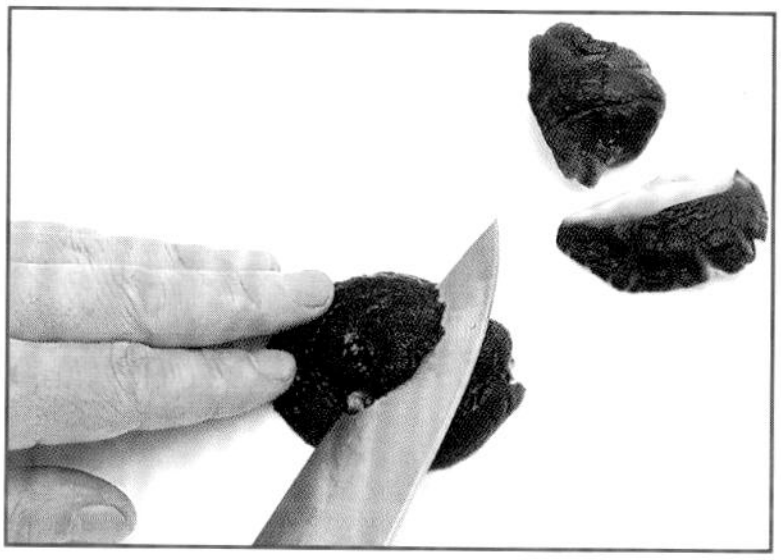

ささがき

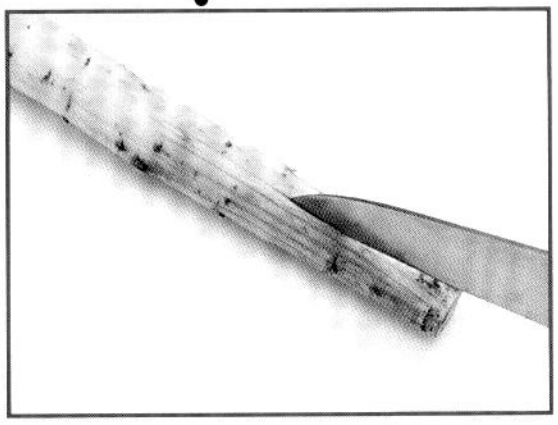

❶ 浅い切り込みを縦に細かく入れる。

❷ 鉛筆を削るように材料を回しながら、または材料をまな板の上で転がしながら削っていく。アク抜きのため、削ったそばから水に放す。

❸ 笹の葉のような形になる。

桂むき

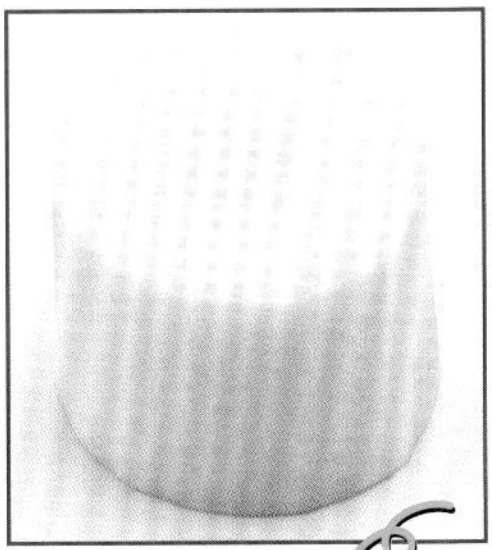

❶ 用途により長さを決め、材料を円柱状に切る。

❷ 材料の側面に包丁をしっかり当て、左手で材料を回し、包丁の刃を軽く上下に動かすように薄くクルクルとむいていく。

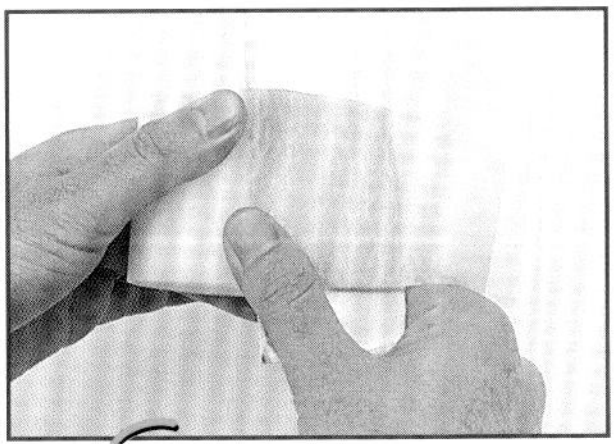

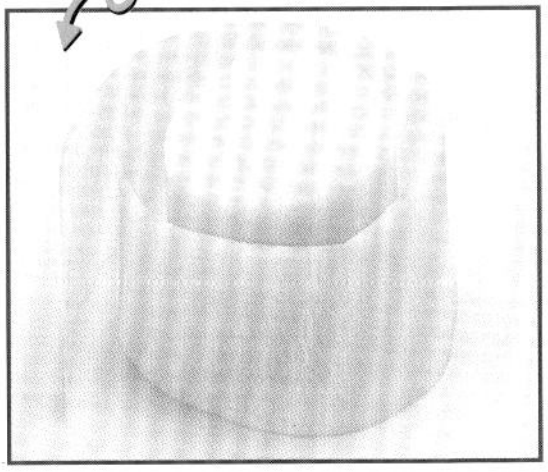

❸ 帯状になる。

面とり

煮くずれを防ぐため、材料の切り口の角をとること。

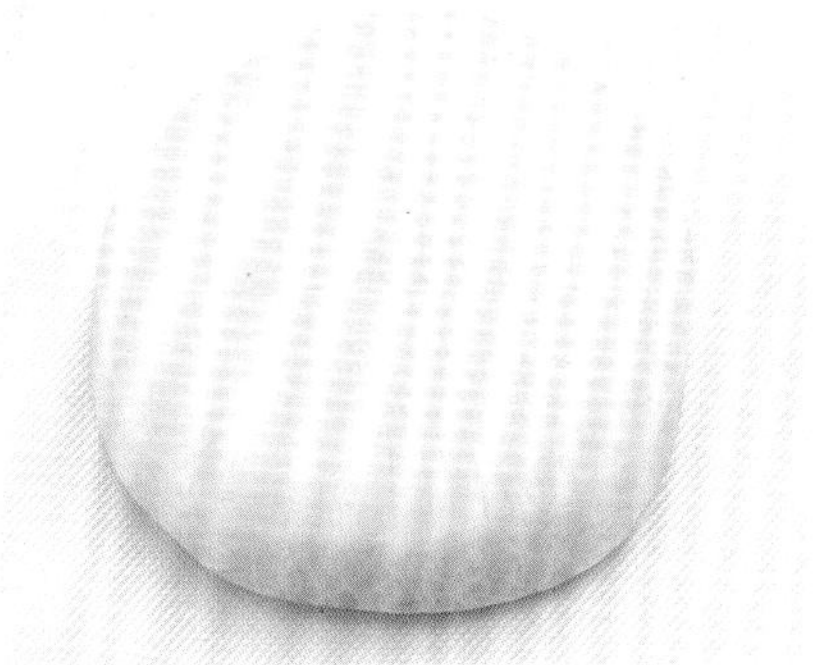

隠し包丁

火の通りをよくし、味の浸透を早めるため、料理を盛りつける際に裏側になるほうに深さ1cmくらいの切り込みを入れる。

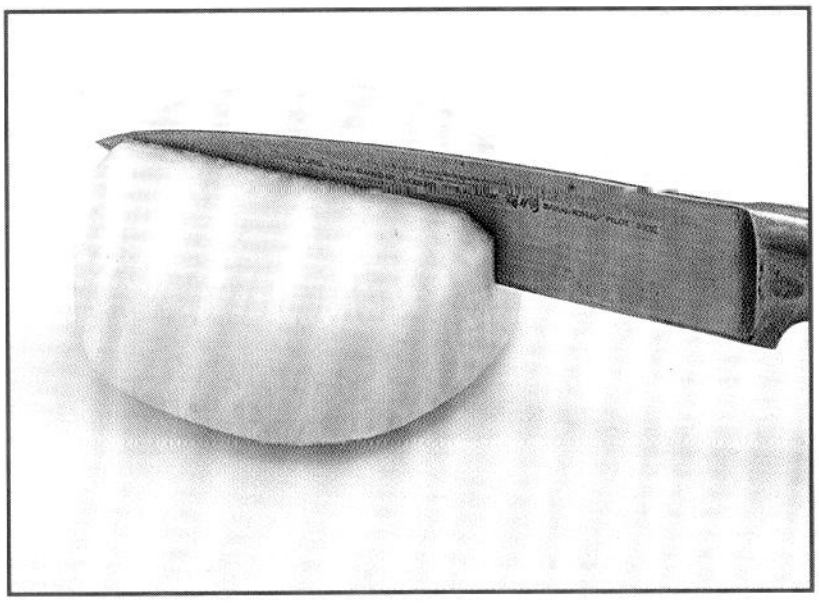

飾り切り

菊花かぶ

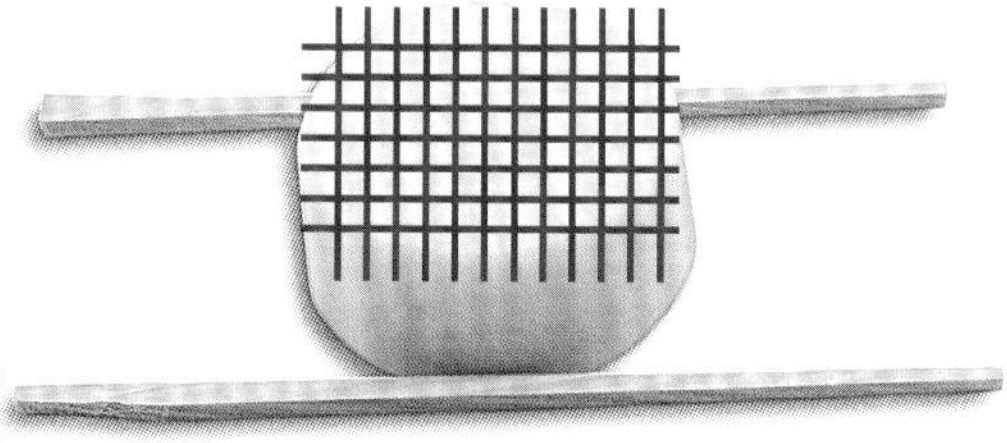

かぶは皮をむいて底を少し残して縦横に切り離さないように深く切り目を入れる（割り箸をおいておくと、下まで切れない）。

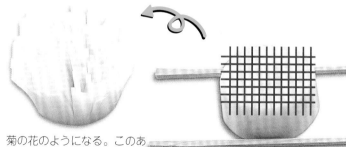

菊の花のようになる。このあと、薄い塩水につけてしんなりさせたら、甘酢につける。

しいたけの飾り切り

斜めに少し削るようにかさに切り込みを入れる。

見た目がよいだけでなく、味のしみ込みもよくなる。

きゅうりの蛇腹切り

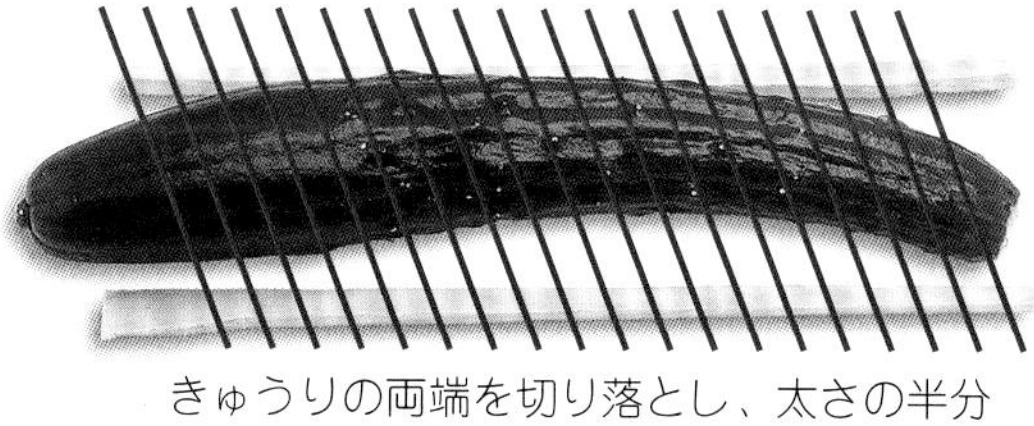

きゅうりの両端を切り落とし、太さの半分まで薄く細かく斜めに切り目を入れる（割り箸をおいておくと、下まで切れない）。裏にひっくり返したら垂直に切り目を入れる。

蛇腹《じゃばら》状になる。

切り違いきゅうり

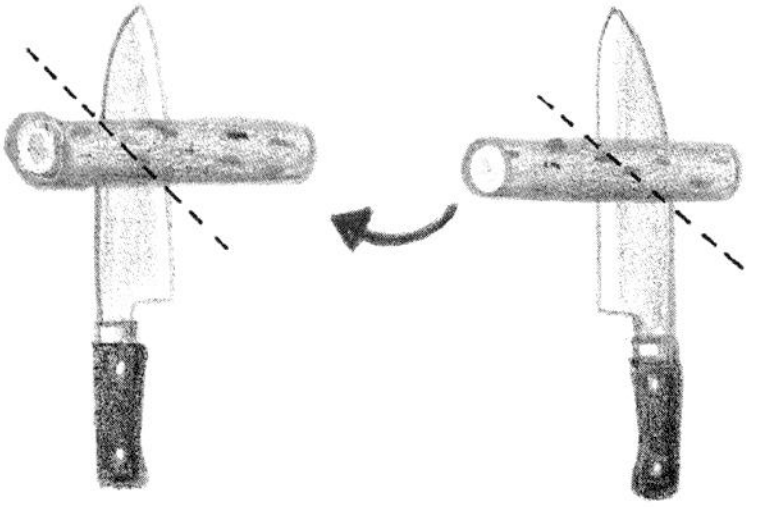

❶
4〜5cmに切ったきゅうりの中央に包丁を突き刺し、別の包丁で斜めに切る。

❷
裏返して、反対側も斜めに切る。

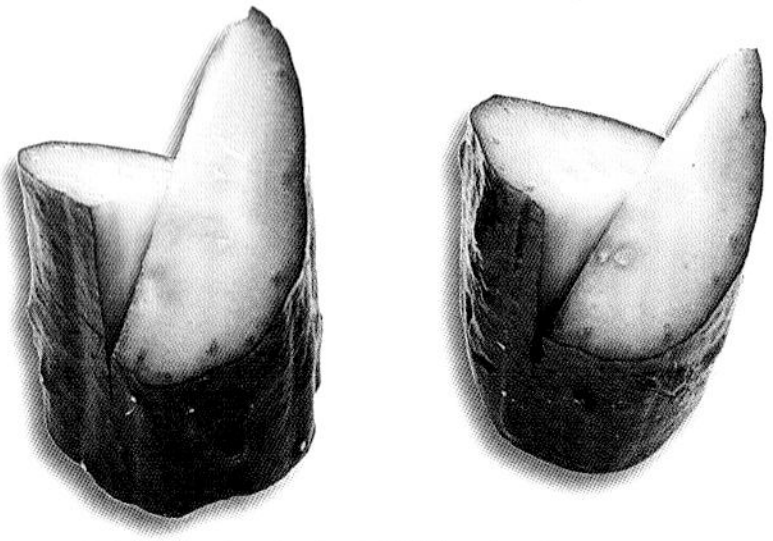

切り違いに切れた状態になる。

末広切り

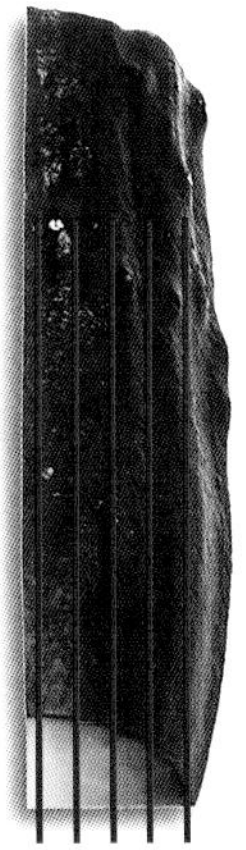

材料を拍子木切り（P24参照）にし（あるいはその形を生かして）、一方の端を1/4ほど残して縦に切り込みを入れる。

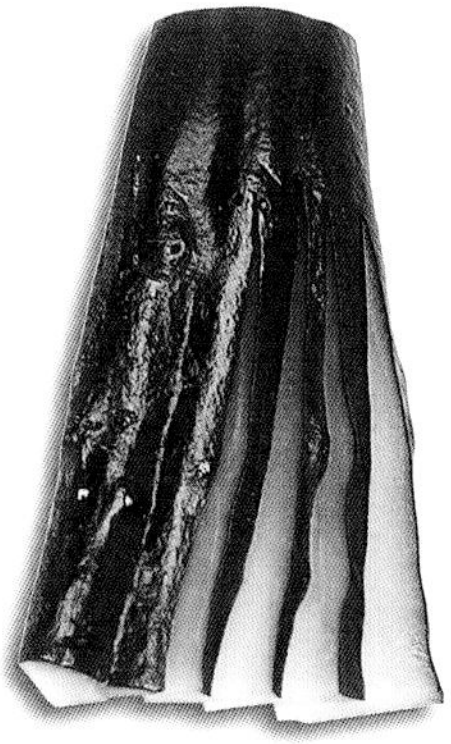

煮たり、塩をふったりして、しなやかになると、扇子にように開く。

花れんこん

❶
4〜5cm長さに切ったれんこんの穴と穴の間に浅く切り込みを入れる。

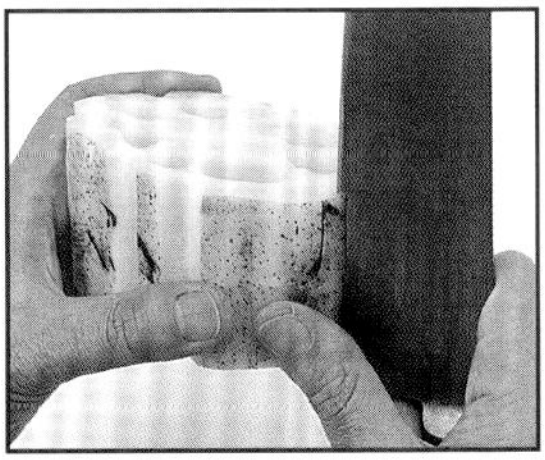

❷
次に穴の丸みにそってむいていく。

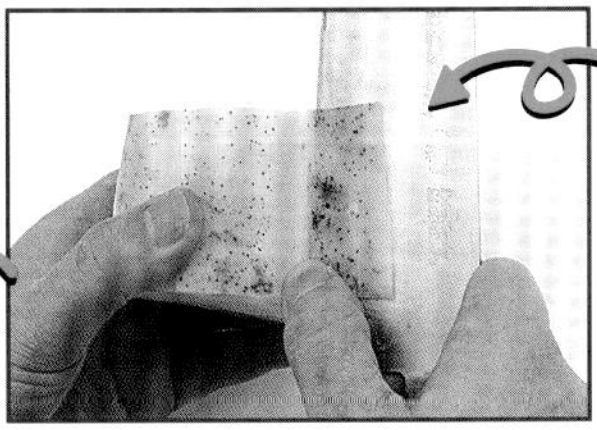

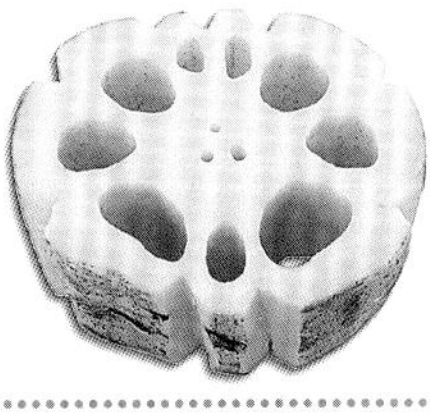

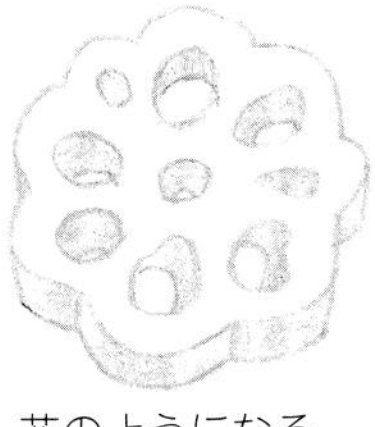

花のようになる。

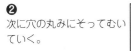

基本を覚えてしまえば自分でできる
魚介類の下処理

魚の各部の呼び方

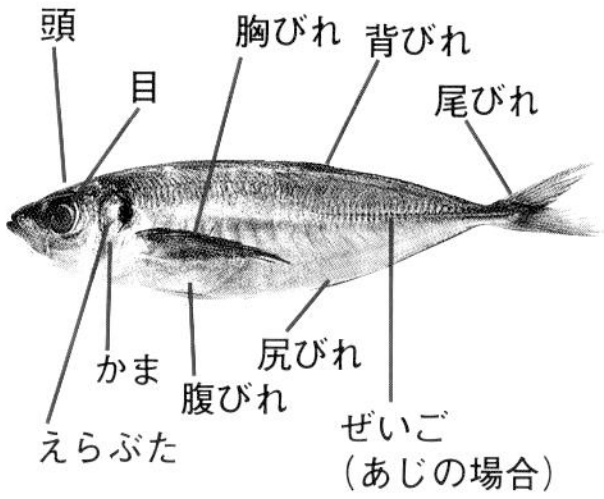

魚の持ち方

○尾の部分、あるいは目の上の部分を持つ。

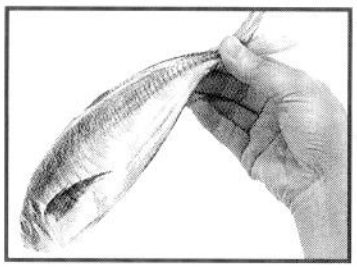

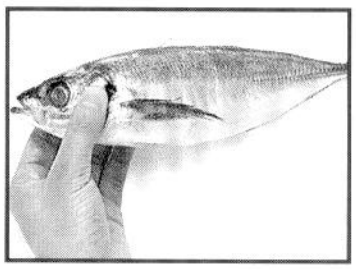

×お腹は持たないように。内臓をあたためてしまい、鮮度を落としてしまうので。

魚介類の下処理をするときは、まな板はぬらしておく
乾いたまな板の上で下処理をすると、魚介類のにおいがまな板に移ってしまうので、まな板は必ずぬらしておくこと。また、まな板の上に新聞紙を敷いて処理すると、後始末が楽。

あじなどを塩焼きにする場合の下処理

❶
頭を左にして魚を置き、包丁の刃先でうろこやぬめりをこそげとる。

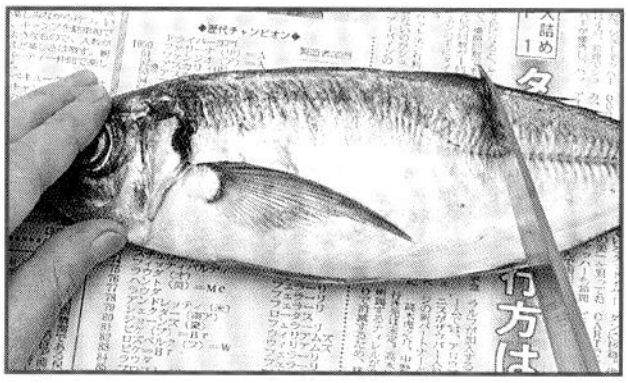

❷
あじの場合はぜいご（かたいうろこ）をとる。尾から頭のほうへ、包丁を上下に動かしながらとっていく。

❸
頭を右にしてお腹が上になるように置き、えらぶたを開いて中のえらをとり除く（赤い歯ブラシみたいな形をしているのがえら）。

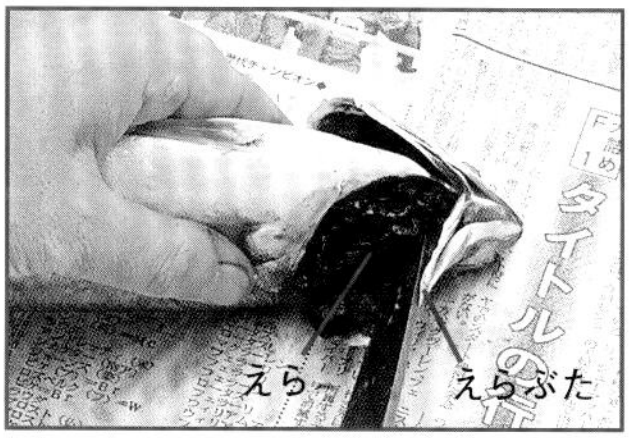

❹
焼いてお皿に盛りつけたときに表から見えない魚の裏側のお腹に、包丁で切り目をつける。

❺
内臓をかき出す。このあと、水洗いして腹の内側の血合いをとり除き、ペーパータオルで水気をよくふきとっておく。

あじのような小さな魚のおろし方

❶
頭を左にして魚を置き、包丁の刃先でうろこやぬめりをこそげとる。

❷
あじの場合ぜいご（かたいうろこ）をとる。尾から頭のほうへ、包丁を上下に動かしながらとっていく。

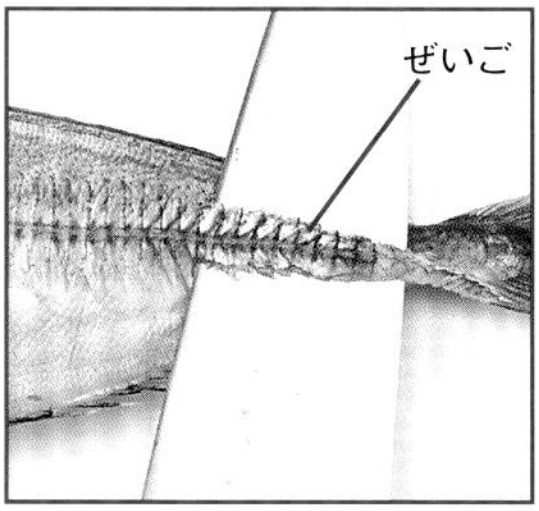

❸
包丁を斜めに入れ、胸びれ・腹びれごと頭を切り落とす（この頭の落とし方を「たすき落とし」と呼ぶ）。

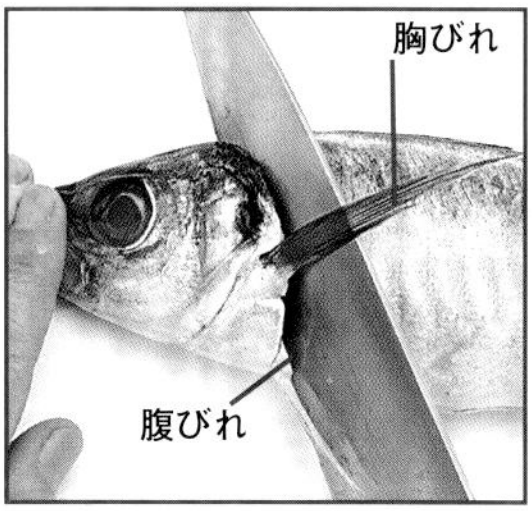

❹
尾が左になるようにし、少し斜めに置いてお腹の部分に包丁を入れ、切り開く。

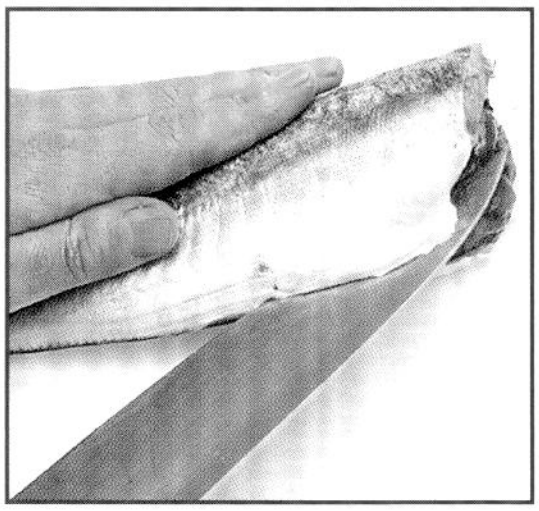

❺
内臓をかき出す。白い薄い膜をとり、中の血のかたまりをかき出す。

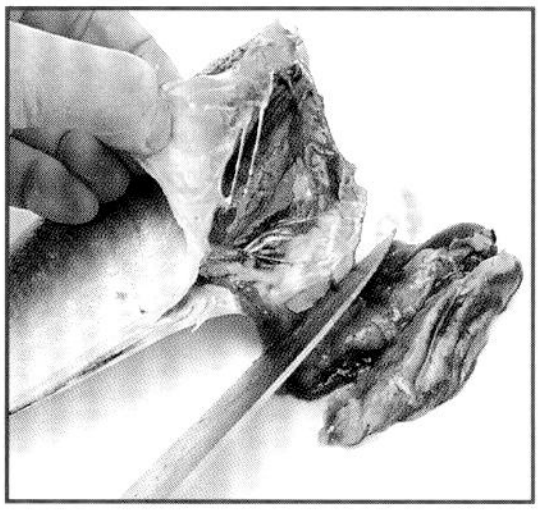

❻
ボウルなどにためた水の中で魚を洗い、さらに流水で洗ってから、ペーパータオルでよくふきとる。

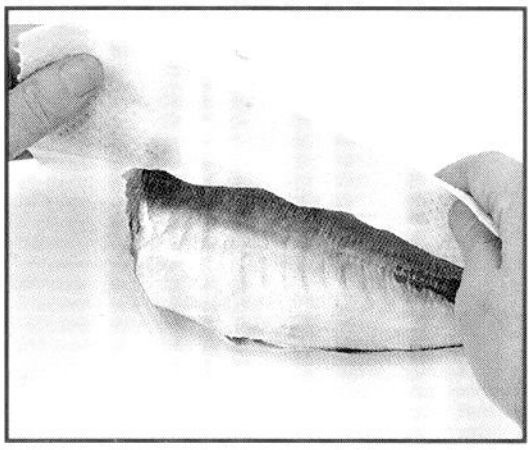

❼
中骨の上に包丁をあて、包丁を上下に動かしながら身を切る。これで**二枚おろし**のできあがり。

❽
さらに骨のついている身を、中骨を下にして置き、中骨と身の間に包丁を入れて切り離す。

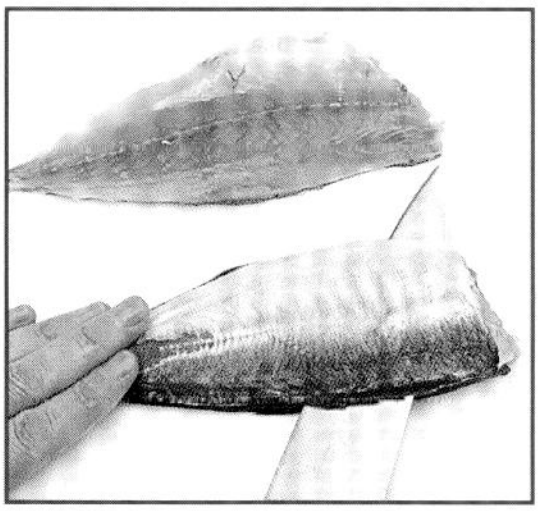

❾
三枚おろしのできあがり。

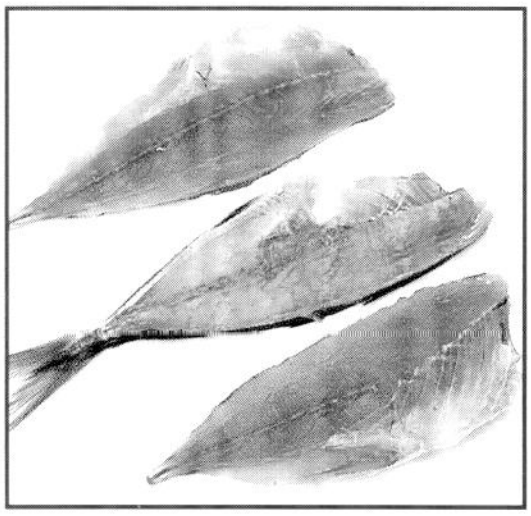

さばのような大きな魚のおろし方

❶
頭を左にして魚を置き、包丁の刃先でうろこやぬめりをこそげとる。

❷
かまの部分が大きな魚の場合は、かまの部分は残して頭だけを切り落とす（これを「素落とし」と呼ぶ）。

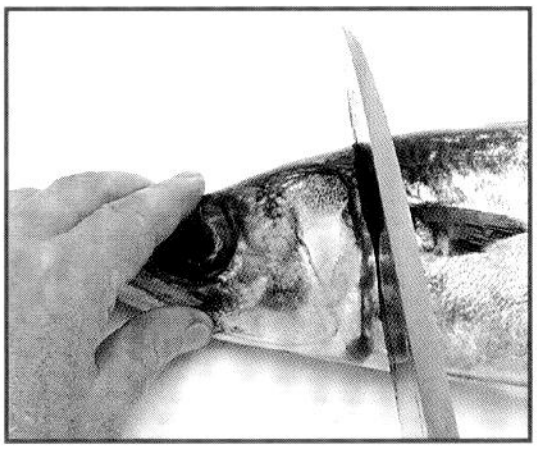

❸
尾を左に向け、お腹の部分に包丁を入れる。

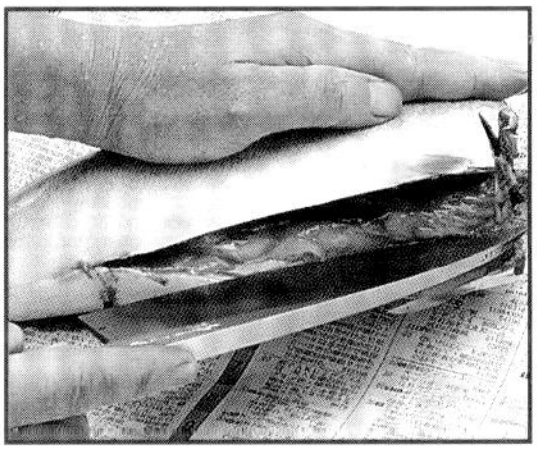

❹
内臓をかき出す。

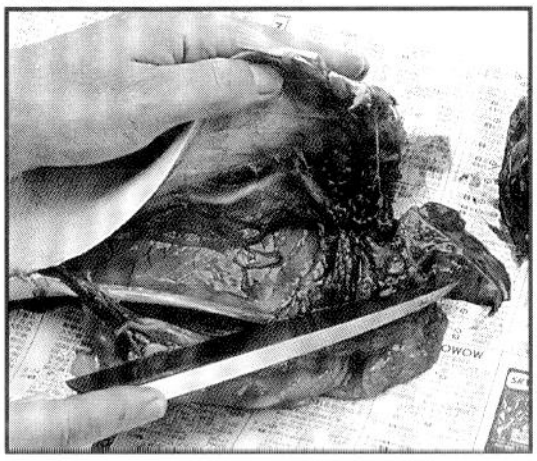

❺
水洗いして、お腹の内部の血合いなどを除き、ペーパータオルで水気をよくふきとる。

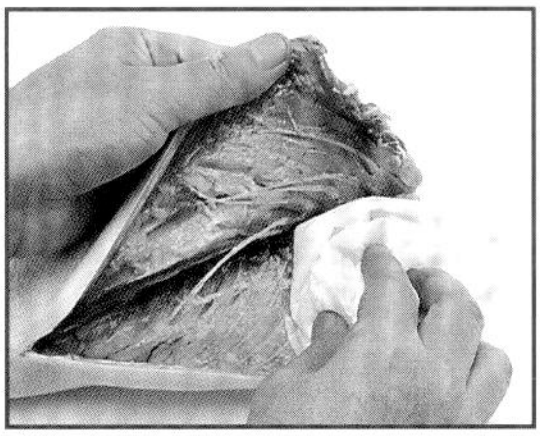

❻
腹側の頭の方から包丁を入れ、包丁を中骨の上にすべらすようにして身と骨を切り離す。

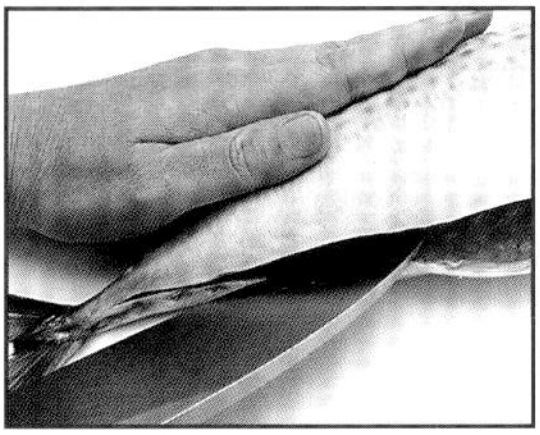

❼
尾を右に向けて置き、今度は背側から包丁を入れる。

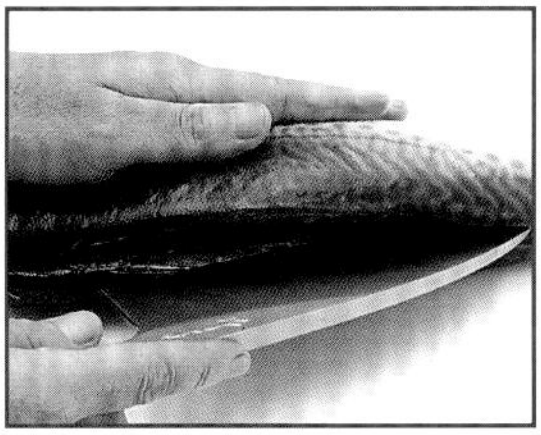

❽
尾のほうから中骨の上に包丁を入れ、頭の方に向かって中骨と身を切り離す。

❾
尾に包丁を入れ、上の身を切り離す。

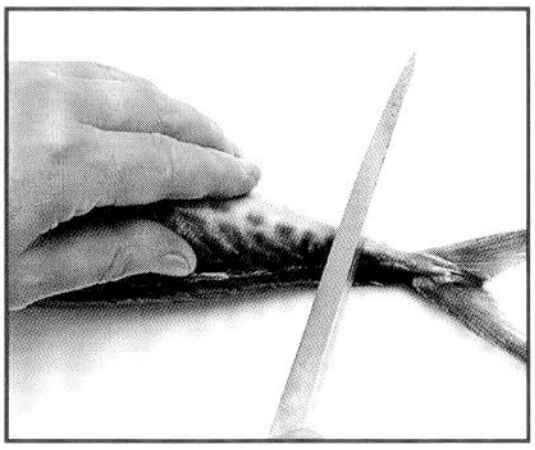

❿
二枚おろしのできあがり。

⓫
骨のついている身の背側に包丁を入れ、中骨の上をすべらすように包丁を動かして、身と骨を切り離す。

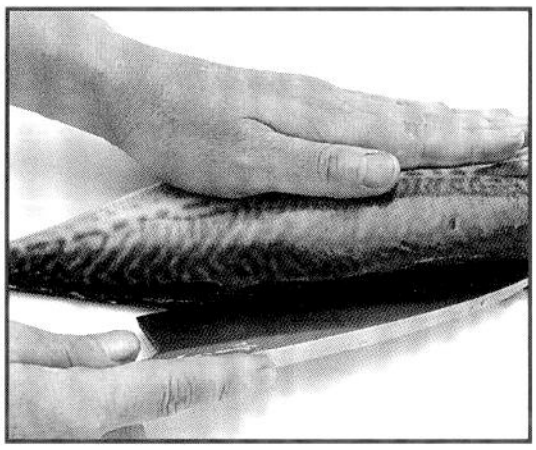

⓬
尾を右に向け、腹側の部分に包丁を入れる。

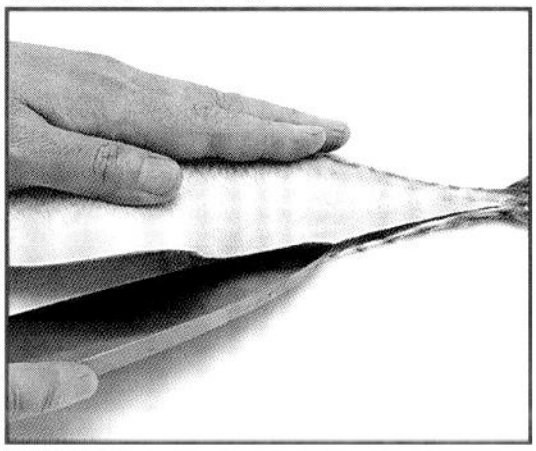

⓭
⓫と同様に包丁を動かして、身と中骨を切り離す。

⓮
三枚おろしのできあがり。

⓯
腹骨の部分を切りとる。

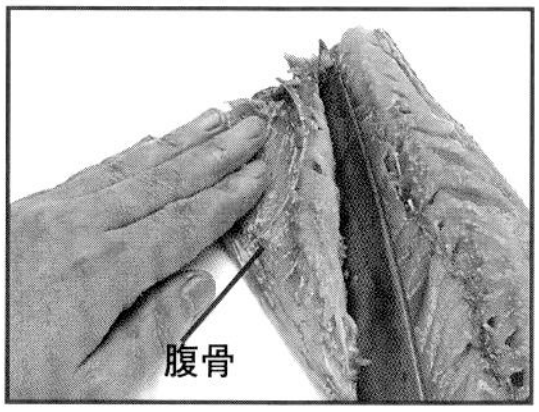

⓰
残った中骨を骨抜きでとる。

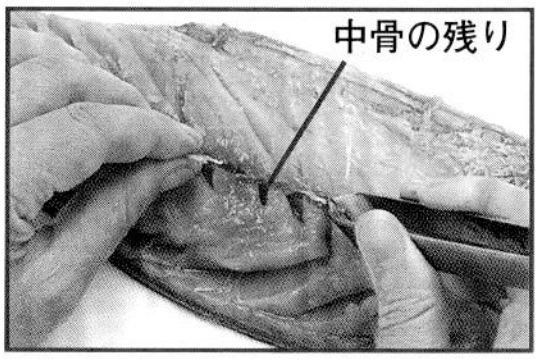

⓱
小さな切り身にするときは、身の流れにそって切る。

いわしの手開き

❶
頭のつけ根を親指と人差し指で切り離し、そのまま引っぱって内臓をとり除く。

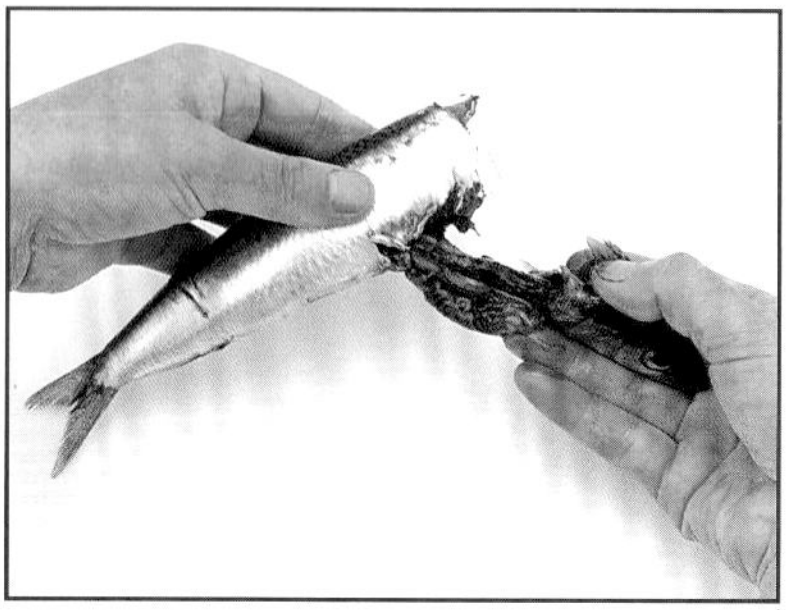

❷
水洗いし、ペーパータオルで水気をふきとる。

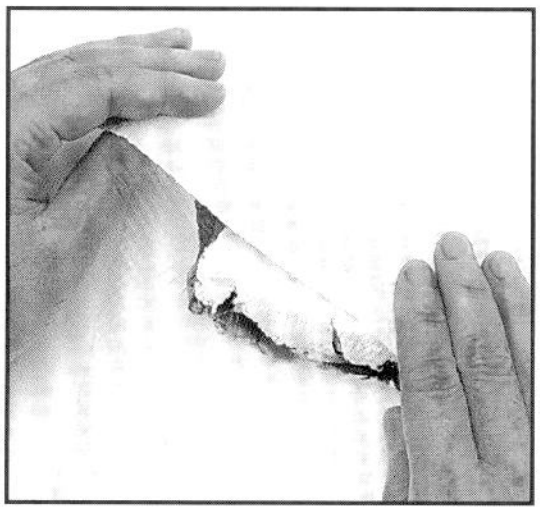

❸
中骨にそって親指をすべらせ、身を開く。

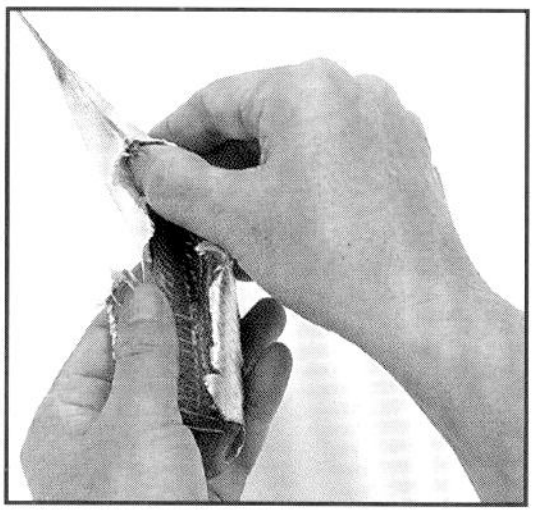

❹
尾のつけ根部分の中骨を折り、そのまま頭のほうへ向かって身からはがす。

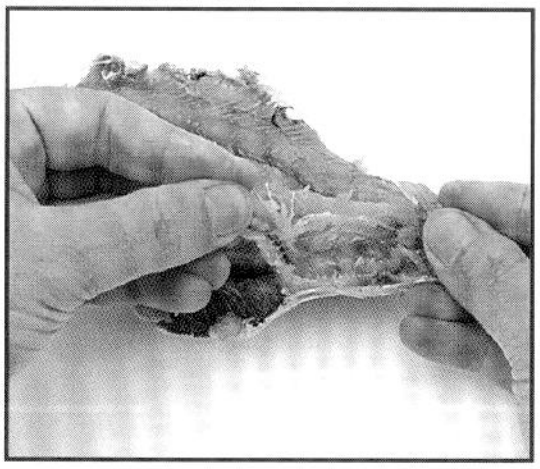

❺
両端の腹骨の部分を切りとる。

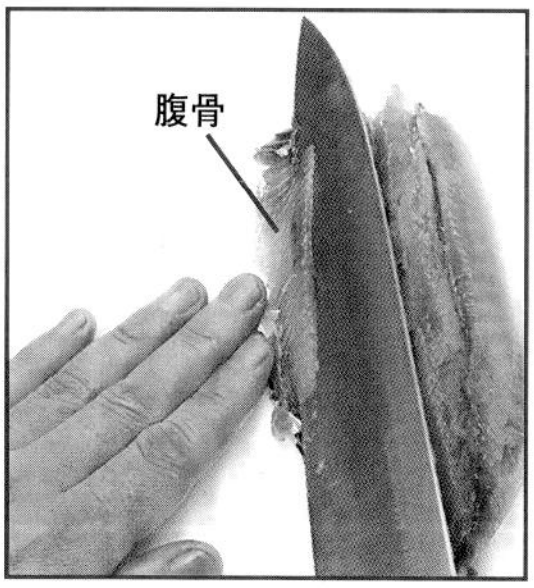

❻
できあがり。

いかの下処理

いかの各部の呼び方

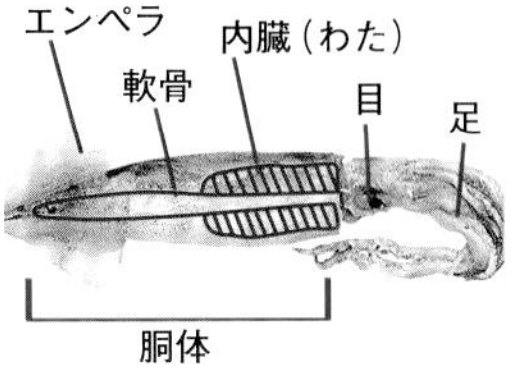

❶
まず、胴と足を切り離すが、足と内臓はつながっているので、指を入れて胴にはりついている内臓の部分を切り離していく。

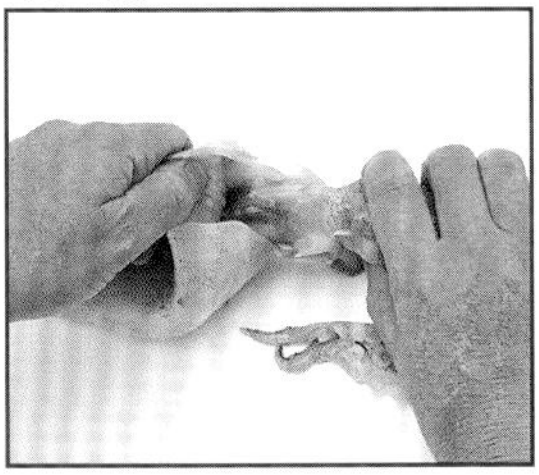

❷
胴から足・内臓を引き出したところ。胴の中に指を入れて軟骨（プラスチックのような細長いもの）もとり除く。

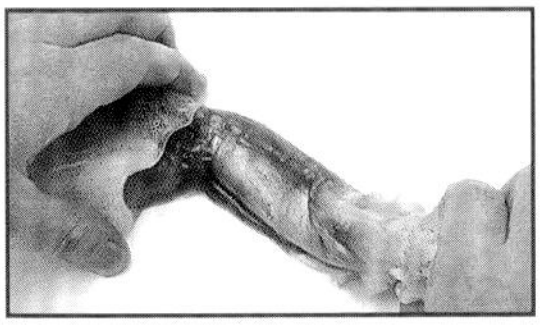

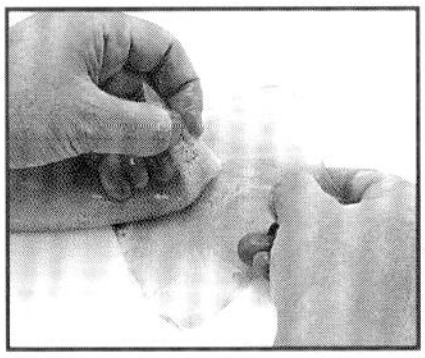

❸
エンペラのつけ根を切り離す。

❹
エンペラを皮とともに引いていく。

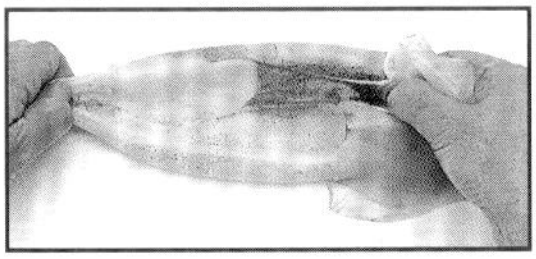

❺
皮をむくコツは一気にはがすこと。

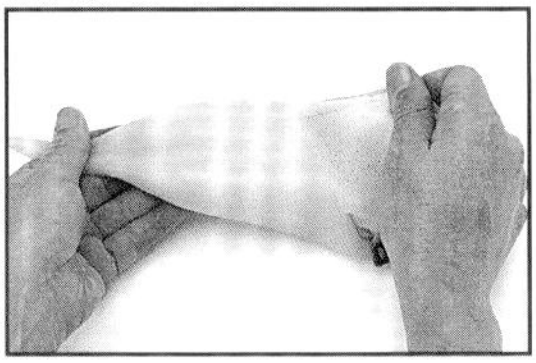

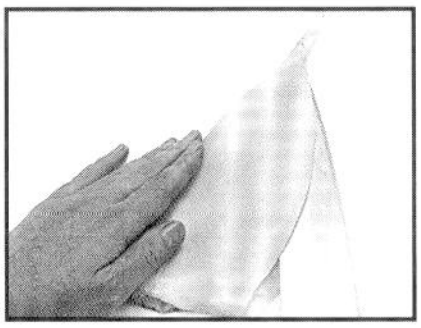

❻
包丁を入れて切り開く。

❼
内側に残っている内臓をとり除く。

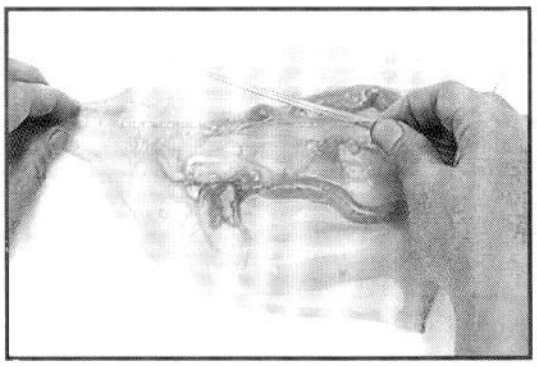

いかの飾り切り

唐草《からくさ》切り

❶
身の内側を上にして置き、包丁を寝かせるようにして斜めに大きく切り目を入れる。

❷
裏側から、切れ目と直角になるように適当な大きさに切り分ける。

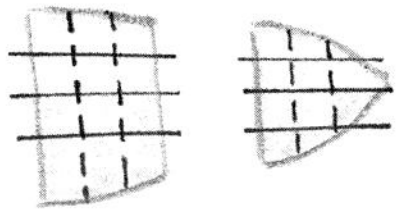

松笠《まつさか》切り

❶
身の内側を上にして置き、包丁を寝かせるようにして斜めに切り目を入れていく。

❷
❶の切り目と十字に交差するように切り目を入れていく。

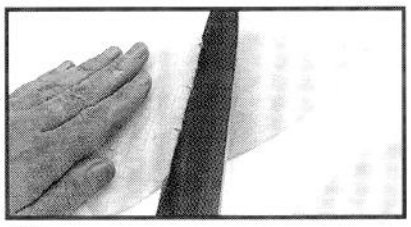

❸
裏側から、適当な大きさに切り分ける。

足の部分の処理

❶
目の下に包丁を入れ、内臓の部分を切り離す。

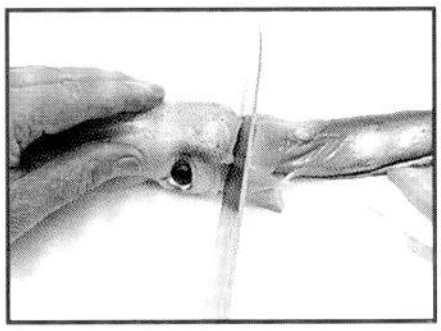

❷
足は切り開き、くちばし（茶色のかたい部分）を指でとる。

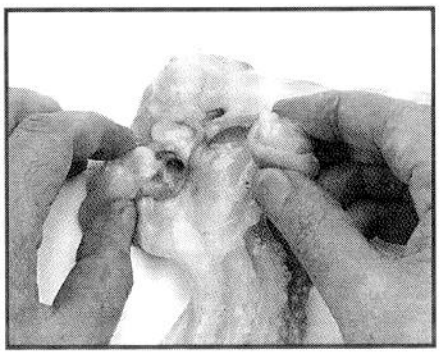

❸
指で押し出すようにして目をとる。

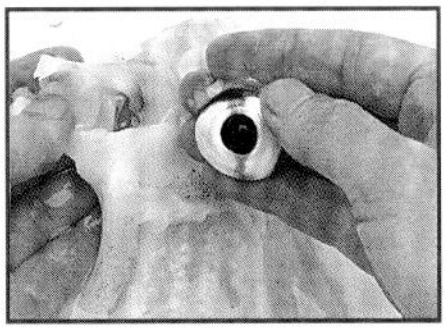

❹
足の吸盤を包丁でこそぎ落とし、適当な大きさに切って煮物などに利用。

えびの下処理

えびの各部の呼び方

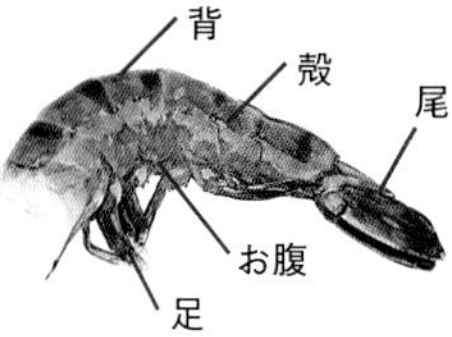

❶
背に竹串を刺し、背わたを引き出してとり除く。

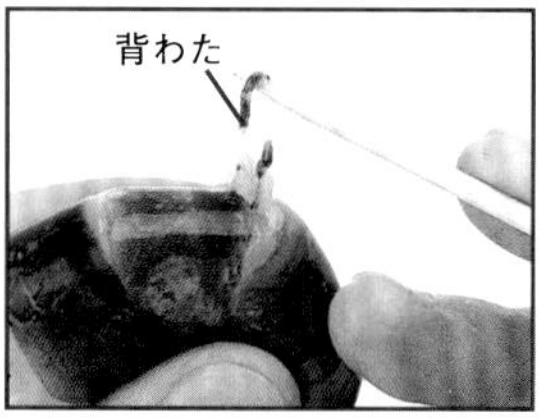

❷
殻をむく。

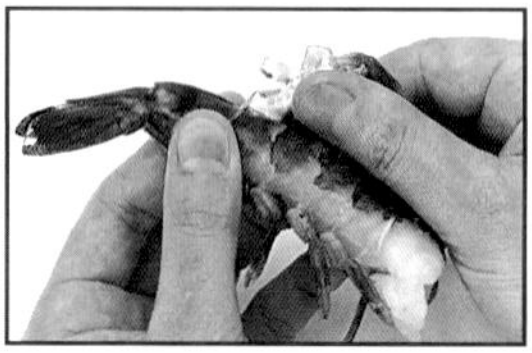

❸
尾先を少し切り、尾の中の水気をしごき出す。

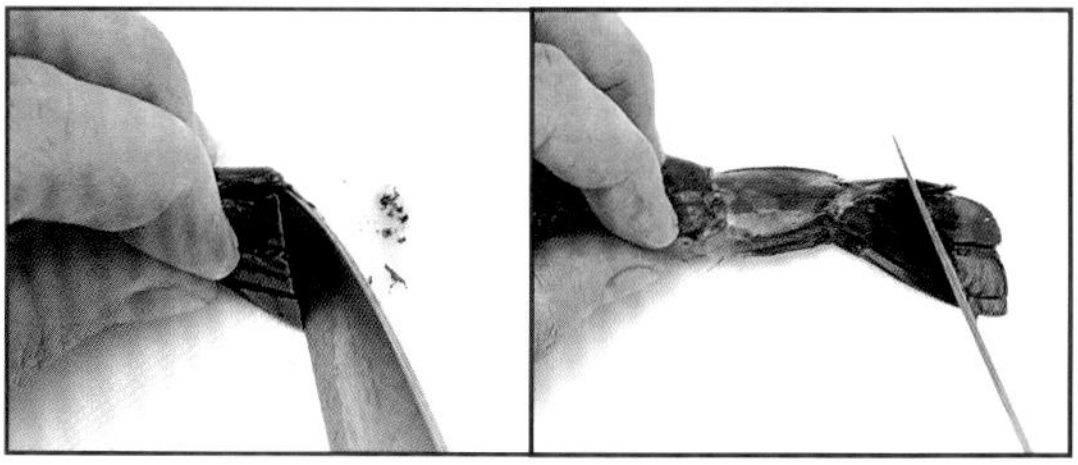

❹
お腹の部分にあるスジに、2～3カ所切り込みを入れる。こうしておくと、料理したときに身が縮まない。

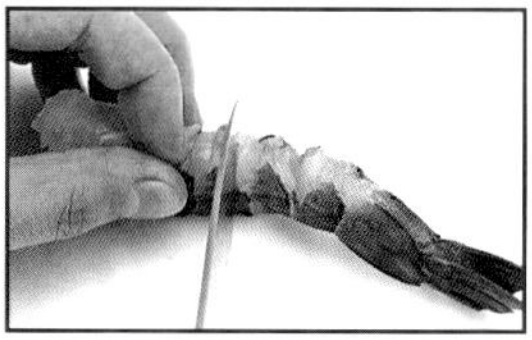

かきの下処理

❶
底の深いほうを下にしてかきを持つ（軍手をするか、布巾を使って持つ)。ナイフ（洋食ナイフでいい）を差し込み、貝柱をはずす。

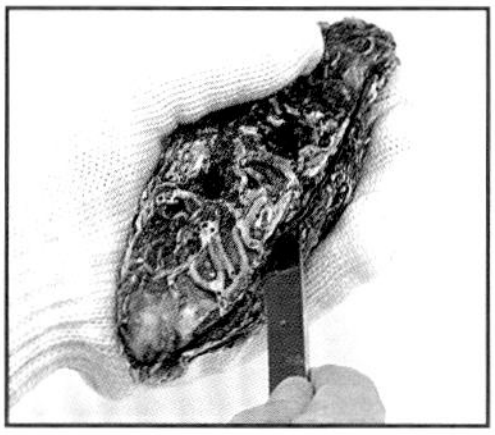

❷
ナイフをねじるようにして殻をこじあける。

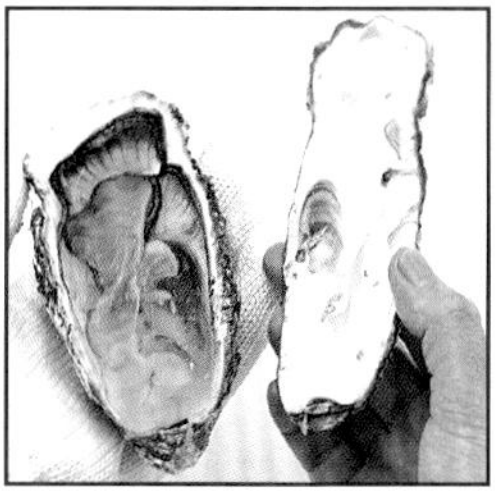

ほたて貝の下処理

❶
ナイフを差し込む。

❷
ナイフで貝柱をすくうようにして、貝殻からはがす。

❸
貝殻を開き、中の身をとり出す。

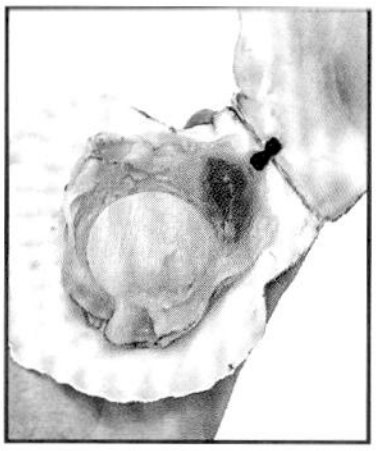

❹
ひもを引っ張ってはずす。

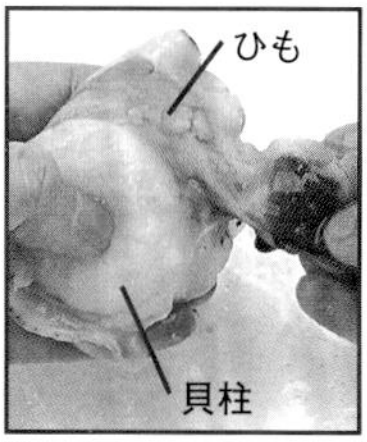

❺
貝柱の表面についている薄い膜をていねいにとり除く。

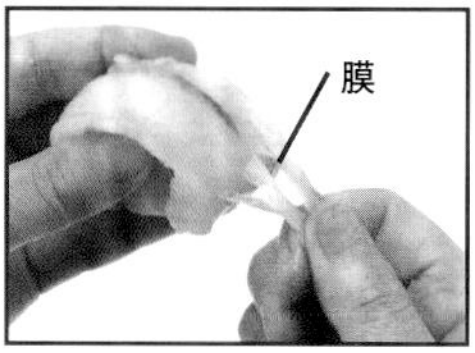

さくで買った新鮮な刺し身をおいしく仕上げる

刺し身の切り方、盛りつけ方

つまの作り方

❶
大根、にんじん、きゅうりを桂むき（P27参照）にする。

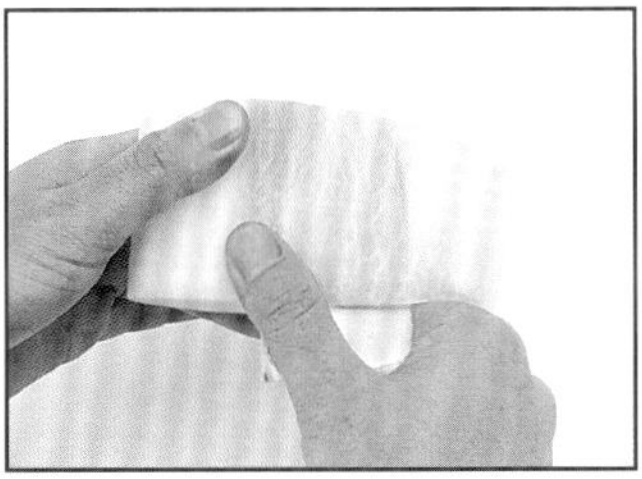

❷
大根は、桂むきにしたものを適当な大きさに切って重ね、端から細切りにする。

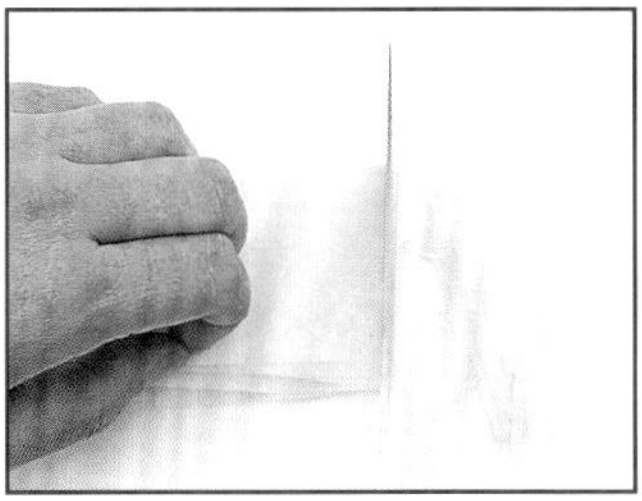

❸
にんじん、きゅうりは斜めに切っていく。こうするとらせん状になる。

❹
ラディッシュは薄切りにし、紅たでは洗って水気を切っておく。

刺し身の切り方

▼たいなどの白身魚

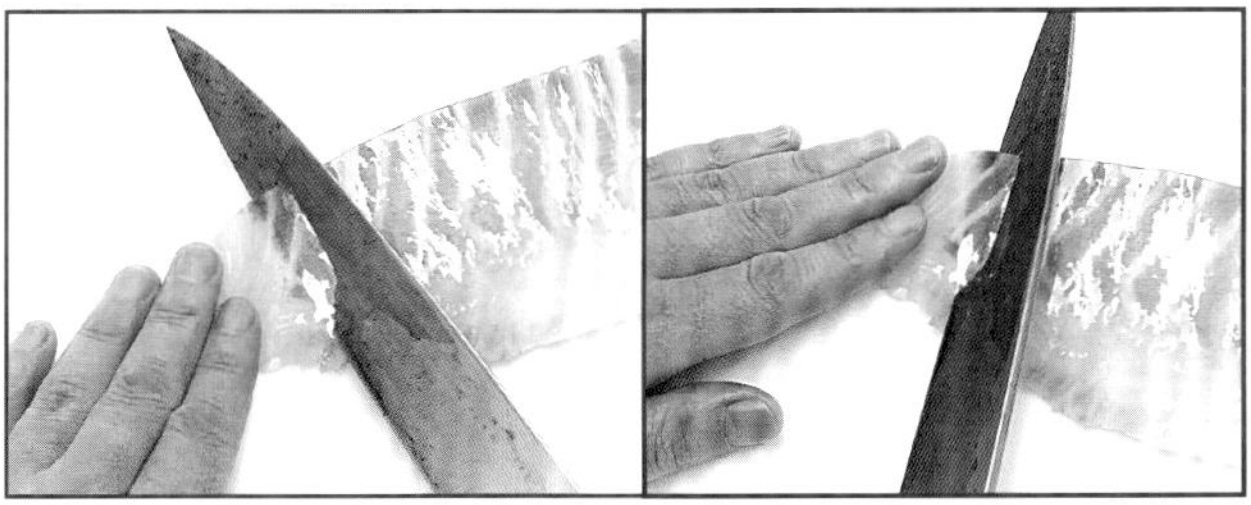

身を左手でそっと押さえ、包丁を寝かせてすっとそいでいく感じで切る。

▼まぐろなどの赤身魚

身に包丁を入れたら、一気に手前に引くように切る（まな板を切るような気持ちで）。こうすると、角がすっきりしておいしそうに切れる。

❶
奥に大根を小高く盛る。これは「しきづま」といい、刺し身の水気をきる役目をする。

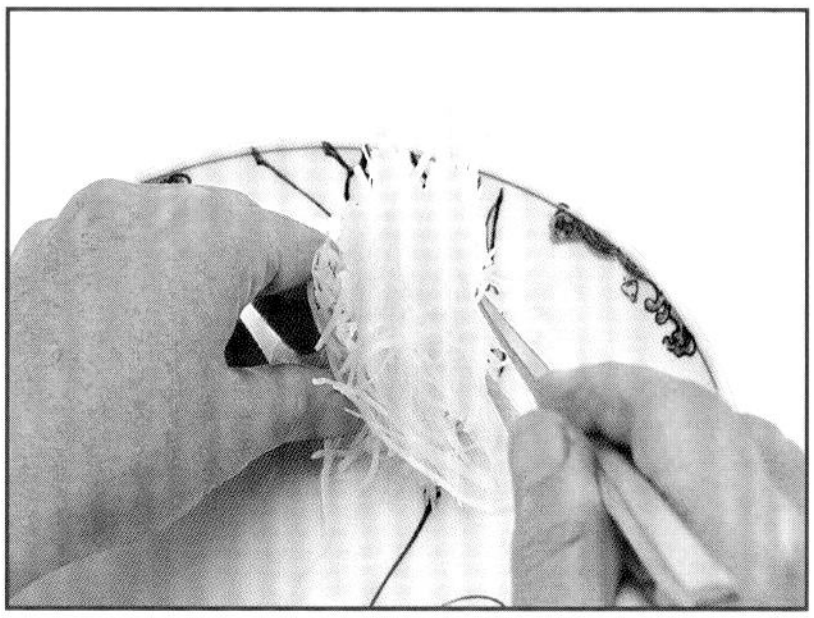

❷
大根の上にしその葉をのせる。これは「縦づま」といい、香りと彩りをよくする。

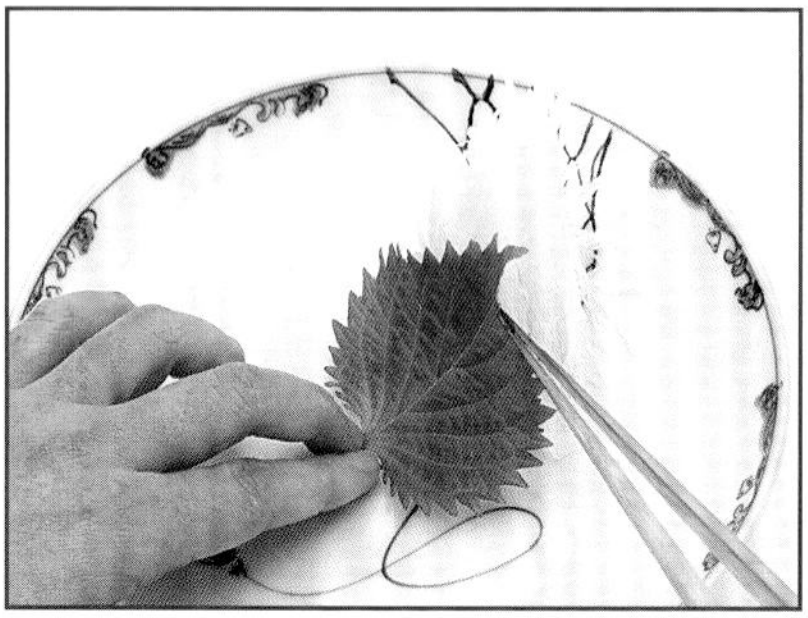

❸
しその葉の上に赤身の魚を盛る。

❹
白身の魚を立体的に盛る。

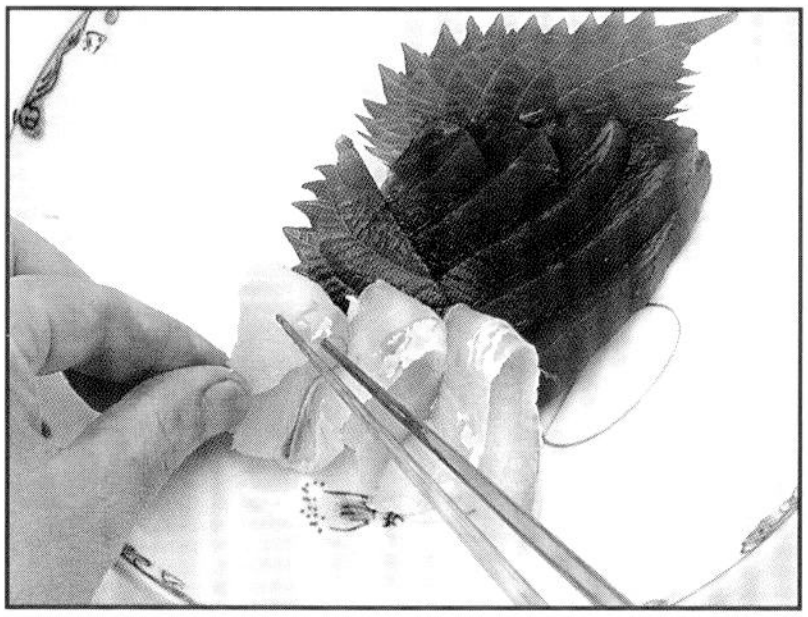

❺
にんじん、きゅうりを飾り、ラディッシュ、紅たで、わさびを添える。

ヒント

みょうが、花穂じそ、菊の花など、彩りのきれいなものや季節の香りのものもつまになる。

ここがコツ！

刺し身は必ず奇数盛りで。つまり、5切れ、7切れなどのように奇数で盛る。これは陰陽の考え方によるもので、日本料理は陽（奇数）が盛りつけの基本。ちなみに中国料理は陰（偶数）が基本。

おいしくするためのひと手間

肉、卵類の下処理

スジを切る

豚肉、牛肉などは、赤身の部分と脂身の部分の収縮率が違うため、加熱して縮まるとそり返ってしまう。これを防ぐため、赤身と脂身の間にあるスジに包丁の先で切り込みを入れておくといい。

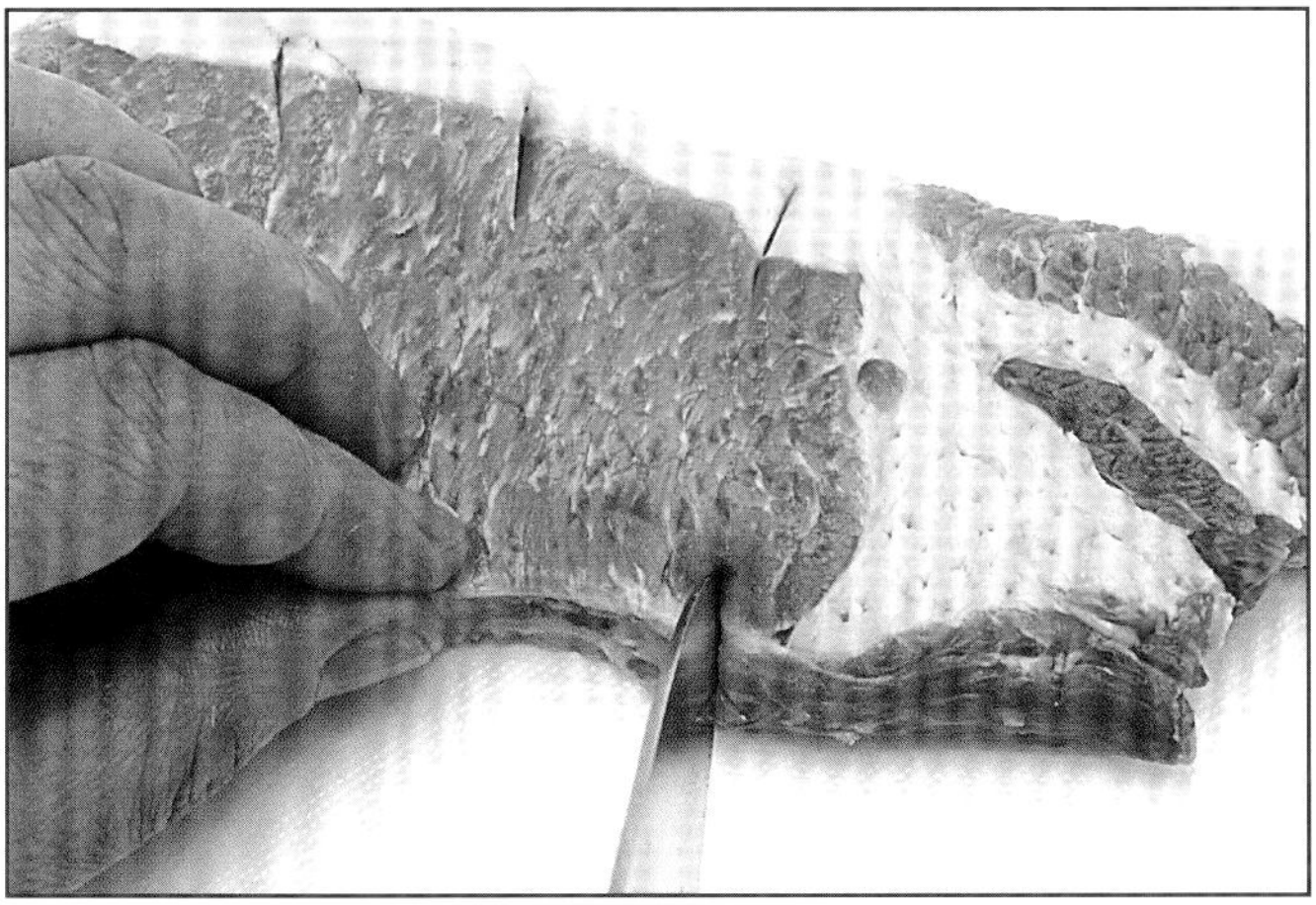

肉をたたく

厚い豚肉は、肉たたき（ビールびん、すりこ木でも代用できる）でたたいて、やわらかくする。こうすると、火のとおりがよく、歯ごたえもよくなる。

鶏肉の皮に穴をあける

鶏肉の皮をそのままにして加熱すると、縮んでしまうので、フォークでつついて穴をあけておく。味のしみ込みもよくなる。

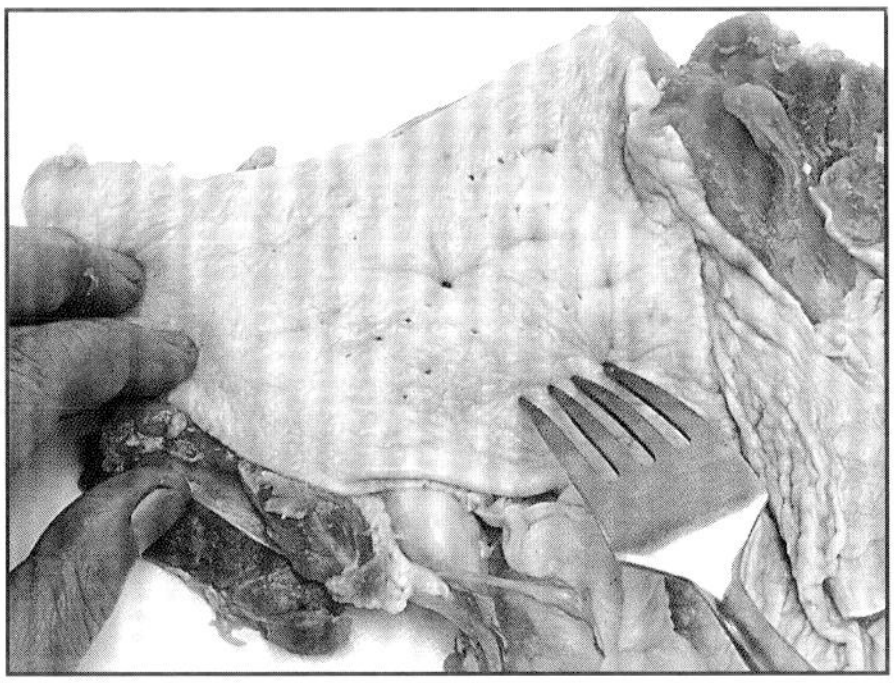

鶏ささ身のスジをとる

❶
白いスジをつけたまま加熱すると、肉が縮んでしまうので、スジは必ずとる。まず、先の部分を包丁で少し切り離す。

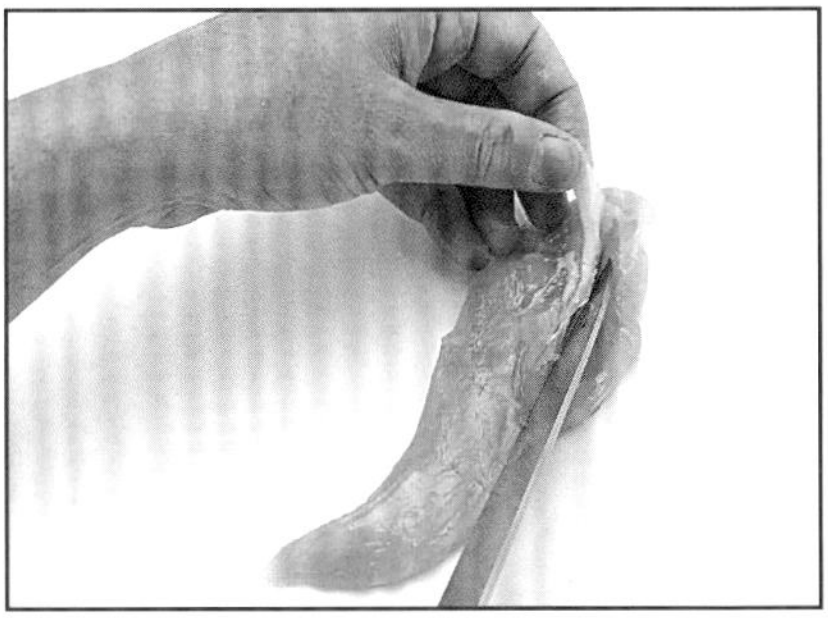

❷
スジのあるほうを下にしておき、スジのはしを左手で持ち、包丁をスジにあてて、ひっぱるようにしてとり除く。

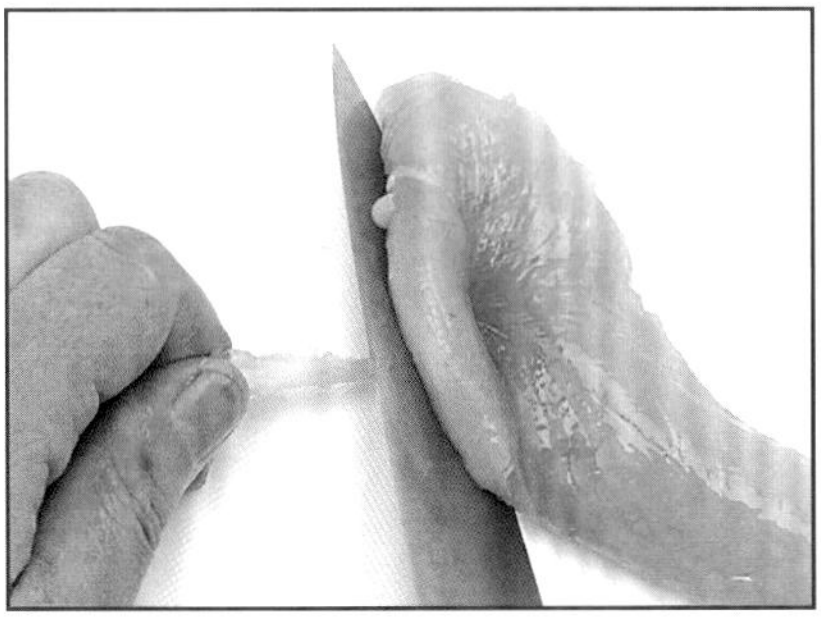

うずら卵の殻の割り方

とろろなどに生のうずら卵を添えるときは、丸みのあるほうを上にして、上部を包丁で削りとる。

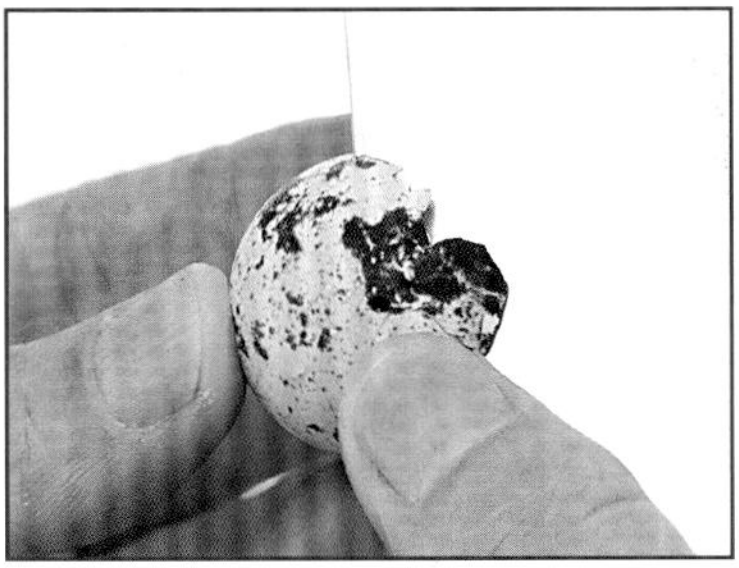

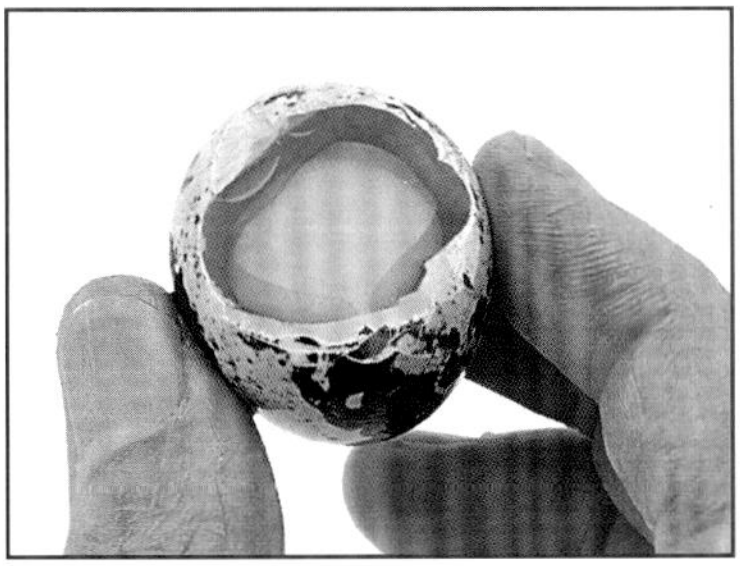

卵のカラザをとる

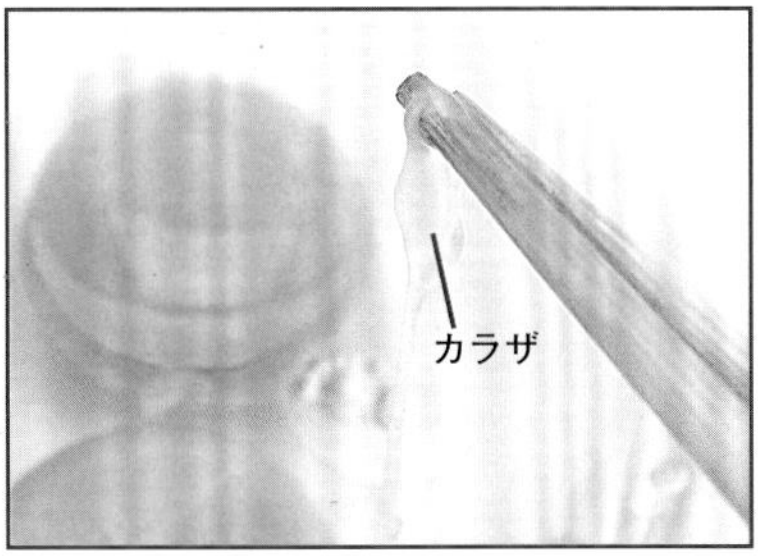

卵を割ったあとにカラザをとっておく。こうすると、卵焼き、茶わん蒸しなどはきれいに仕上がる。

料理前のひと手間がおいしい味のコツ

大豆加工品、練り製品の下処理

豆腐は水切りを

料理によっては水きりをする。豆腐を乾いた布巾（またはペーパータオル）に包んでまな板にのせ、斜めに傾けて、重みのあるもの（バットや皿）をのせて20～30分くらいおく。

あるいは、ぬれた布巾（またはペーパータオル）に包んで、電子レンジで加熱して水をきる方法もある。

厚揚げ、油揚げ、がんもどきは油抜きを

これらは油で揚げてあるが、油っぽいと調味料がよくしみ込まなかったり、料理の味を損ねたりするので、下処理が必要。ザルにのせて熱湯をかけたり、あるいは熱湯にくぐらせて油を抜いてから料理をする。

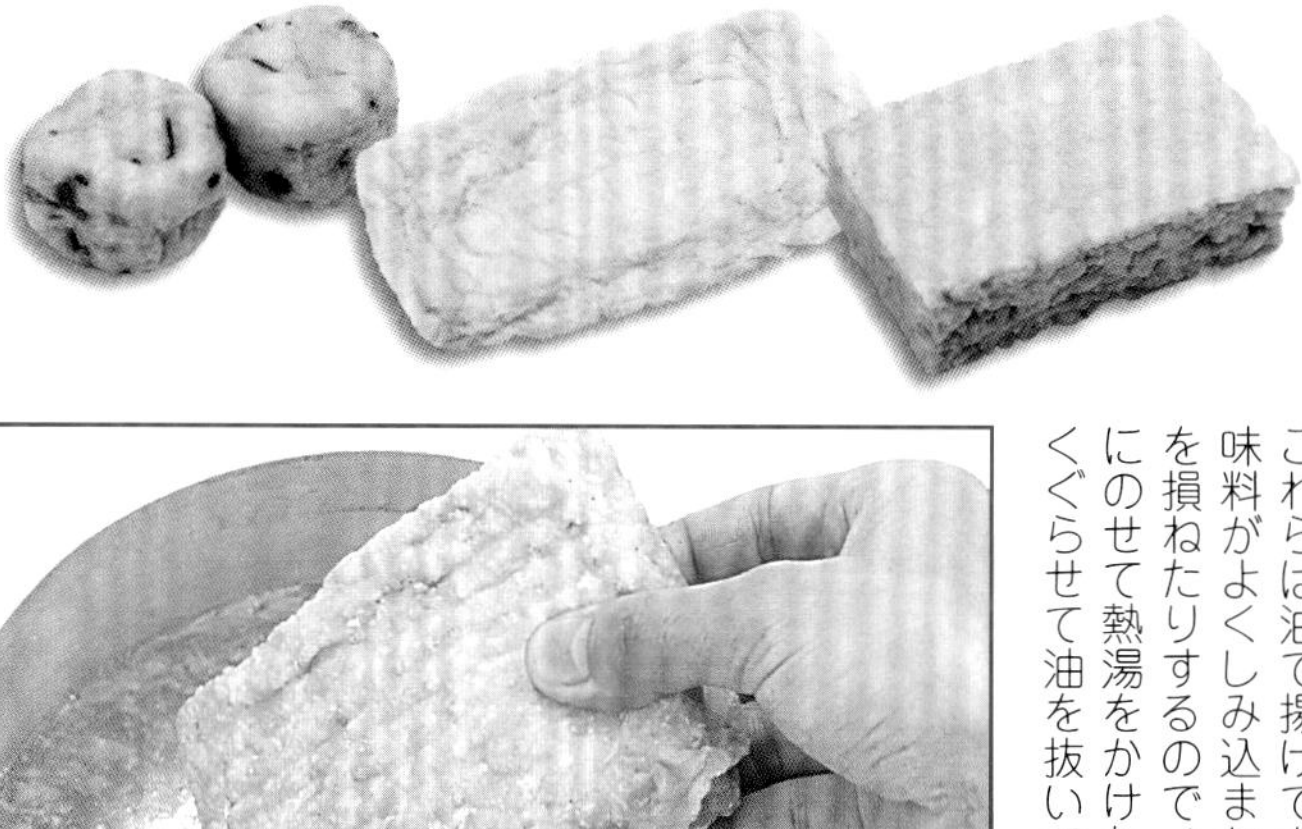

おからは裏ごしを

目のあらい裏ごし器に入れ、水をはったボウルにつけてこす。裏ごし器に残った分は捨てて、白く濁ったボウルの水を布巾でこして水気を絞って使う。あえ衣として使うときにこうすると、口当たりがなめらかに仕上がる。

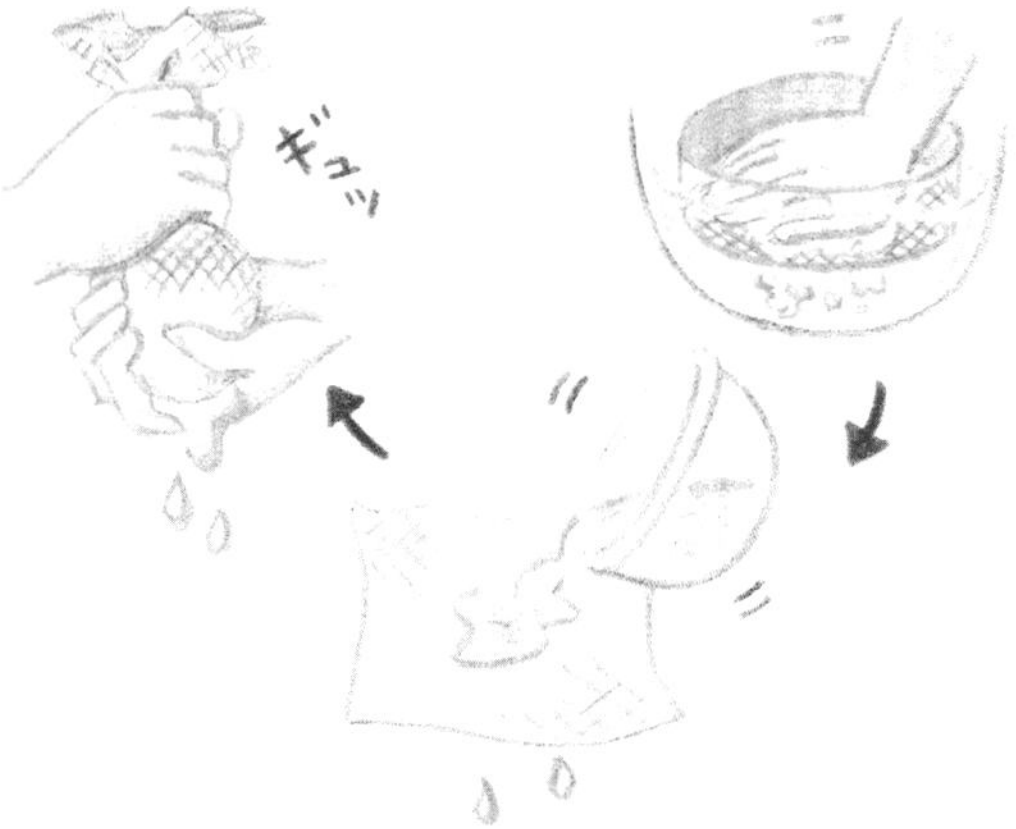

こんにゃく、しらたきは下ゆでを

塩をふってよくもんでから水洗いをし、熱湯の中に入れて少しゆでる（または鍋に入れてから炒りする）。こうすると、石灰臭さがとれる。

さつま揚げは油抜きを

油で揚げてあるので、油っぽさをとるために熱湯にくぐらせてから使う。

乾物のもどし方

保存がきく重宝食品を使いこなす

ひじき

海草のひじきを乾燥させたもの。

もどし方

よく水洗いして汚れをとってから、たっぷりの水に15〜20分ほどつけてやわらかくもどす。

干しわかめ

生わかめを乾燥させたもの。

もどし方

たっぷりの水につけてもどす。そのあとで熱湯にさっと通すと、色が鮮やかになる。養殖のものは水に長くつけると、溶けやすいので注意。

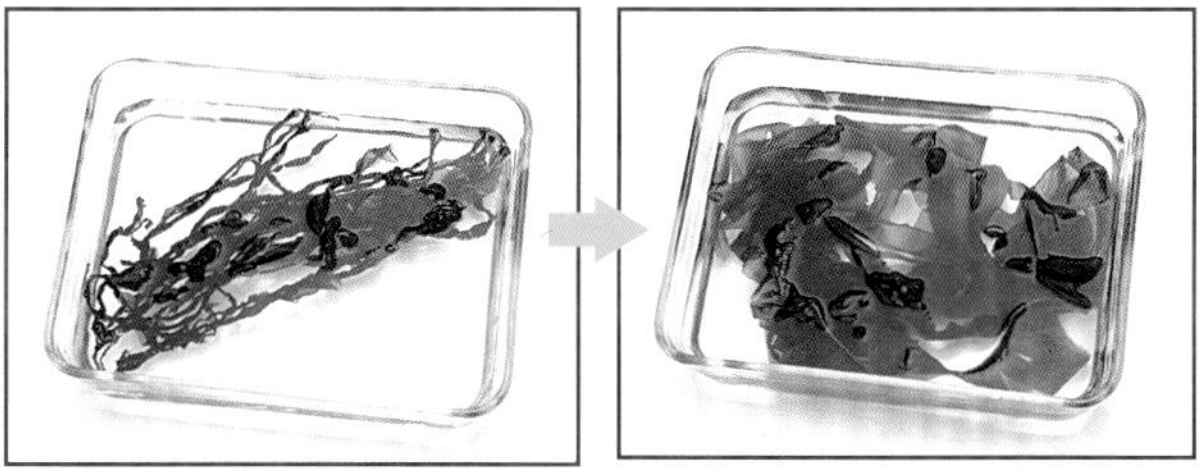

きくらげ

きのこの一種だが、生のときはくらげのようにやわらかいので「きくらげ」と呼ばれる。

もどし方

水またはぬるま湯に浸し、やわらかくなり、大きく広がるまでもどす。もどすと約3倍のカサになる。もみ洗いして汚れをとり除き、石づきの部分を包丁で切ってから使う。

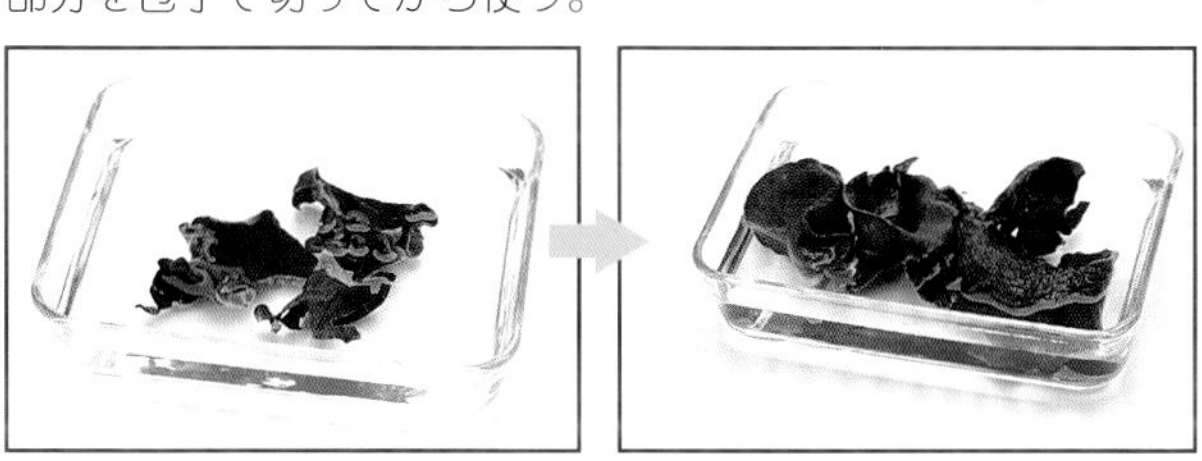

干ししいたけ

生しいたけを乾燥させたもの。

もどし方

ごみを除き、水につけてやわらかくなるまでもどす。このとき、干ししいたけが浮き上がらないように落としぶたをするといい。また、ぬるま湯に砂糖を少し加えたものにつけると、早くやわらかくもどる。

もどし汁はよいだしが出るので、料理に利用

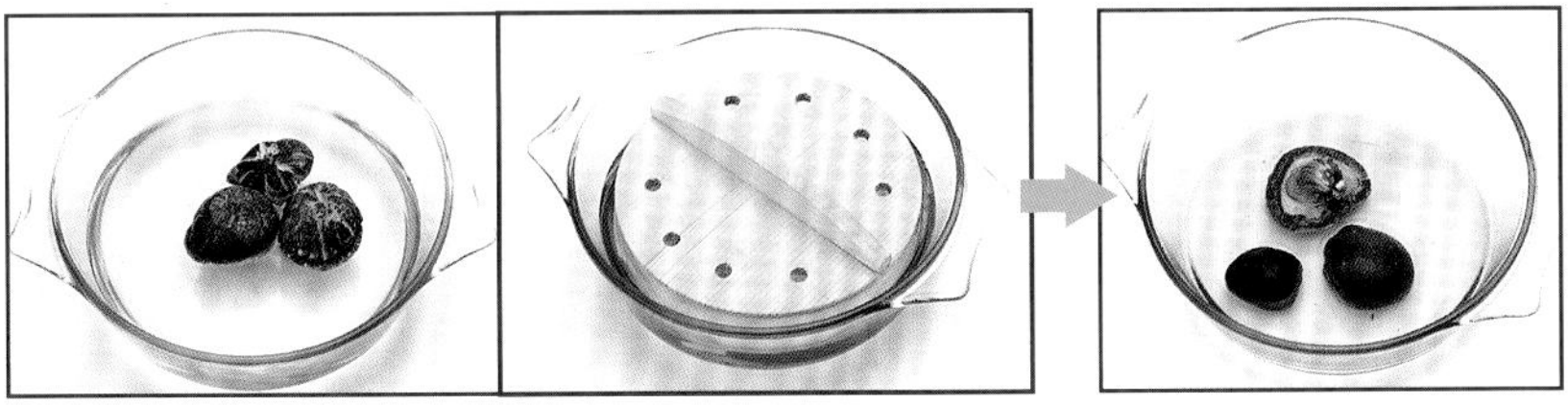

かんぴょう

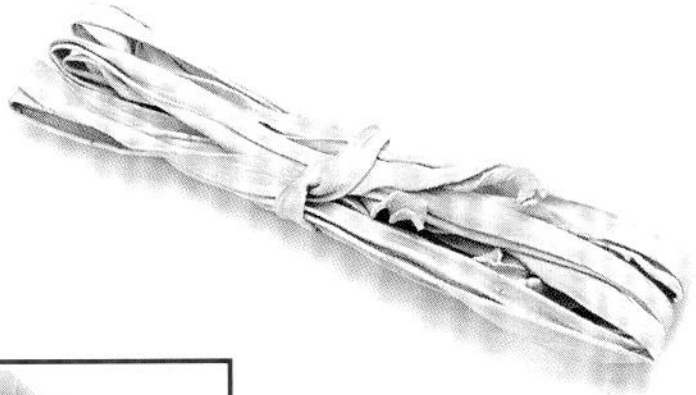

うり科の「夕顔」の果肉を細長くむいて乾燥させたもの。

もどし方

日なた臭さを抜くために、さっと水洗いしてから塩をふり、よくもむ。それから、たっぷりの湯で透き通るまでゆでる（または10分くらい水につけてもどす）。もどすと、約3倍のカサになる。

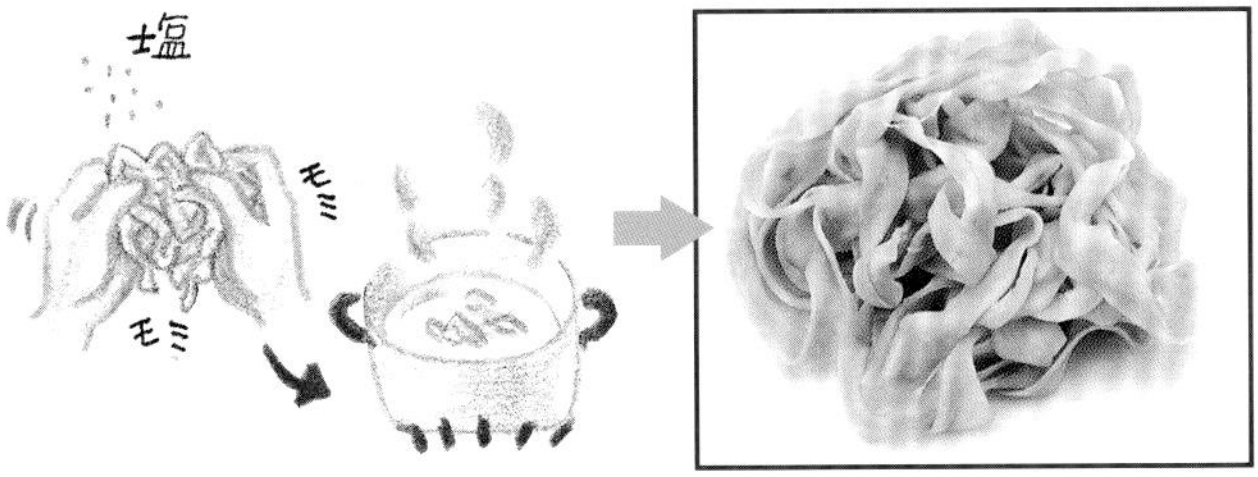

切り干し大根

大根を乾燥させて甘みを出したもの。

もどし方

汚れを落とすため、何度も水を替えて水洗いする。たっぷりの水に20～30分つけて、爪で簡単に切れるくらいのやわらかさになるまでもどす。かたく絞って、ザルにとる。

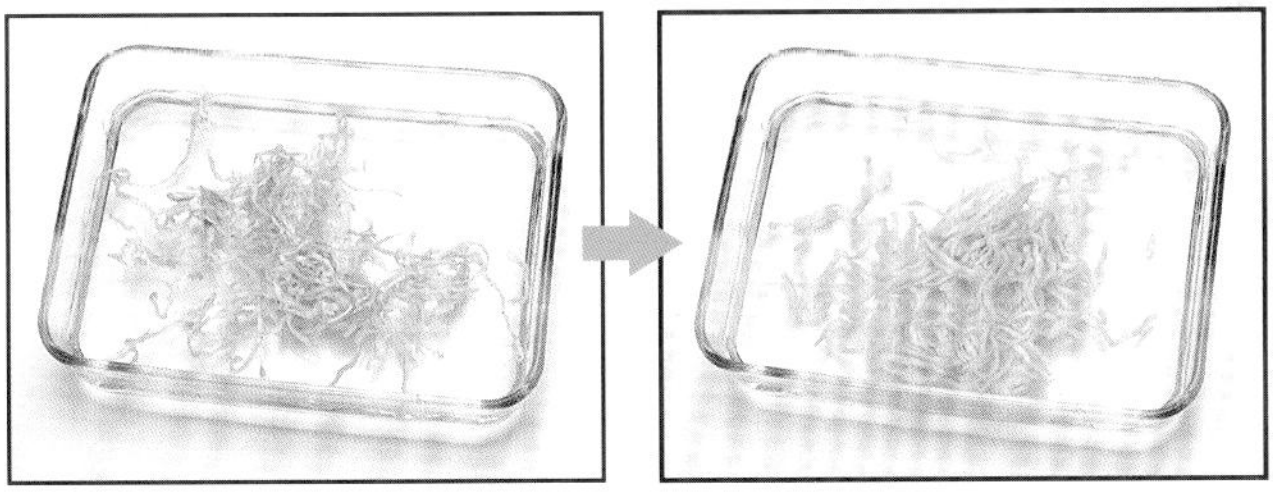

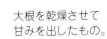

高野豆腐

豆腐を凍らせて乾燥させたもの。しみ豆腐、こごり豆腐とも呼ばれる。

もどし方

かん水加工のものは、80℃くらいのたっぷりの湯につけてもどす。浮いてこないように、落としぶたをし、途中で裏がえす。10分くらいたち、芯がなくなったら、水にとり、手のひらではさんで水気を押し出し、何度か水をとり替え、水が濁らなくなればOK。

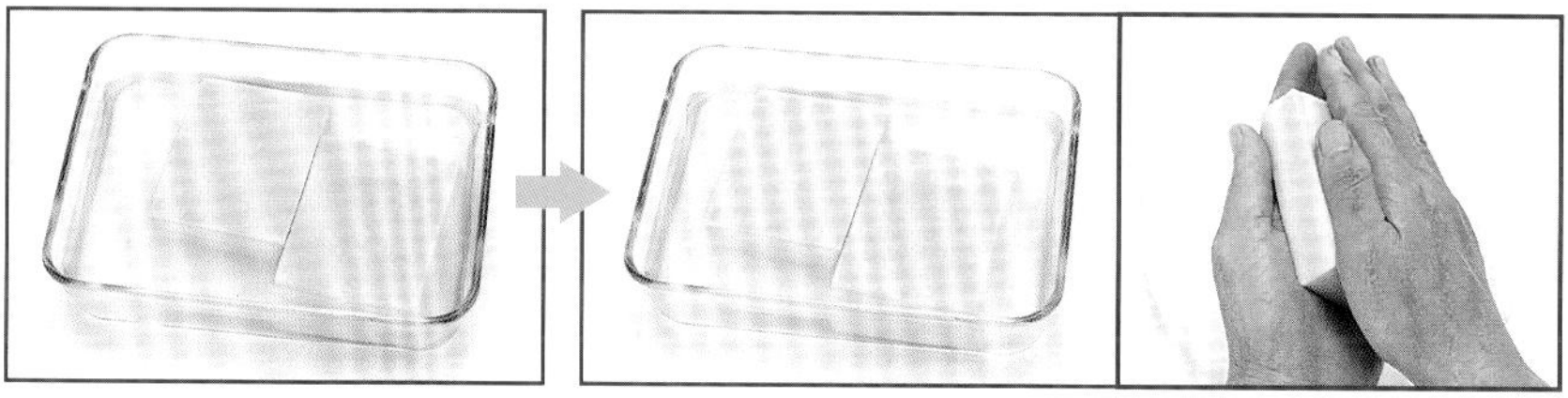

春雨

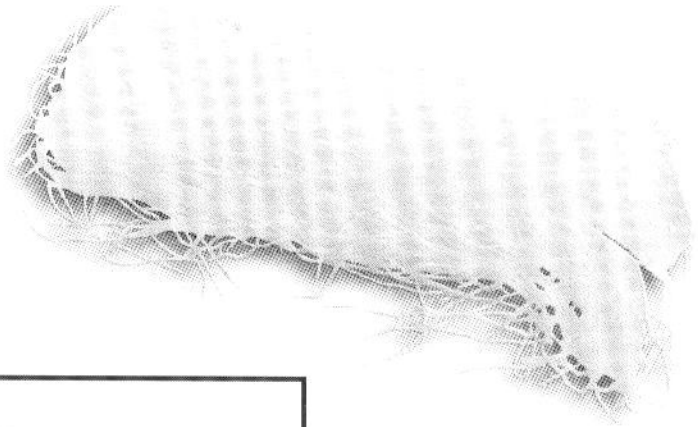

もどし方

たっぷりの水につけてもどすか、熱湯でゆでてもどす。料理によって、もどし加減を調整する。約4倍くらいのカサになる。

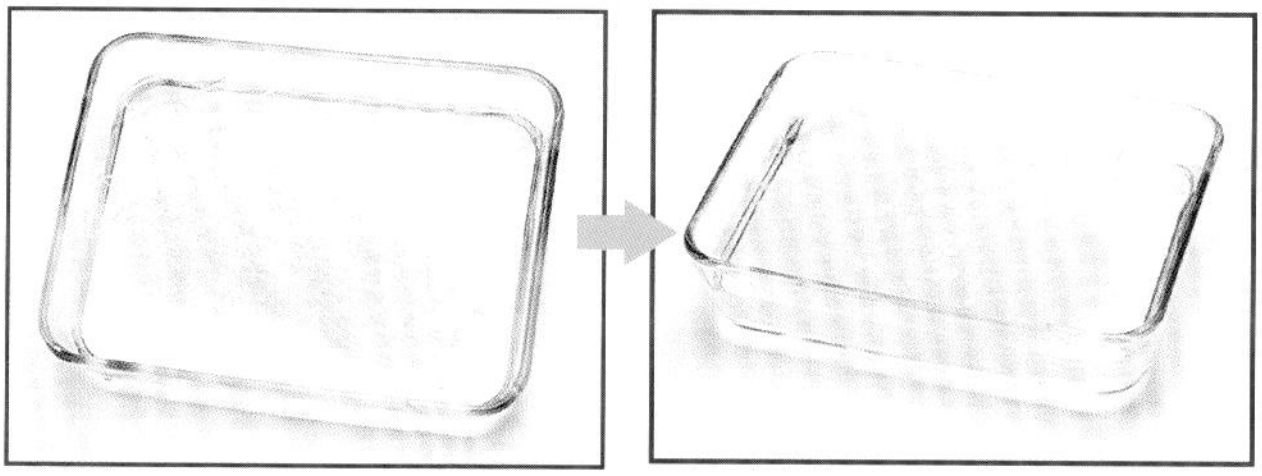

本来は緑豆をすりつぶした粉で作るが、日本のものは「じゃがいもでんぷん」で作られている。

寒天（棒寒天）

海草の一種であるてんぐさから作る。

もどし方

水につけてもどす。きちんともどさないと、溶かすのに時間がかかって水分が蒸発してしまい、仕上がりがかたくなるので、最低1時間はつける。

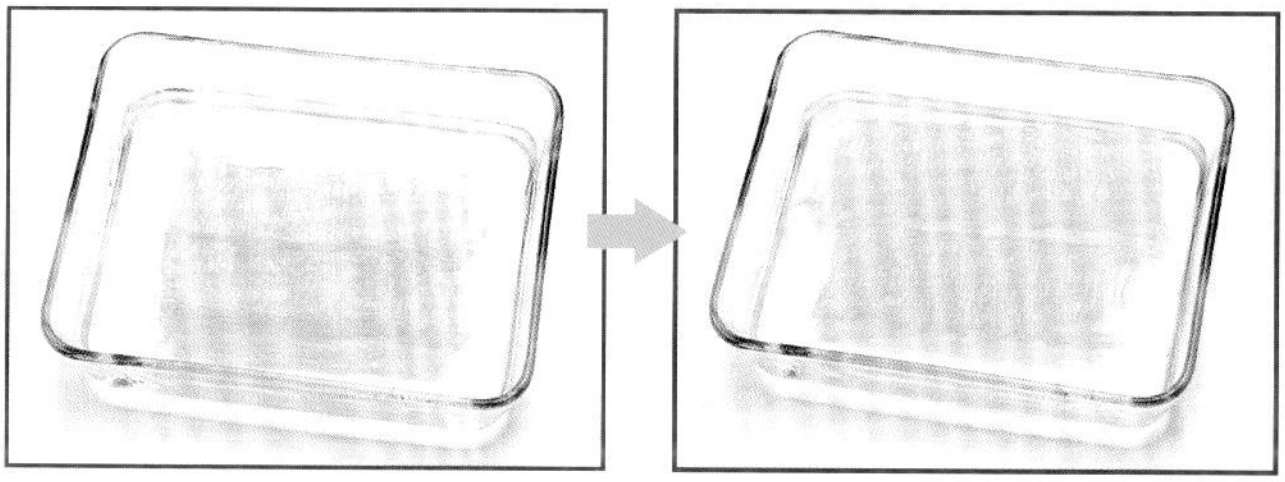

ゼラチン

もどし方　板ゼラチンはたっぷりの冷水につけ、やわらかくなるまでふやかす。
粉ゼラチンはゼラチンの3倍量の水につけ、ふやかす。

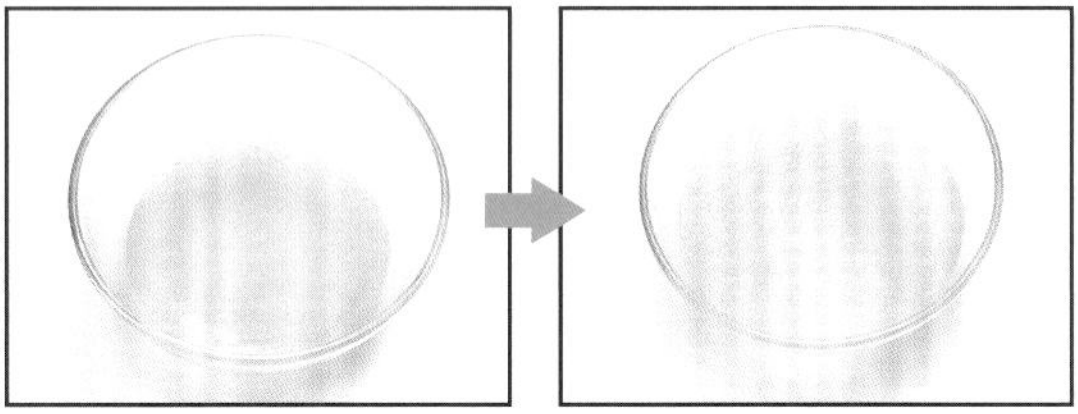

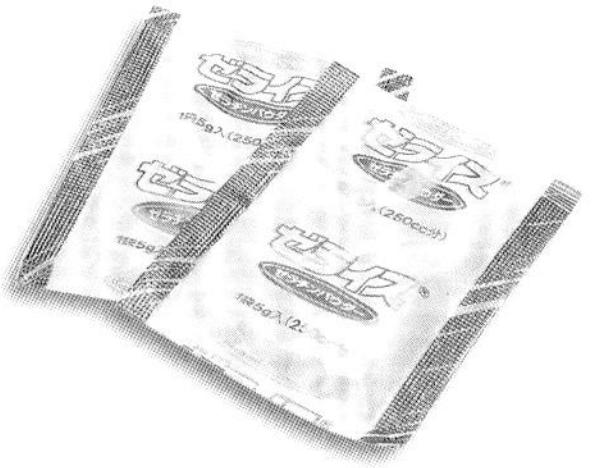

動物性のたんぱく質から抽出したもの。

菊のり

もどし方　鍋にたっぷりの湯を入れて火にかけ、ちぎった菊のりを入れる。沸騰したら、菊のりを水にとってすすぎ、ザルにあけて水気をよくきる。

食用菊を蒸して薄く伸ばし、乾燥させたもの。

干しゆば

もどし方

ゆるめに絞ったぬれ布巾に包んで、しんなりさせてもどす。または、たっぷりの水にさっとくぐらせる。

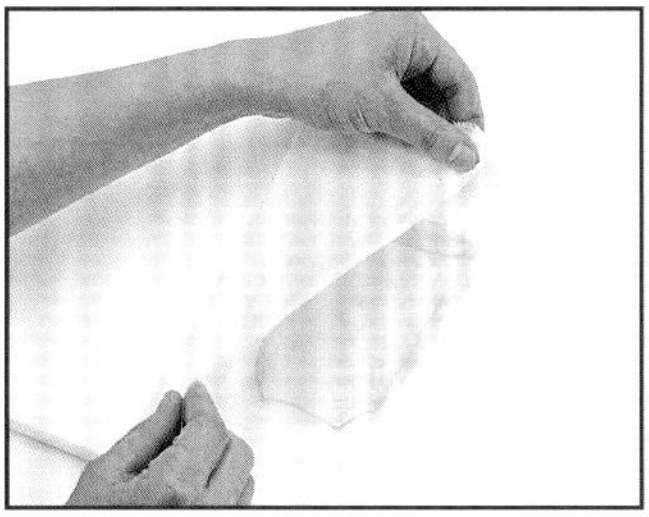

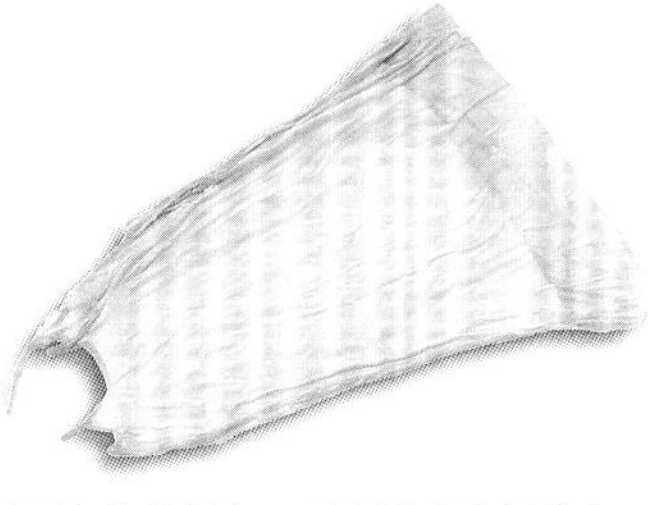

豆乳を加熱し、表面にできる皮膜だけを乾燥させたもの。

乾めん類（うどん、そば、そうめん）

鍋にたっぷりの熱湯をわかし、めんを放射状にほぐして入れ、くっつかないように菜箸で手早く混ぜる。吹き上がってきたら差し水をし、ゆで加減をみてからザルにあげて、流水でもみ洗いをし、ぬめりを洗い流す。

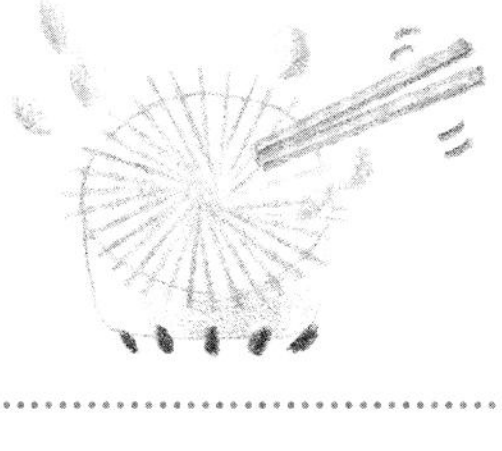

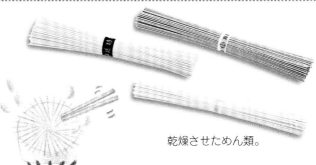

乾燥させためん類。

素材のうま味を引き出す 調味料のいろいろ

しょうゆ

原料は大豆、小麦、食塩、水。食塩や水が少ないほど、良質のもの。

●濃口しょうゆ
塩分は18%。色が濃くて香りも強い。関東地方でよく使われている。魚の煮物、煮しめ料理、かけじょうゆや刺し身じょうゆに最適。

●薄口しょうゆ
濃口しょうゆより塩分が2%多いが、色も香りも薄いしょうゆ。関西地方でよく使われている。材料の持ち味や色を生かし、濃い色をつけずに仕上げたいときや、吸い物に使用。

みそ

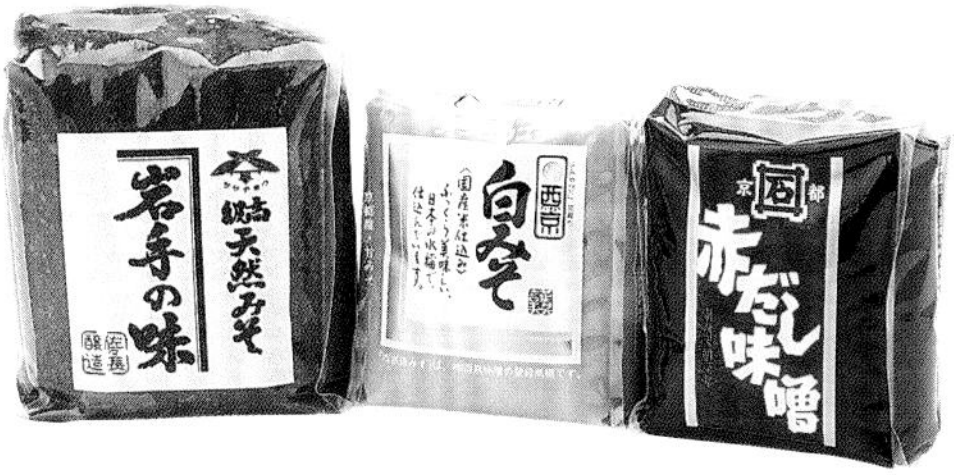

米みそ、麦みそ、豆みその3種類に分けられる。これはみその主材料である大豆を発酵させる麹《こうじ》の種類で分けたもの。

●米みそ
米麹を使ったみそで、白みそ、江戸みそ、仙台みそ、信州みそ、越後みそ、津軽みそ、赤だしみそ、桜みそなどがこの仲間。

●麦みそ
麦麹で作ったみそで、やわらかく、塩分が多く、赤みが強いのが特徴。

●豆みそ
大豆を直接、麹にして作ったみそ。八丁みそもこの仲間。

よく使われるみそ

白みそ

信州みそ

仙台みそ

赤だしみそ

★みそ汁に使うみそ
何種類かのみそを混ぜ合わせると、単独のみそでは味わえない複雑で丸みのあるうま味が出てくる。

調味料のいろいろ

酢

米や穀類を発酵・醸造したもの。酸味をつけるほかに、たんぱく質を固めたり、塩味をやわらげる働きがある。

●米酢

コクのあるまろやかな味の酢。

●穀物酢

米をはじめとする穀類を原料とした酢。

●果実酢

りんご、ぶどうなどの果実を原料とした酢。

砂糖

甘みをつけたり、やわらかくしたり、照りを出したりする効果がある。

●上白糖

一般的な白い砂糖。

●三温糖

精製度が低い茶色の砂糖で、風味がある。

●グラニュー糖

ざらめ糖の一種で、結晶が小さくてサラサラしている。

●粉砂糖

グラニュー糖をさらに粉のように細かく粉砕したもの。

●黒砂糖

精製されていないので、アクが強く、黒褐色をしている。独特の味と香りがある。

塩

食塩は、海水を濃縮して塩を結晶させる海塩を加工したもので、精製のしかたによって次のように分けられる。

●粗製塩（あら塩）

純度が90〜98%の塩。精製度が低いので、にがりが多く、塩特有の香りがある。魚の下ごしらえに最適。

●精製塩

99%以上の塩化ナトリウムを含むもの。精製して塩化マグネシウムを除いてあるので、苦みが少ない。純白で結晶も細かくサラサラ。

●食卓塩

98%以上の塩化ナトリウムを含むもの。精製塩をさらに精製して防湿加工をしてある。食卓で味を補うために使う。

酒

調理に酒を使うと、その香りやうま味が料理をいっそうおいしくするだけでなく、煮え加減もよくなる。日本酒エキスを利用するので、上等なものでなくてもよい。

みりん

もち米が原料。焼酎の中で蒸したもち米に米麹を作用させて作る。甘みと特有のコクをプラスするために使う。最近は、アルコールと糖液を混ぜたみりん風調味料もある。

薬味、香辛料

料理の味を引きしめ、季節の香りを食卓に運んでくれる

わさび

細かいおろし金で回すようにしながらおろす。さらに包丁でたたいて切ると、辛みが強くなる。酢の物、あえ物、刺し身などに添える。

みょうが

薄切りやみじん切りにして、吸い物、刺し身のつまなどとして添える。

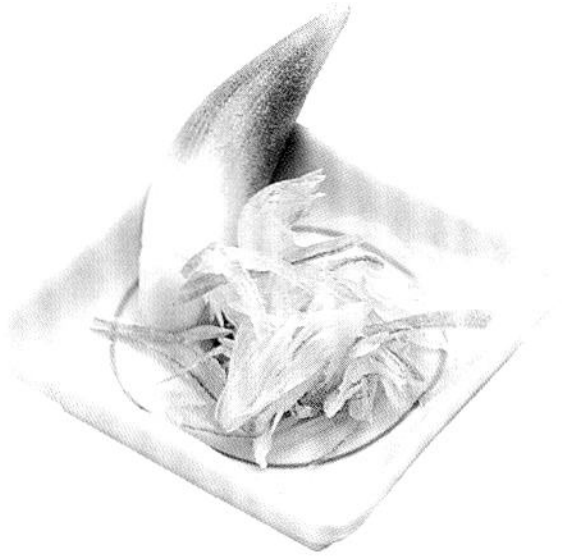

木の芽

さんしょうの新芽で、春から初夏の料理にふさわしい薬味。使うときは、手のひらの上に木の芽をのせ、ポンとたたくと香りがよい。

しょうが

汁しょうが（しょうが汁）、おろししょうが、刻みしょうがなどにして使う。辛みと香りは魚や肉の臭みを消してさわやかな風味を添える。

紅たで

刺し身のつまによく使われる。辛みが強いので、葉をすりつぶし、酢を加えてたで酢にしたり、あゆ料理のタレなどにも使う。

ゆず

皮を利用し、刻みゆず、おろしゆずにして、吸い物、田楽みそ、あえ物などに添える。絞り汁を利用したゆず酢も香りがよい。

もみじおろし

赤唐辛子の入った大根おろしのこと。

作り方1

❶ 乾燥した赤唐辛子をぬるま湯につけてもどし、へたと種をとる。

❷ 大根は皮をむいて、2～3 カ所菜箸を刺して穴をあける。穴の中に赤唐辛子を詰める。

❸ ❷の大根をすりおろす。辛さは赤唐辛子の量で調節する。

作り方2（簡単な方法）

大根をおろして自然に水気をきり、好みの量の一味唐辛子を混ぜ合わせる。

七味唐辛子

唐辛子、さんしょう、青のり、けしの実、陳皮、黒ごま、あさの実と、7種類をブレンドしたスパイス。漬け物、めん類などに添える。

辛子

からし菜の実の粉末を練り上げたもの。香りと甘みのある刺激性の辛みを持つ。

粉ざんしょう

さんしょうの実をくだいたもの。うなぎのかば焼き、みそ汁、揚げ物、焼き物などに添える。

赤唐辛子

刺激性のある強い辛みがある。漬け物、めん類などに使われる。

しそ

大葉ともいう。彩りと香りがよいので、吸い物やそばなどに添える。

いい道具があれば料理はもっと楽しい

あると便利な調理器具

おろし金

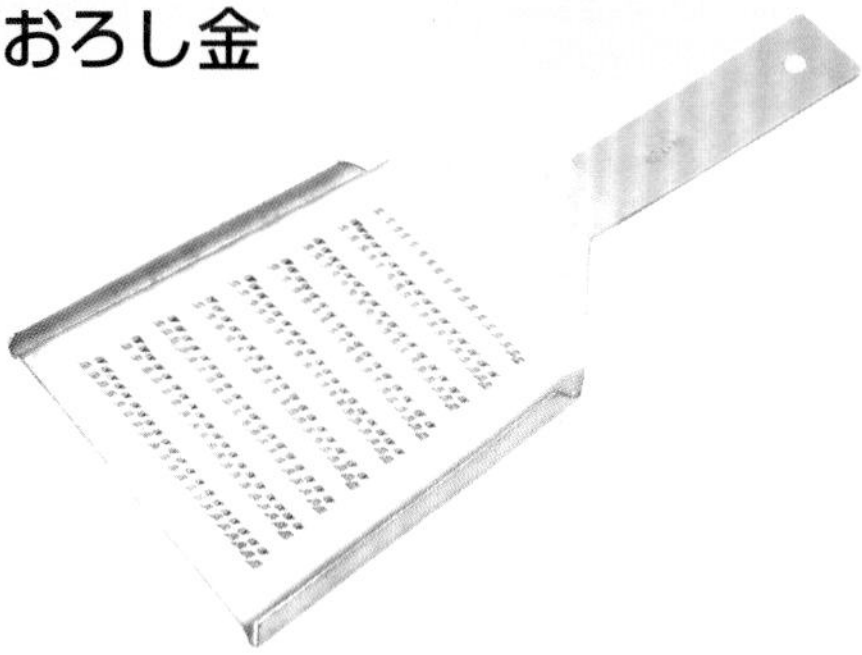

材料のもち味をこわさずにおろせるという点で、銅製のおろし金が理想的。ただ、家庭ならプラスティック製で下に受け皿がついているタイプのもので十分。

骨抜き

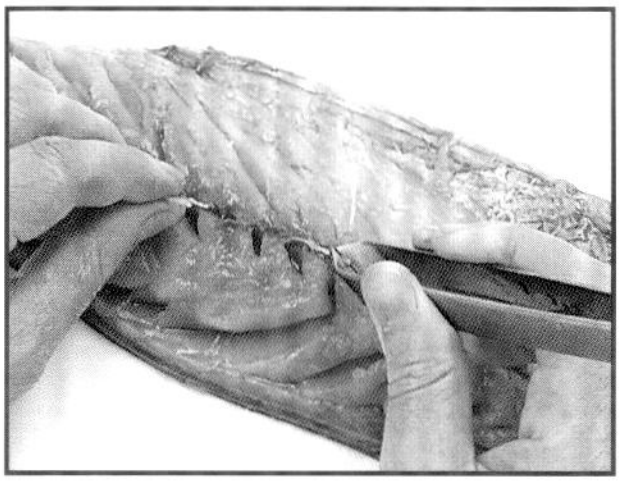

小骨の多い魚の下処理に使う。小骨の出ている部分をつまんで魚の頭のほうに引き抜く。

うろことり

魚のうろこは包丁でもとれるが、たいのような大きな魚をおろすなら、専用のうろことりがあると便利。

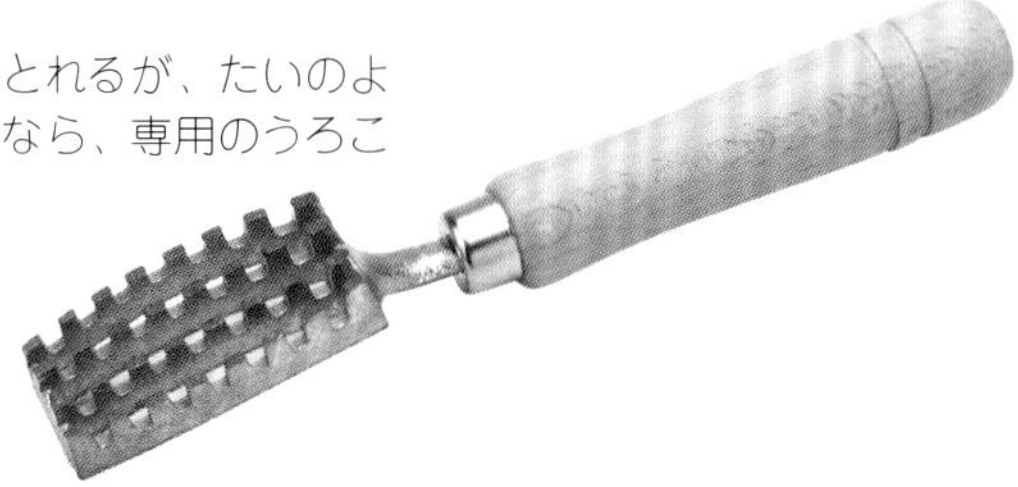

和食の調理にかかせない「ゆきひら鍋」

アルミ打ち出しのゆきひら鍋は煮物、みそ汁など、幅広く使える鍋。熱効率もよい。大・中・小（直径24cm、21cm、18cm）とあれば便利。

新品を初めて使うときは、野菜くずなどをゆでてから使うと、黒ずみ防止になる。

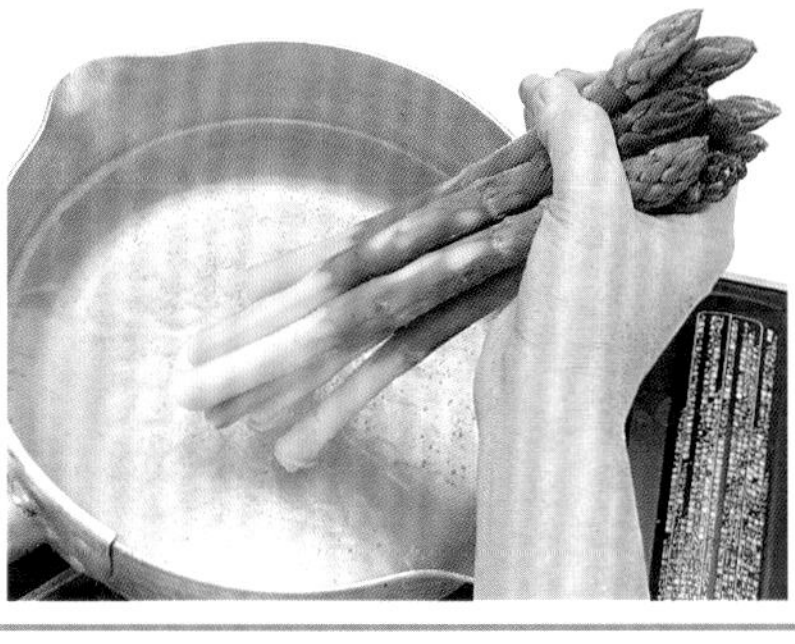

あると便利な調理器具

流し缶

中敷きがついているものがとり出しやすくて便利。卵豆腐、和菓子の水ようかんなどを作るときに使う。

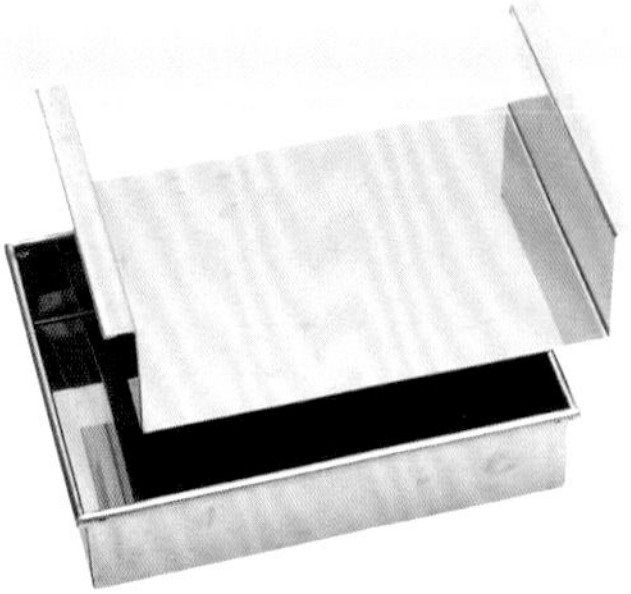

皮むき

野菜の皮をむくのに使う。皮むきだけでなく、飾り切りやささがき、じゃがいもの芽とりなどにも使える。

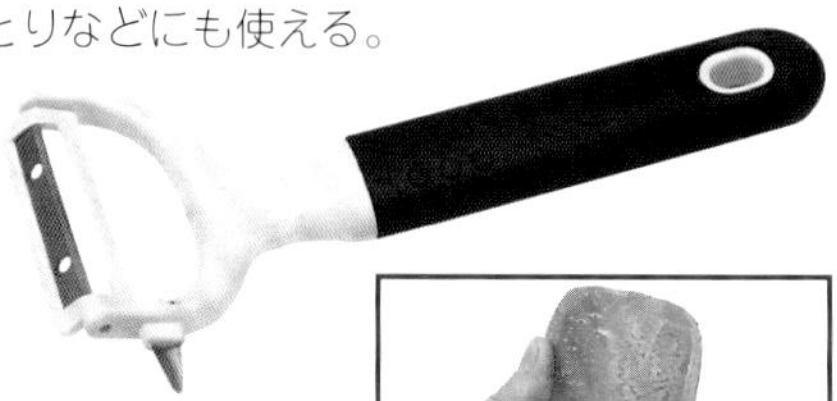

茶こし

本来は茶葉をこすためのものだが、小麦粉を中に入れてふると、薄く均一にふることができて便利。

まきす

竹製のものがよい。巻きずしを作るときに使うほか、ゆでた葉物を巻き込んで絞ると均一に力が入ってよく絞れる。大根やかぶのおろしたものをのせて、余分な水分をきるのにも使われる。

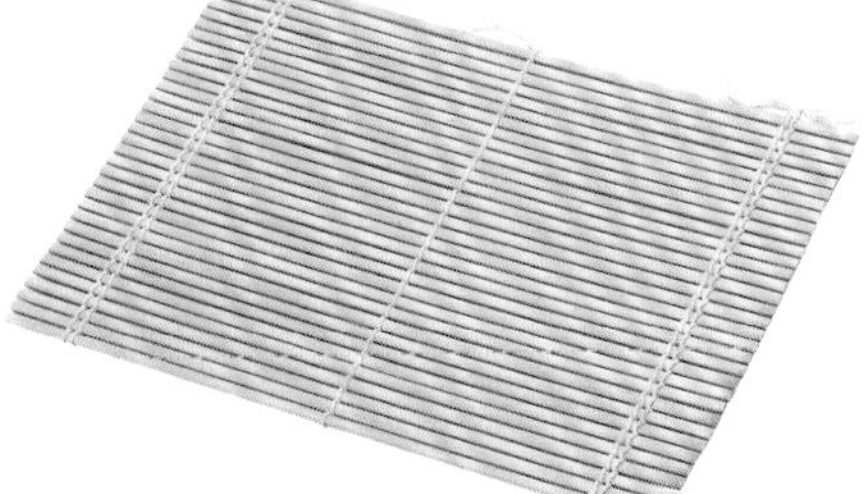

★まな板は清潔第一に

まな板には合成樹脂製と木製がある。刃のあたりのよさは木製がいちばんだが、合成樹脂製はにおいがつかず衛生的。いずれにせよ、使ったら、よく洗って乾かすことが大切。

焼き網

ガスレンジについているグリルがあれば不要ともいえるが、焼き加減がひと目でわかるので、餅や魚を焼くときに便利。

すり鉢とすりこ木

食品をすりつぶしたり、混ぜるのに使う。すり鉢は、大きめで底がずっしりと重いものが安定していて使いやすい。すりこ木は、すり鉢の深さの2倍くらいの長さのものが持ちやすい。

食器の並べ方

食器の並べ方にはルールがある。食べやすくて、見た目も美しいセッティングを。

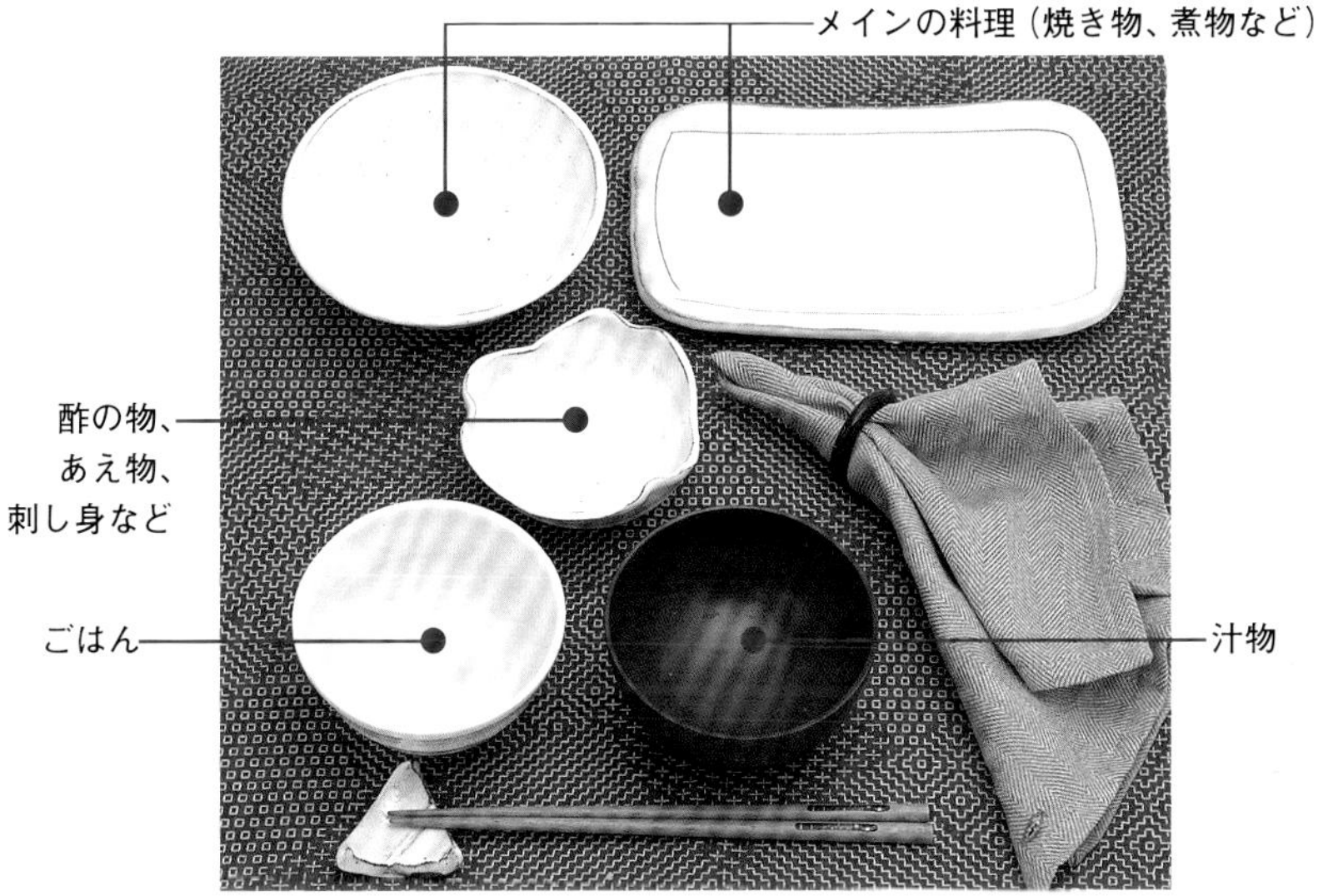

和食の基本料理

煮物の基礎

鍋

●材料に見合った大きさの鍋を選ぶ

鍋が小さすぎると材料に芯が残ったり、煮汁が回らなかったりして上手に煮えない。材料と材料の間に適当なすきまができ、並んで入るのを目安に選ぶ。薄手のものより厚手のほうが火のあたりがやわらかくてよい。

●深さも材料によって選ぶ

深めの鍋は、野菜などの含め煮のようにたっぷりと煮汁がある料理向き。浅めの鍋は、魚の煮つけなどのように身がくずれやすいもの向き。

落としぶた

●煮くずれしやすい材料には落としぶたを

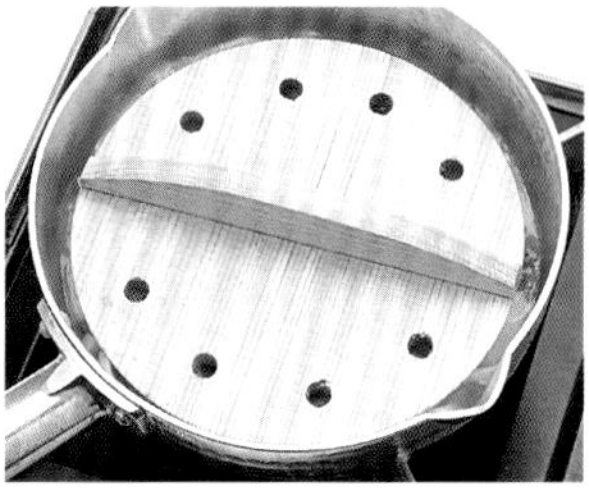

落としぶたをすると、煮汁が少なくても、ふたにあたって材料全体によくいきわたり、味が平均にしみ込む。特に煮くずれしやすい魚は途中でひっくり返せないので落としぶたが必要（P21参照）。

火加減

●煮立ったら火加減を調節

一般的に、煮立つまでは強火で、あとは沸騰が続く程度の火加減（中火）にする。火加減が弱すぎると水っぽくなり、強すぎると煮くずれたり、焦げついたりするので注意。

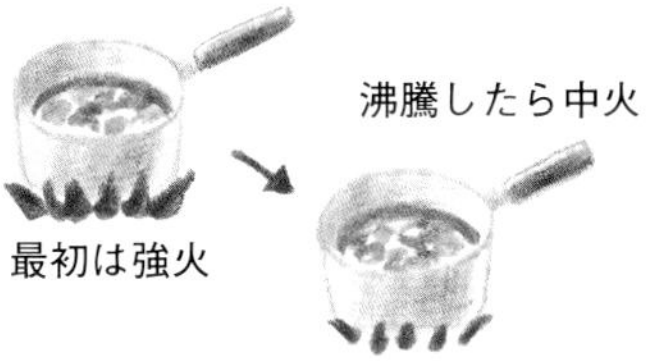

盛りつけ

●盛りつけしだいで おいしさ倍増

細かいものや汁けのある煮物は深めの器にこんもりと盛り、逆に形の大きい煮物は浅めの器に四隅をあけて平らに盛りつけるといい。

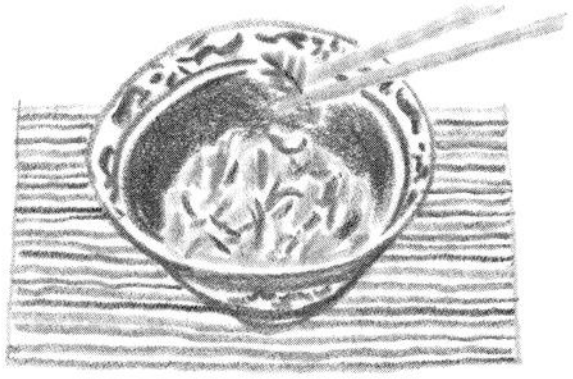

アク

●アクはこまめにとる

アクをしっかりとらないと、できあがったときに材料の色や味がいまひとつになってしまう。

主な煮方の種類

照り煮	煮汁がなくなるまでこってりと照りよく煮たもの。
炒め煮	材料を油で炒めてからこってりした味で煮ること。
青煮	青い野菜を色よく煮る方法。
含め煮	薄目に味つけしたたっぷりの煮汁でゆっくり煮含め、火を止めてからそのまま冷まして味をしみ込ませる方法。
煮しめ	数種の材料を煮えにくいものから順に濃いめに味つけし、煮汁がなくなるまで煮詰める方法。
揚げ煮	材料を一度油で揚げ、熱湯をかけて油抜きしてから煮る方法。
うま煮	材料を別々に煮て、やや甘味に味つけた濃い煮汁で味つけする方法。
当座煮	香りのよいものをしょうゆと酒で煮たもの。
しぐれ煮	しょうがを加え、しょうゆ味でつくだ煮風にじっくり煮る方法。
みそ煮	みそで魚のくせを消し、みその風味を味わう煮方。

調味料

●サシスセソの順に入れる

一般的にはサ（砂糖）、シ（塩）、ス（酢）、セ（しょうゆ）、ソ（みそ）の順に入れる。砂糖の浸透力は鈍く、塩には材料の水分を出して身を引き締める働きがあるので、砂糖より塩を先に入れると、砂糖の味がしみ込みにくくなる。しょうゆは加えてから長く煮ると香りが飛ぶので、数回に分けて入れたり、煮上がる直前に入れて香りを生かすように。酢やみそも、酸味、香りが飛ばないようにあとで加える。

〈肉じゃが〉

475 kcal 1人分

＜材料＞ 4人分

牛肉（薄切り）……………… 200g
じゃがいも ……… 600g（中4個）
玉ねぎ …………………………中1個
さやいんげん ………細いもの6本
サラダ油 ……………………大さじ2
煮汁
- だし汁 ……………………2カップ
- 酒 …………………………大さじ2
- しょうゆ ………大さじ3½〜4
- 砂糖 …………………… 大さじ2½
- みりん ……………………大さじ2

1 下ごしらえ

① **牛肉**は4〜5㎝長さに切りそろえる。

② **じゃがいも**は皮をむいて4〜6つ切りにして水に2分くらいさらし、水気をよくふきとる。

③ **玉ねぎ**はたて半分に切り、根元を切り落として1㎝幅のくし形切りにする。

④ **さやいんげん**はスジをとり、さっと塩ゆでにし、たて半分に切ってから3㎝長さに切る。

2 炒めて煮る

⑤ 鍋に**サラダ油**を熱して**牛肉**を炒める。

⑥ 肉の色が変わったら、**玉ねぎ**、**じゃがいも**を加えて炒める。

⑦ **だし汁**、**酒**を加えて煮立たせ、アクをとったら中火にし、落としぶたをして3分くらい煮る。

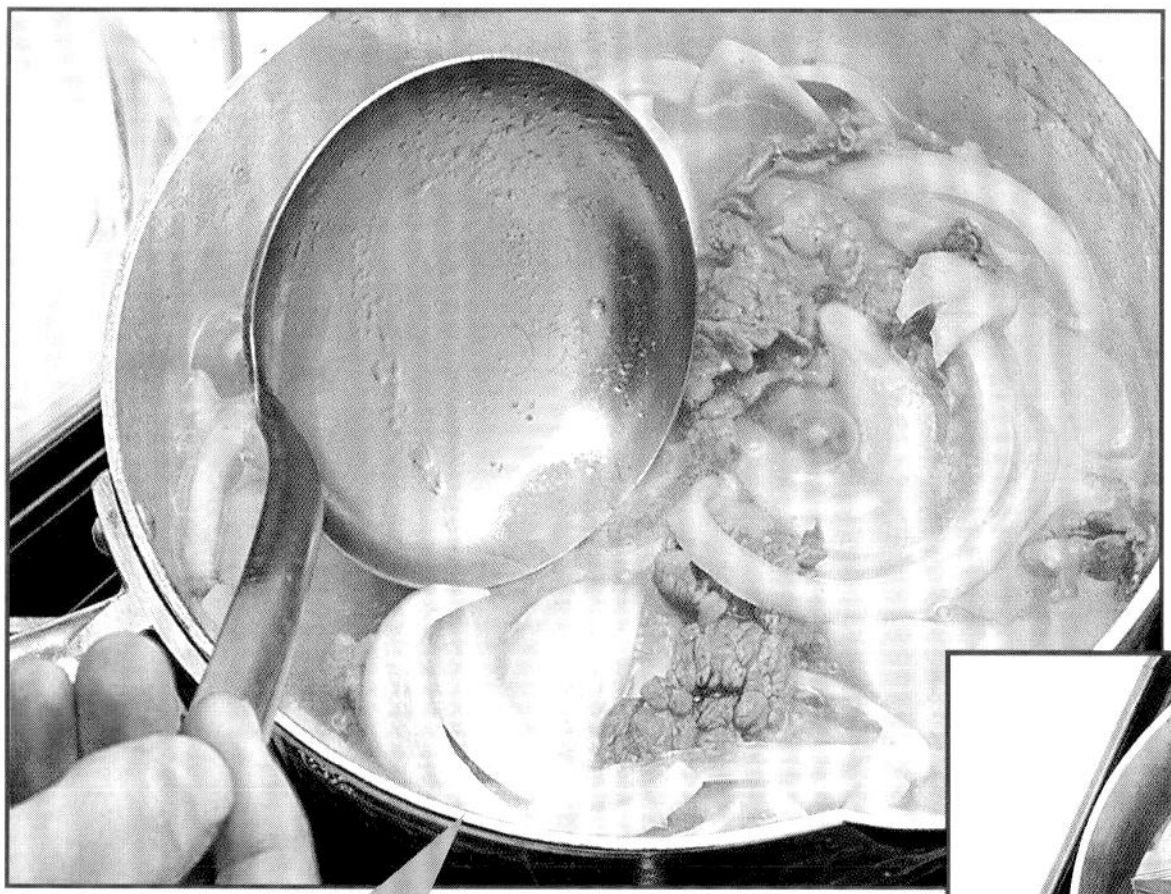

ヒント

材料からうまみが出るので、だし汁がめんどうなときは水でもOK。

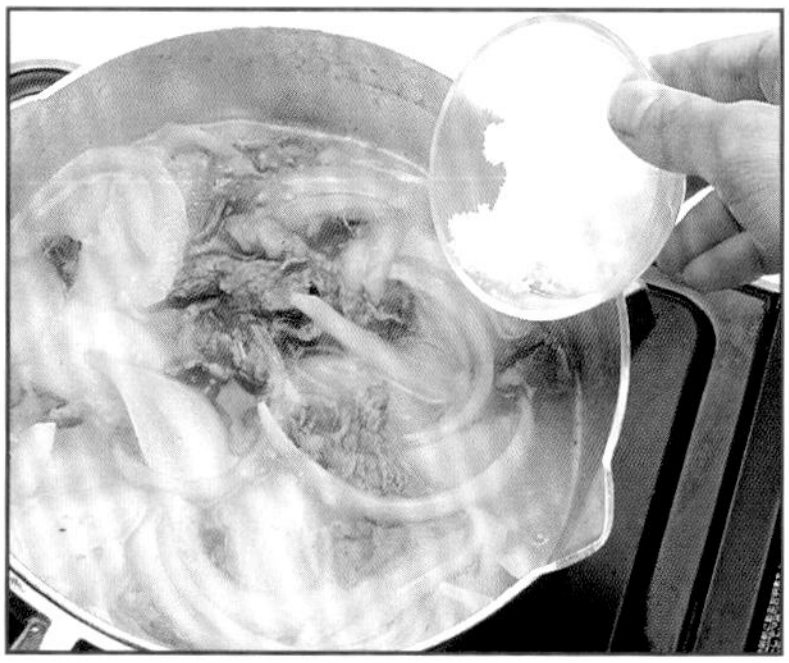

8 砂糖、**みりん**を加えて煮汁が半量になるまで煮てから**しょうゆ**を加える。落としぶたをし、煮汁が少なくなるまで煮含める。

ここがコツ!

じゃがいもは煮くずれたくらいがおいしいので、煮汁は煮つめるくらいにして仕上げる。

9 仕上げに**さやいんげん**を入れて、さっと混ぜる。

ここがコツ!

でき上がりから少しおくと、味がなじんでよりおいしくなる。

ヒント

彩りには、にんじんやグリンピースでもOK。材料にしらたきを加えても違った味わいが楽しめる。

仕上がり

〈かぼちゃの煮物〉

146 kcal 1人分

＜材料＞ 4人分

かぼちゃ………700g（中$\frac{1}{2}$個）
煮汁
- 水…………………$1\frac{1}{2}$カップ
- 砂糖…………………大さじ2
- しょうゆ……………大さじ1
- 塩………………… 小さじ$\frac{1}{3}$

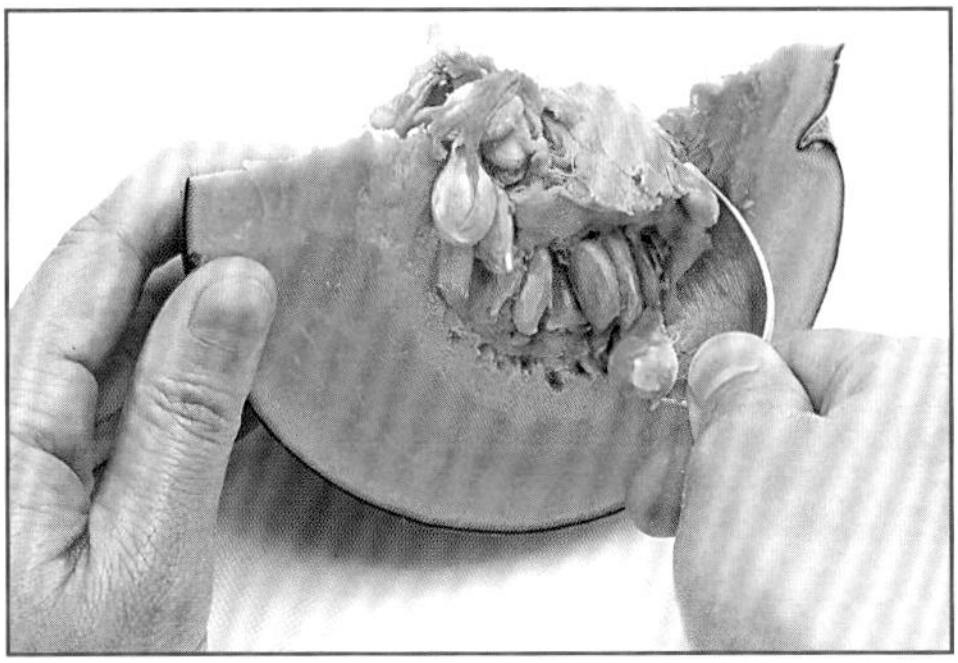

1 下ごしらえ

❶ **かぼちゃ**は適当な厚みのくし型に切り、種とワタをとって皮をところどころむく。

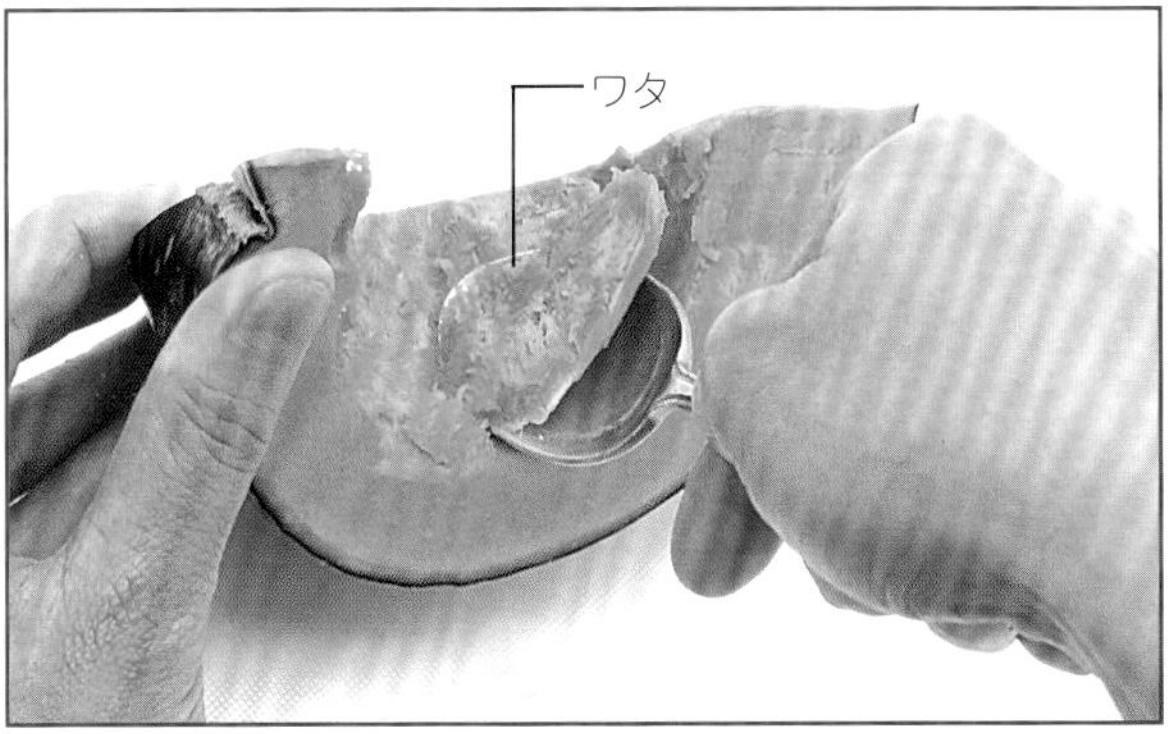

ここがコツ！

ワタが残っていると、煮くずれやすいので、しっかりとっておくこと。

ここがコツ！

味をよくしみこませるために、皮のところどころを削るように皮をむく。

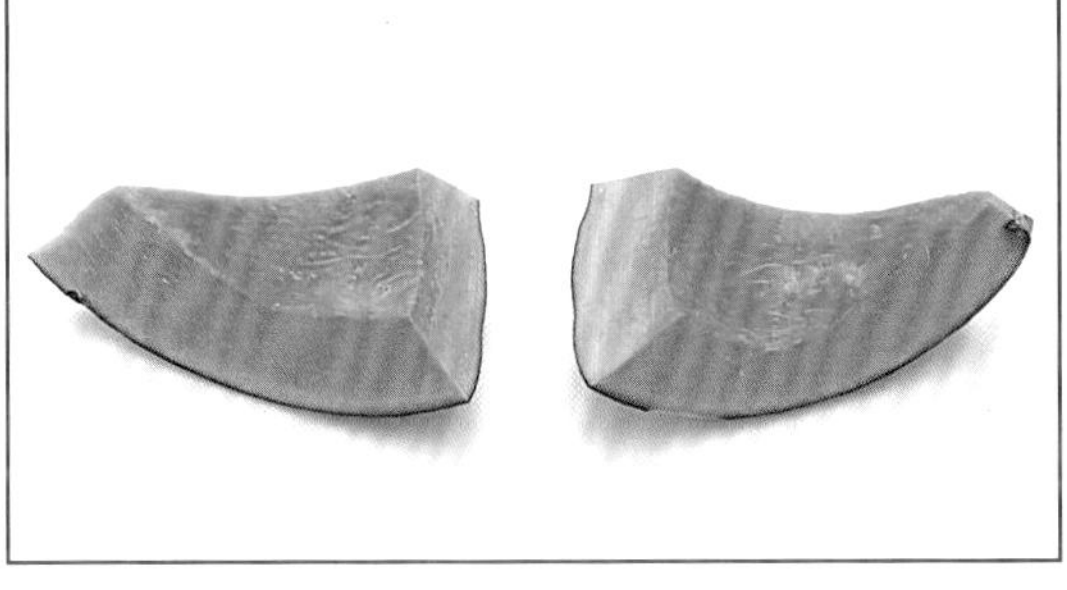

❷ 二つに切る。

2 煮る

❸ 鍋に分量の**水**と**かぼちゃ**を入れて火にかけ、煮立ったらアクをとり、中火にして**砂糖**、**しょうゆ**、**塩**をすべて加える。

❹ 落としぶたをし、中火よりやや弱い火加減でコトコト煮る。

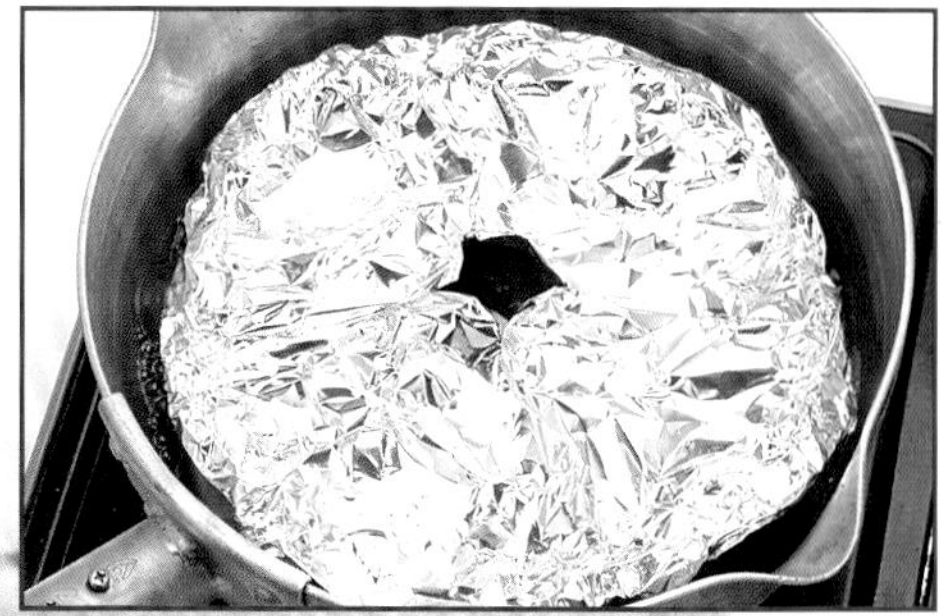

❺ 煮汁が少なくなるまで煮含め、最後にやさしくかき混ぜる。

〈筑前煮〉

349
kcal
1人分

1 下ごしらえ

①
干ししいたけは水でさっと洗ってからひたひたより少し多めの水につけ、浮き上がらないよう落としぶたをし、もどしておく（もどし汁は茶こしでこし、だし汁として使う）。

②
鶏肉は一口大に切る。

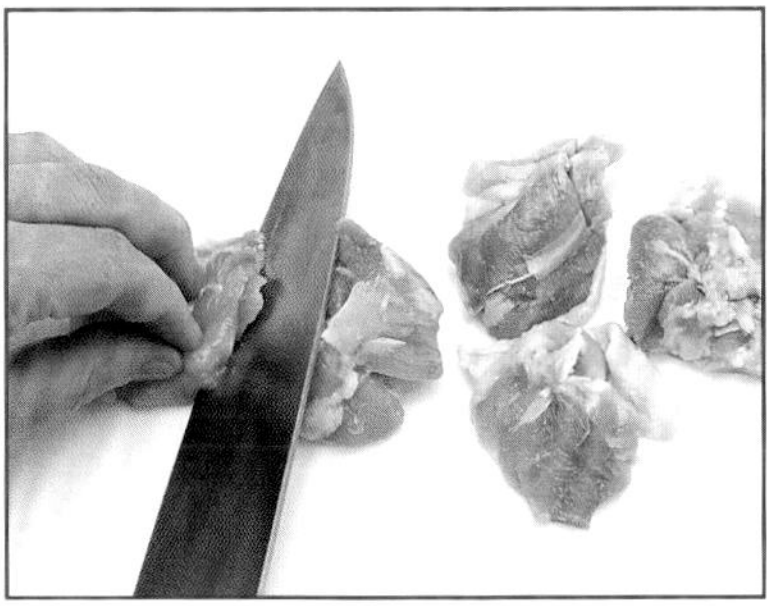

③
たけのこは一口大の乱切りにし、水にさらしておく。

④
ごぼうはきれいに水洗いし、３㎝長さの乱切りにして水にさらす。

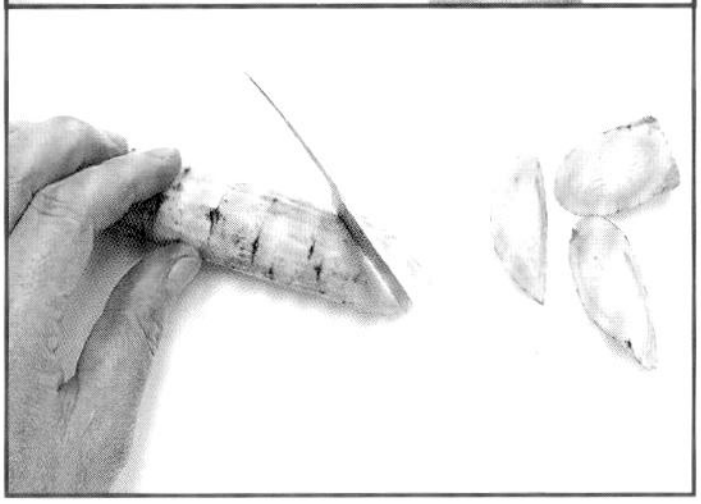

ここがコツ！

ごぼうは皮に風味と香りがあるので、皮をむきすぎないことがポイント。軽くこそげるようにむく。

＜材料＞　4人分

鶏肉(もも)………1枚(200gくらい)
たけのこ(ゆでたもの)…200g(中1本)
ごぼう …………………200g(1本)
れんこん ………………200g(中1本)
にんじん ………………200g(小2本)
干ししいたけ……………………5枚
こんにゃく ……………½丁(140g)
さやえんどう……………………12枚
サラダ油…………………大さじ2
煮汁
しいたけのもどし汁……1カップ
だし汁 ……………………1¼カップ
酒…………………………大さじ3
砂糖……………大さじ2～2½
みりん……………………大さじ3
しょうゆ…………大さじ4½～5

⑤
れんこんは皮をむいてごぼうより少し大きい乱切りにし、水にさらす。

⑥
にんじんは皮をむき、ごぼうより少し大きい乱切りにする。

⑦
もどし終えた**干ししいたけ**は、軸を切り落とし、一口大のそぎ切りにする。

⑧
こんにゃくはゆで、手で一口大にちぎっておく。

⑨
さやえんどうはスジをとり、**塩**を少々入れた熱湯で色よくゆでて１㎝の色紙切り（Ｐ24参照）にする。

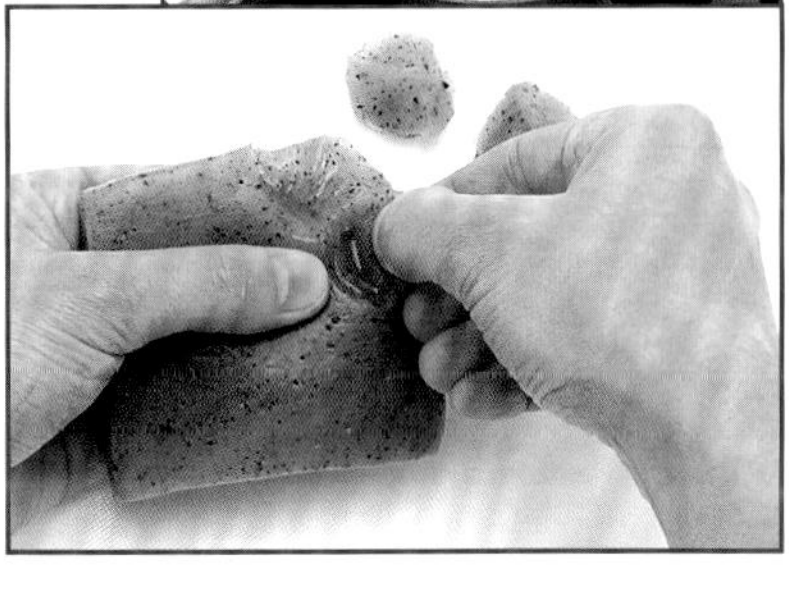

2 炒めて煮る

⑩ 鍋を熱して**サラダ油**をなじませ、**鶏肉**を炒め、色が変わったら**さやえんどう以外の材料**を入れて炒める。

ここがコツ!

煮汁の砂糖、しょうゆは好みで加減しながら味つけを。

⑪ ⑩に**だし汁**、❶の**しいたけのもどし汁**を加え、ひと煮立ちしたら中火にしてアクをとり、**酒**、**砂糖**、**しょうゆ**を加える。

⑫ 落としぶたをして中火よりやや弱めの火加減で煮ふくめる。

⑬ 材料に火が通ったら**みりん**を入れ、全体を木しゃもじで大きく混ぜ強火にし、照りよく煮て仕上げる。

ヒント

ごぼうやにんじんに竹串を刺し、スッと通るなら火が通っている。

仕上がり

⑭ 器に盛り、仕上げに**さやえんどう**を彩りよく散らす。

〈里いもの煮っころがし〉

120 kcal
1人分

＜材料＞　4人分

里いも ……… 600g（16〜17個）
煮汁
- だし汁………………1¼カップ
- 砂糖…………………大さじ2½
- しょうゆ……………大さじ1⅓

ゆずの皮 ………… ¼個分くらい
米のとぎ汁 …………………… 適宜

1 下ごしらえ

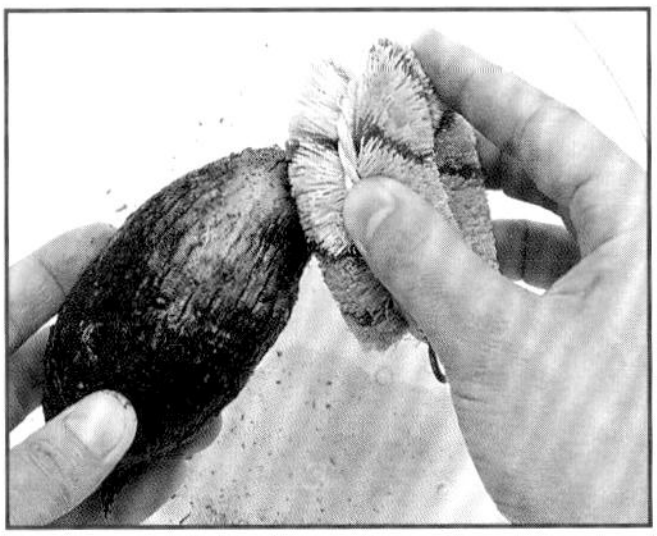

❶ **里いも**は、皮をタワシでこすりながら洗う。

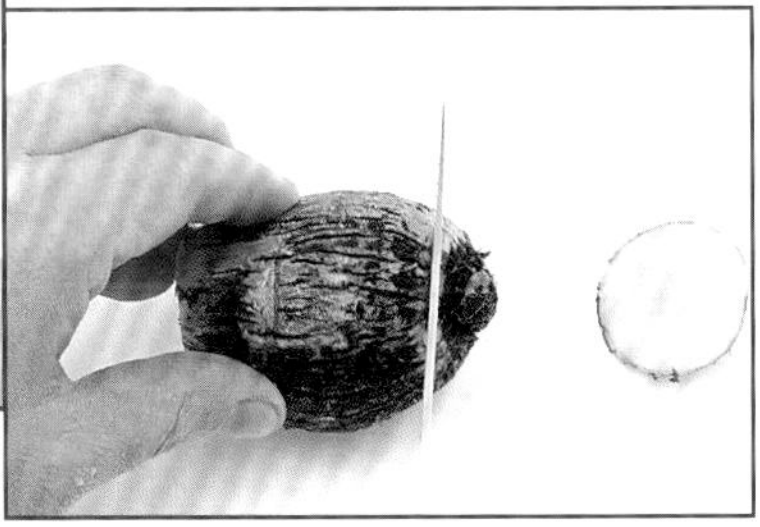

❷ 皮を六方（上下を切り落とし、側面が六面になるように）にむく。

❸ たっぷりの**米のとぎ汁**に❶の**里いも**を入れ、かためにゆでたあと、水でよく洗ってぬめりと臭みを抜く。

2 煮る

❹ 鍋に❸の**里いも**と**だし汁**を入れて火にかけ、煮立ったら弱火にし、**砂糖**を加えて落としぶたをし、5〜6分ほど煮て甘みをふくませる。

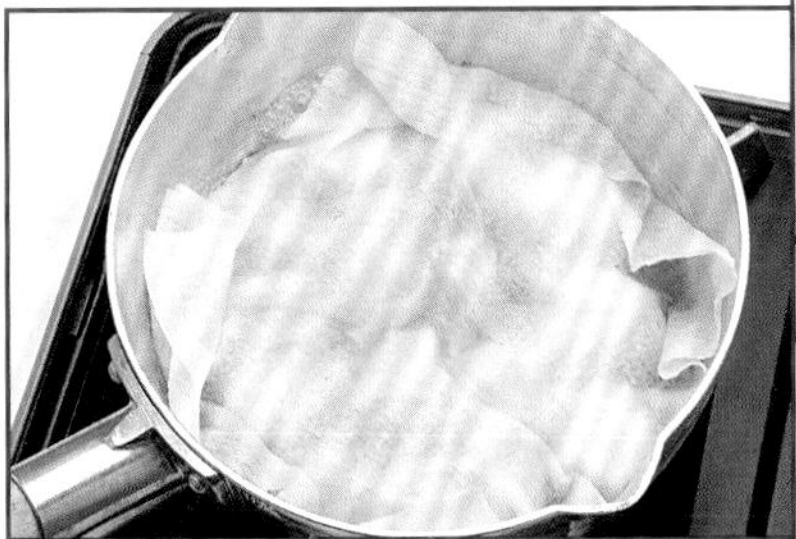

ここがコツ！

里いものようなやわらかい材料のときは紙で落としぶたをすると、傷つきにくい（P21参照）。

ヒント

竹串を入れてすっと通るなら、中までやわらかく煮えている。

❻ 煮汁がほぼなくなるまで煮たら、鍋をゆすってころがしながら煮詰める。

ここがコツ!

鍋をまわすようにすると里いもがうまくころがる。

❺ 里いもがやわらかくなったら、**しょうゆ**を加えて再び落としぶたをする。

❼ 器に盛って、**ゆずの皮**の千切りを添える。

仕上がり

〈ぶり大根〉

583
kcal
1人分

＜材料＞　4人分

ぶり（アラと腹側の切り身）…700g
大根 ………………… 700g（2/3本）
昆布（12cm角）…………………1枚
米のとぎ汁 ……………… 適宜
煮汁
- 水 ……………………3カップ
- 酒 ……………………1カップ
- みりん ………………2/3カップ
- しょうゆ ……………65〜70cc

ゆず ……………………… 適宜

1 下ごしらえ

❶ **ぶりのアラ**は出刃包丁で一口大に切る。

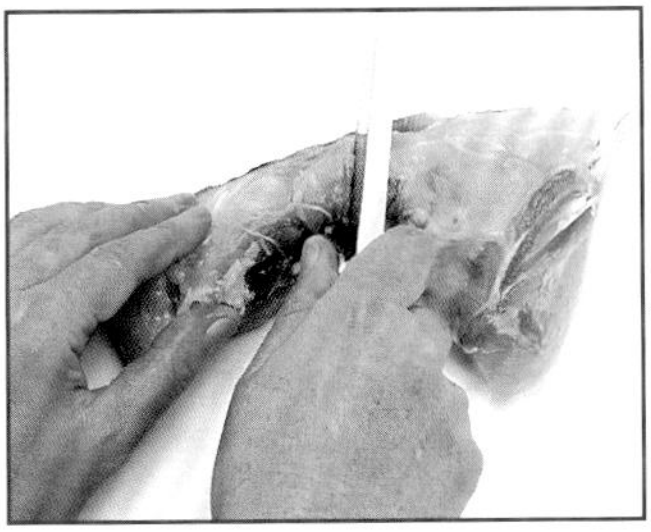

❷ ❶に**塩**（分量外）をふって15分くらいおいたのち、熱湯にさっと通し（霜降り）、水にとって血合いやうろこをきれいに洗い落とす。

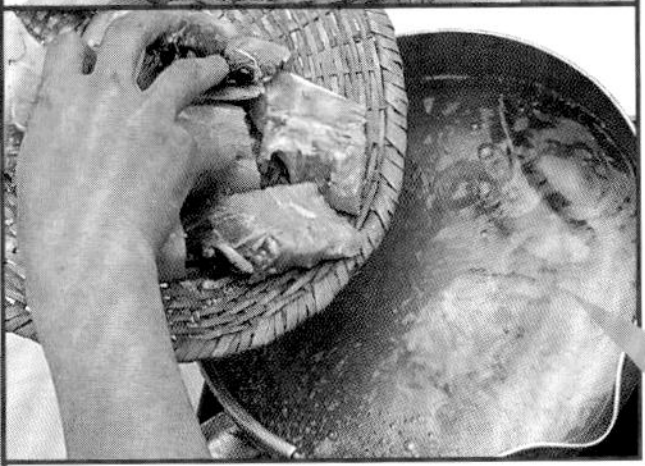

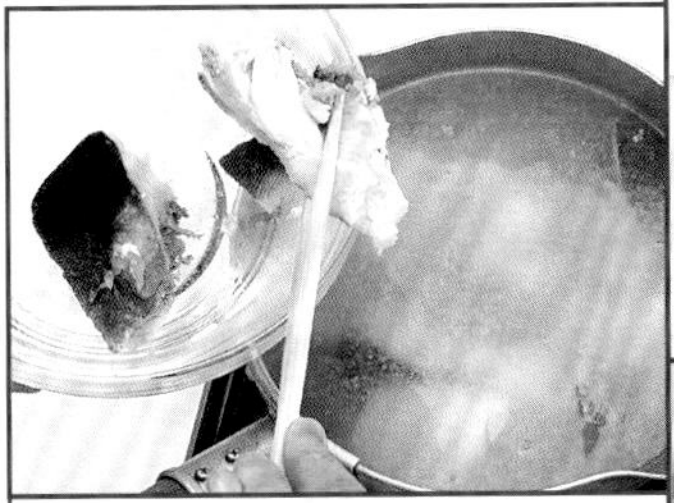

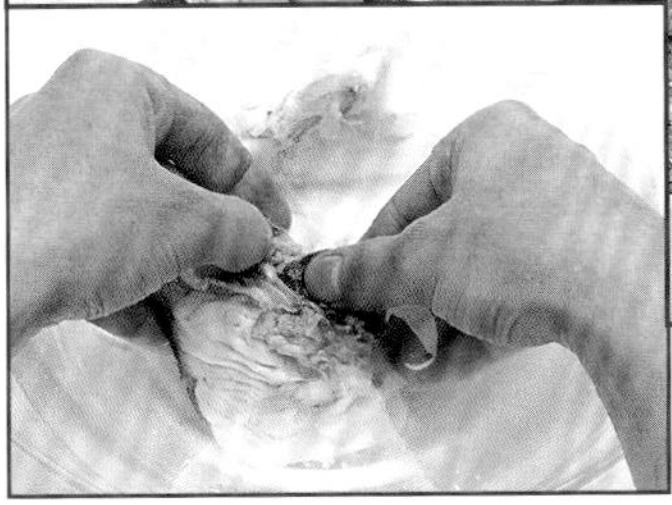

ヒント

霜降りは、ザルにのせたぶりの上から熱湯を回しかけるというやり方でもいい。

❸ **大根**は3cm厚さの輪切りにし（太いところは半月切り）、皮をむき面とりする。

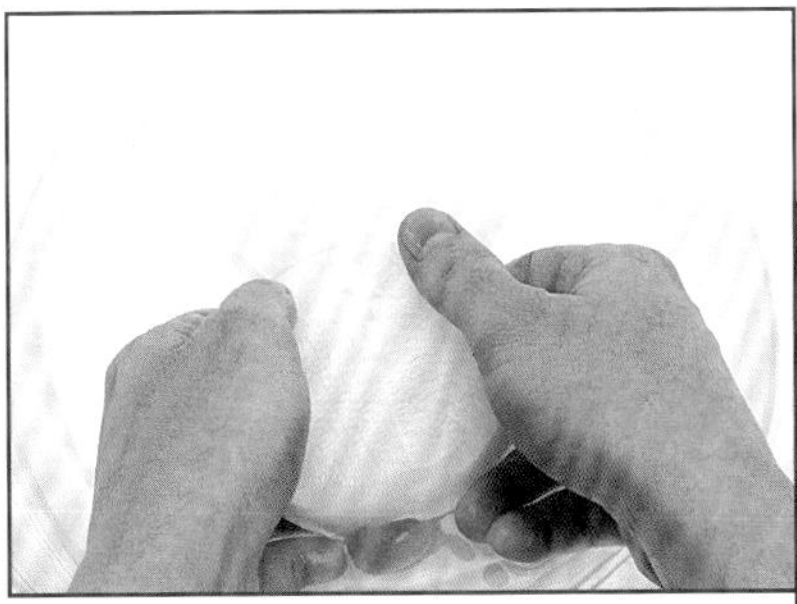

❹ ❸を**米のとぎ汁**で八分通りゆでておき、よく水洗いする。

ここがコツ！

米のとぎ汁で下ゆですると、大根の仕上がりが白くてきれいになる。ただ、ぬか臭さが残るので、大根をあとでよく洗うこと。

2 煮る

⑤ ぬれ布巾で汚れをふいた**昆布**を鍋に敷き、**水**と**酒**と**ぶりのアラ**、**切り身**を入れて火にかけ、煮立てる。沸騰したらアクをとりながら中火で5～6分煮る。

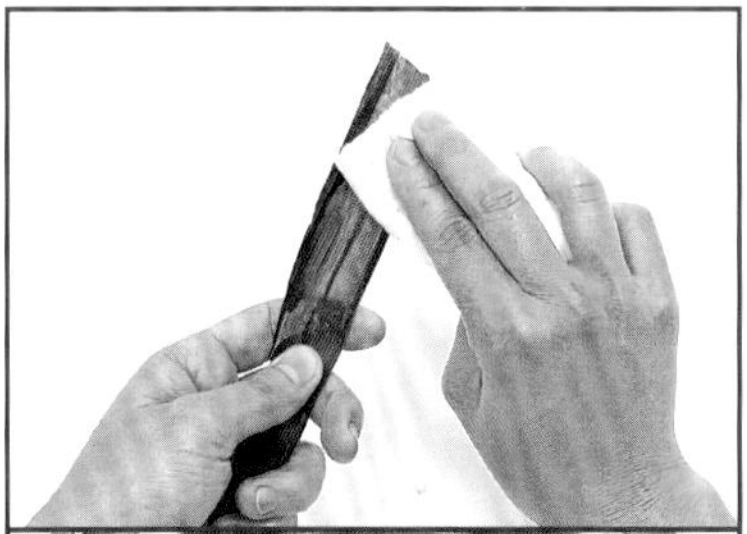

ヒント
落としぶたは、水にぬらしてから使用すると、魚の臭いがつかない。

⑥ **大根**を加えてさらに煮る。大根がやわらかくなったら、**みりん、しょうゆ**を加え、落としぶたをして中火よりやや弱い火加減で30～40分くらい煮る。

⑦ 最後に落としぶたをとり、強火にし、鍋を回して全体に煮汁をからめ、照りを出す。

⑧ 器に盛り、**ゆずの皮**をのせる。

仕上がり

〈さばのみそ煮〉

291 kcal
1人分

1 下ごしらえ

❶2枚におろした**さば**は、半身を4等分に切り、皮目に切り込みを入れる。

❷❶の**さば**を霜降り（P21参照）する。

❸**わけぎ**は5〜6㎝長さに切る。

❹**しょうが**は薄切りにする。

ここがコツ！

しょうがは皮つきのまま薄切りにすると、風味が増して香り豊かになる。

2 煮る

❺
鍋に煮汁の調味料の**水**、**酒**、**砂糖**、**しょうゆ**を入れ、煮立ったら**しょうがの薄切り**と**さば**を入れアクをとり、落としぶたをして中火で5分ほど煮る。

＜材料＞　4人分

さば	1尾
わけぎ	4本
しょうが	15gくらい
煮汁	
水	1¼カップ
酒	½カップ
砂糖	大さじ3
しょうゆ	大さじ1
赤みそ	50g

❻ さばに火が通ったら、煮汁を少量とって**赤みそ**を溶きのばして加え、弱火にする。みそが煮つまり、とろみが出るまで（5〜6分くらい）煮る。

❼
わけぎを加え、みそをまぶすように鍋をゆり動かし、サッと煮て仕上げる(ときどき煮汁をかけながら煮る)。

ヒント
わけぎの代わりにごぼうを細切りにして入れてもOK。

❽
器に**さば**を盛り、**わけぎ**を添え、スプーンなどでさばの上に煮汁を回しかける。

〈かれいの煮つけ〉

175 kcal 1人分

1 下ごしらえ

① **かれい**の皮に切れ目を入れる。

② **かれい**をザルにのせて熱湯をかけて霜降り（P21参照）する。

③ **ごぼう**は皮をこそげとり、4～5㎝長さの斜め薄切りにし、水にさらしてアクをとる。

2 煮る

④ 鍋に③の**ごぼう**を敷いて**煮汁の材料**を入れて煮立てる。

ここがコツ!

ごぼうを鍋の下に敷いておくと、焦げ防止になる。

⑤ 皮の黒いほうを上にして**かれい**を入れ、落としぶたをして中火で10～13分煮る。途中で、ときどき煮汁を回しかける。

ヒント

切り身の幅が広いかれいの場合、皮の黒いほうに切込みを入れておくと味がしみ込む。

＜材料＞　4人分

かれい（100gくらいの切り身）	4切れ
ごぼう	100g（細1本）
木の芽	8～10枚
煮汁	
水	1½カップ
酒	½カップ
みりん	大さじ2⅓
しょうゆ	大さじ2⅓
砂糖	大さじ1

ここがコツ!

ときどき煮汁を回しかけることで、味を全体にしみ込ませる。

❻
器に**かれい**、**ごぼう**を盛りつける。スプーンなどで煮汁をかけ、あらく刻んだ**木の芽**を散らして仕上げる。

仕上がり

〈きんぴらごぼう〉

136 kcal 1人分

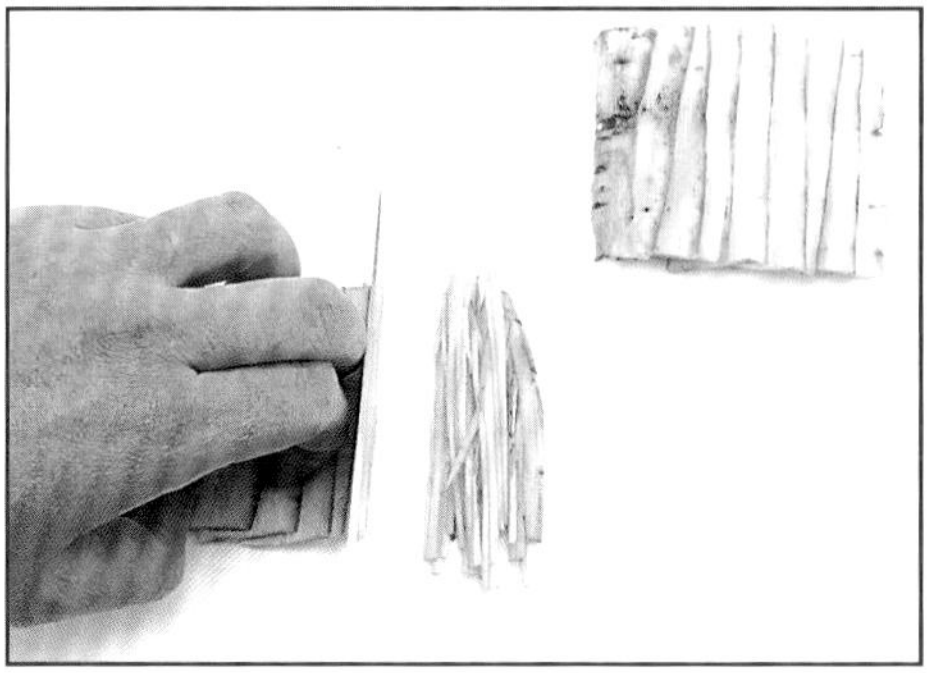

＜材料＞　4人分

ごぼう ……………… 200g（細2本）
にんじん …………… 60g（中1/4本）
ピーマン…………………………1個
赤唐辛子 ………………1/3～1/2本
サラダ油（またはごま油）…大さじ2
煮汁
　砂糖…………………………大さじ1 1/2
　しょうゆ ……………………大さじ2 1/3
　だし汁………………………大さじ3
　みりん………………………大さじ1

1 下ごしらえ

① **ごぼう**は包丁の背を使って軽くこそげる（泥つきごぼうの場合は、たわしで洗いながら皮をこそげる）。

② ①を5㎝長さの薄切りにし、ずらして重ね、マッチ棒くらいの太さに切っていく。切ったものは、アクをとるため、水にさらす。

③ **にんじん**は皮をむき、ごぼうと同じ要領で切るが、ごぼうより少し太めに切る。

④ **ピーマン**は縦半分に切り、種をとって細切りにする。

⑤ **赤唐辛子**は種をとって輪切りにする。

ヒント
ピーマンの代わりにさやえんどう、さやいんげん、ししとうがらしなどを使ってもOK。

2 炒める

⑥ 鍋を熱して**サラダ油**（またはごま油）をなじませ、**ピーマン**を炒めていったんとり出す。

⑦ 次に**赤唐辛子**、**ごぼう**、**にんじん**の順に炒め、しんなりしたら**砂糖**、**しょうゆ**、**だし汁**を加えて炒りつけるように炒める。**みりん**、**ピーマン**を加えて強火にし、仕上げの炒りつけをする。

〈ひじきとさつま揚げの煮物〉

96 kcal
1人分

＜材料＞　4人分

ひじき（乾燥）	30g
さつま揚げ	1枚（80g）
にんじん	60g（中$\frac{1}{4}$本）
グリンピース（冷凍）	大さじ2
サラダ油	大さじ1
煮汁	
だし汁	1カップ
砂糖	大さじ2$\frac{1}{3}$
しょうゆ	大さじ1$\frac{1}{3}$

1 下ごしらえ

❶ **ひじき**は洗ってからたっぷりの水につけてもどす（5〜6倍にふえる）。もどったらザルにあげて水気をきる。

❷ **さつま揚げ**は熱湯にくぐらせ、油抜きをすませたら、小口から薄切りにする。

❸ **にんじん**は皮をむいて4〜5cm長さの細切りにする。

2 炒めて煮る

❹ 鍋を熱して**サラダ油**をなじませ、**にんじん**、**ひじき**を入れて炒め、油がなじんだら**さつま揚げ**を入れてさっと炒める。

❺ **だし汁**、**砂糖**、**しょうゆ**を加え、中火でしばらく煮る。

❻ 煮汁が少なくなったら**グリンピース**を加えて少し煮て仕上げる。

仕上がり

〈切り干し大根の煮物〉

140 kcal 1人分

1 下ごしらえ

① **切り干し大根**はよく洗って水でもみ洗いしたあと、ひたひたより少し多めの水につけてもどす。もどし汁は残しておく。

ここがコツ！

切り干し大根のもどし汁は、大根の甘みとうまみが溶け出ているので、捨てないように。⑥で使う。

② **油揚げ**は熱湯にくぐらせ、油抜きする。切り干し大根と同様の細切りにする。

③ **干ししいたけ**は水につけてもどし、軸を落として細切りにする。もどし汁は残しておく。

④ **にんじん**は皮をむき、5～6㎝長さの細切りにする。

⑤ **さやえんどう**はスジをとり、塩ゆでして、斜め細切りにする。

2 炒めて煮る

⑥ 鍋を熱して**サラダ油**をなじませ、**さやえんどう以外**を炒め、油がよくなじんだら**煮汁の材料**を加える。

⑦ 煮立ったら中火にし3分くらい煮る。

⑧ ⑦に**砂糖**を加え、8～10分くらい煮て甘みを含ませたら**塩**、**しょうゆ**を加え、菜ばしで全体を大きく混ぜながら汁気が少なくなるまで煮含める。

⑨ ⑤の**さやえんどう**を加えさっと混ぜて火を止める。

＜材料＞ 4人分

切り干し大根（乾燥）	40g
油揚げ	1枚
干ししいたけ	2枚
にんじん	50g（小1/2本）
さやえんどう	8枚
サラダ油	大さじ2
煮汁	
切り干し大根のもどし汁	1カップ
しいたけのもどし汁	1/2カップ
だし汁	1/2カップ
砂糖	大さじ2
しょうゆ	大さじ2 1/3
塩	小さじ1/6

〈高野豆腐とふきの炊き合わせ〉

80
kcal
1人分

＜材料＞　4人分

高野豆腐	4枚
ふき	200g（中3本）
木の芽	8～12枚
煮汁	
だし汁	3カップ
砂糖	大さじ1
みりん	小さじ2
薄口しょうゆ	大さじ2
塩	小さじ⅔

1 下ごしらえ

① **高野豆腐**は70～80℃くらいの湯につけ、落としぶたをしてもどす。約2倍にふくれたら、軽く2～3回押し洗いしてから水気をよく絞り（P44参照）、1枚を3等分にする。

② **ふき**は鍋に入る長さに切り、塩をまぶして板ずり（P20参照）しておく。

③ ②を塩がついたまま、たっぷりの熱湯で色よくゆでる。

④ ゆで上がったら水にとってアクを抜き、皮をむいて5～6㎝長さに切る。

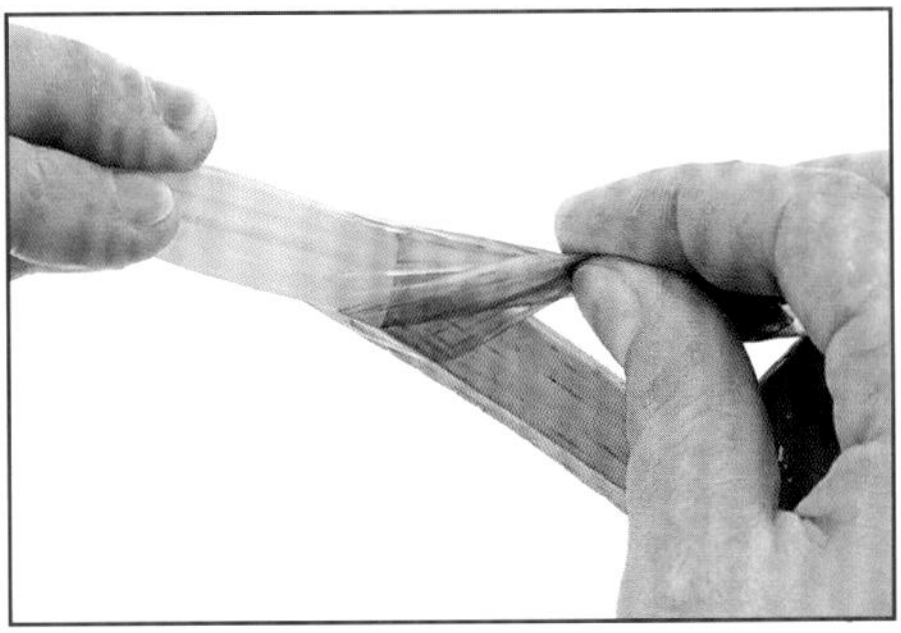

ここがコツ！
ふきはアクがあるので、ゆでたあと水にさらしてから皮をむく。

2 煮る

⑤ 鍋に**煮汁の材料**を煮立て、**高野豆腐**を入れ、落としぶたをして弱火で20分ほど煮る。

⑥ 途中⑤の煮汁の中に**ふき**を入れ、軽く煮たら、煮汁の一部をとり出し、鍋底を冷水に入れて素早く冷まし、ふきを煮汁につけて味をふくませる（青煮という）。

⑦ 器に**高野豆腐**、**ふき**を盛り合わせ、**煮汁**を注いで**木の芽**を添える。

仕上がり

〈小松菜と油揚げのさっと煮〉

55 kcal
1人分

1 下ごしらえ

① **小松菜**は根元に数カ所包丁を入れてから流水で水洗いする。水気をきって4～5㎝長さに切る。

② **油揚げ**は熱湯にくぐらせ油抜きをし、4～5㎝長さの細切りにする。

ヒント
小松菜の代わりに水菜、しんとり菜などを使ってもおいしい。

＜材料＞ 4人分

小松菜	200g
油揚げ	1枚
煮汁	
だし汁	2カップ
砂糖	大さじ1
薄口しょうゆ	大さじ3
酒	大さじ2
塩	少々

2 煮る

③ 鍋に**煮汁の材料**を煮立て、**油揚げ**、**小松菜**を入れてさっと煮る。

仕上がり

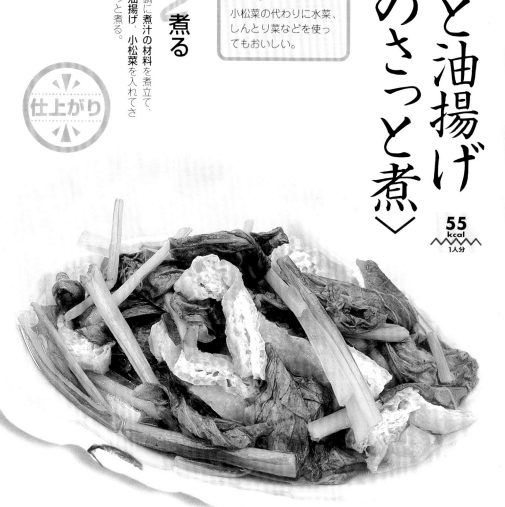

〈おからの炒り煮〉

282 kcal 1人分

＜材料＞　4人分

おから……………………………500g
あさり(むき身)…………………120g
しらたき………………100g(½玉)
干ししいたけ…………………………3枚
にんじん………………80g(中½本)
わけぎ…………………………………2本
ごま油……………………………大さじ2
煮汁
　だし汁、あさりのゆで汁、干ししいたけのもどし汁……合わせて2½カップ
　酒………………………………大さじ2
　砂糖……………………………大さじ3
　みりん…………………………大さじ3
　しょうゆ………………………大さじ4
　塩 ………………………………小さじ¼

1 下ごしらえ

❶ **あさり**は塩水にザルごとつけ、ふり洗いし、汚れをとる。

❷ **しらたき**は水気をきって食べやすい長さに切る。

❸ **干ししいたけ**は水につけてもどし、軸をとり、薄切りにする。もどし汁はあとで使う。

❹ **にんじん**は皮をむき、3～4㎝長さの細切りにする。

❺ **わけぎ**は小口切りにする。

2 炒めて煮る

❻ 鍋を火にかけ、**あさり**を入れて強火にし、**酒**大さじ2（分量外）を入れて炒りつける。あさりがぷくっとふくれたら火を止め、ザルにあける。汁はだし汁とともにあとで使うのでとっておく。

❼ 再び鍋を火にかけ、**しらたき**を入れてから炒りし、水気がなくなったら**ごま油**を回し入れ、全体になじませる。さらに**干ししいたけ**、**にんじん**を加えて炒める。

❽ ❼に**おから**を入れ、中火で木しゃもじで混ぜながら炒める。**煮汁の材料**を入れてさらに混ぜながら煮る。

❾ 煮汁が少量になったら**あさり**を加えて炒める。

❿ 煮汁がほとんどなくなったら、**わけぎ**を加えて全体をよく混ぜ合わせて仕上げる（焦げないように終始混ぜながら煮る）。

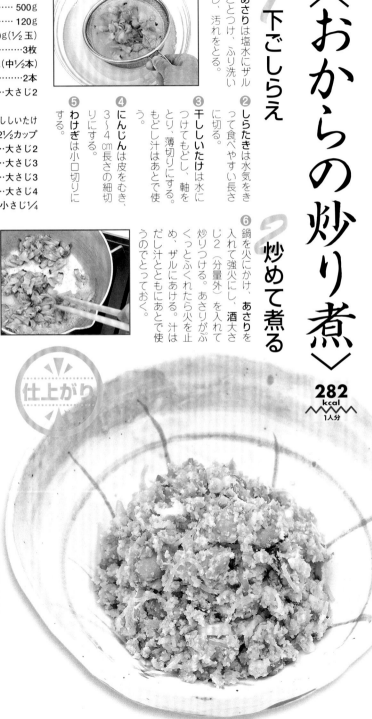

〈れんこんとちくわの炒り煮〉

140 kcal 1人分

1 下ごしらえ

① **れんこん**は皮をむいてから一口大の乱切りにし、酢水（分量外）につけてアク抜きし、水気をふく。

② **ちくわ**は手で一口大にちぎる。

③ **ししとうがらし**は軸を切りそろえ、縦半分に切り、種をとり除く。

ここがコツ！

ちくわはれんこんより少し小さめに切るほうが見た目もよく、おいしく仕上がる。

2 炒めて煮る

④ 鍋を熱して**サラダ油**をなじませ、まず最初に**ししとうがらし**を炒めたら、いったんとり出す。次に**れんこん**を炒め、5分通り火が通ったら、さらに**ちくわ**を加えて炒める。

⑤ ④に**だし汁**を加え、煮立ったらアクをとりながら**砂糖**を加えて甘みを含ませる。次に**しょうゆ**を加え、中火で炒りつけながら煮る。仕上げに、**みりん**、**ししとうがらし**を加え、強火にし、全体を混ぜて照りよく煮る。

＜材料＞　4人分

れんこん	250g
ちくわ	1本
ししとうがらし	8本
サラダ油	大さじ1½
煮汁	
だし汁	½カップ
砂糖	大さじ1½
しょうゆ	大さじ2
みりん	大さじ1

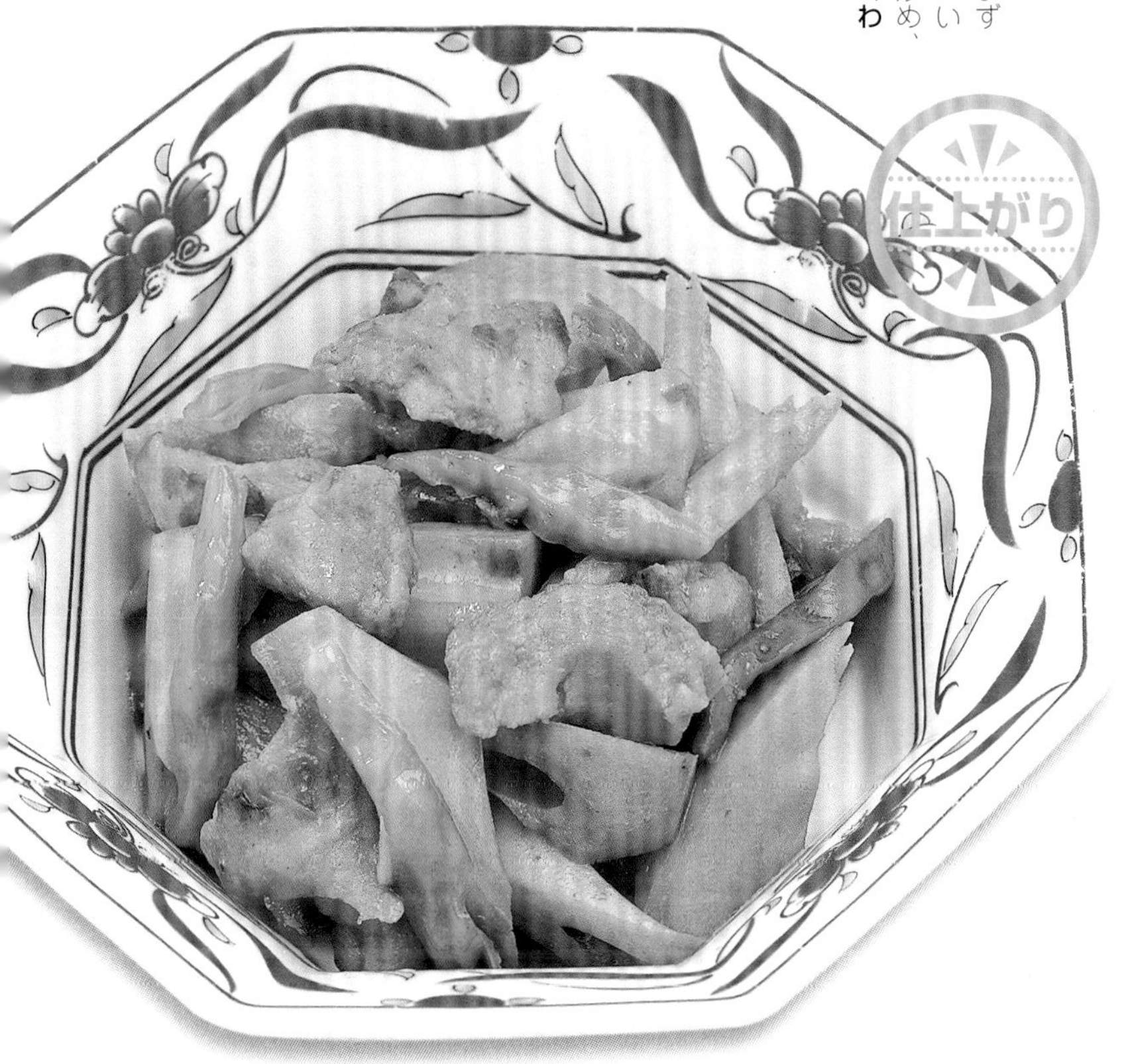

〈若竹煮〉

69 kcal 1人分

1 下ごしらえ

❶**たけのこ**は、穂先の方6～7cmぐらいのところから切り、縦に4～6つに切り分ける。残りは2cm厚さの半月またはいちょう切りにする。

❷**生わかめ**は洗ってから食べやすい大きさ（5～6cm長さ）に切る。

2 煮る

❸鍋に**だし汁**、**酒**を入れて煮立て、**たけのこ**を入れて2～3分煮てから**残りの調味料**を加えて煮含める。

❹煮汁が$\frac{1}{3}$量になったら**わかめ**を加え、強火にし、ひと煮立ちしたら火を止める。

❺器に**たけのこ**、**わかめ**を盛り合わせ、**煮汁**を注ぎ、**木の芽**をのせる。

応用

●たけのこのゆで方

たけのこは新鮮なものほどアクが少ないので、堀りたてのものならそのまま使用できます。でも、一般には買ってきたものをゆでてアクとエグミを除いて用います。

●材料

たけのこ（中くらいのもの）………2本
米ぬか（または米のとぎ汁）………1カップ
赤唐辛子 ……………………………1本
（うまみを添えるために）

●ゆで方

①たけのこは洗い、根元のかたいところを削りとる。
②穂先のところを切り落とす。
③縦に1本皮に切りこみを入れる。
④大きななべにたけのことたっぷりの水と米ぬか、赤唐辛子を入れて、3時間くらい煮る。竹串が根元のかたいところにすっと通ったら火からおろしそのまゆで汁が冷めるまでおく（米のとぎ汁でゆでてアクをとってもよい）。
⑤皮をむき、水洗いしてから調理する。

仕上がり

＜材料＞　4人分

たけのこ（ゆでたもの）…400g
生わかめ ……………………60g
木の芽 ………………………12枚
煮汁
- だし汁 …………$2\frac{1}{2}$カップ
- 酒……………………大さじ1
- みりん………………大さじ2
- 薄口しょうゆ …大さじ$2\frac{1}{3}$
- 砂糖…………………小さじ1
- 塩 ……………………小さじ$\frac{1}{6}$

〈ふろふき大根〉

128 kcal 1人分

1 下ごしらえ

① **大根**は3㎝厚さの輪切りにしてから皮を厚めにむき、面とりしたら下側に隠し包丁（P27参照）を入れておく。

② ①を**米のとぎ汁**で串がすっと通るくらいまでゆでたら水洗いする。

2 煮る

③ 鍋に**昆布**を敷き、**大根**を入れて**煮汁の材料**を加え、コトコト中火よりやや弱い火加減で15分くらい煮る。

＜材料＞　4人分

大根………700〜800g（中2/3本）
昆布…………………10cmぐらい
煮汁
- 水…………………3カップ
- 塩…………………小さじ1
- 薄口しょうゆ………小さじ1
- 砂糖………………大さじ1

米のとぎ汁　………………適宜
練りみそ
- 赤みそ……………………80g
- 砂糖………… 大さじ2 1/2〜3
- みりん……………… 大さじ2
- だし汁…………… 1/4カップ

ゆずの皮
（黄色い部分をすりおろしたもの）…適宜

ヒント

練りみそに使うみそは、赤だし、白みそ、いなかみそと好みのものを。みそによって多少塩分が違うので砂糖で加減して味つけを。

また、練りみそはゆでた里いも、豆腐、こんにゃくなどにかけてもおいしい。保存性もある。

④ 別の鍋で練りみそを作る。**赤みそ**、**砂糖**、**みりん**、**だし汁**を鍋に入れ、弱火にし、木しゃもじで混ぜながらつやよく練り上げる。

⑤ 盛りつける器は湯を入れてあたためておく。温かい器にまず**大根**を盛りつけ、**煮汁**を少量注ぎ、**練りみそ**をかける。

⑥ 仕上げに**ゆずの皮**の黄色いところをすりおろしたものを散らす。

〈豚の角煮〉

782 kcal 1人分

＜材料＞　4人分

豚バラ肉（かたまり）…………600g
おから………………………1カップ
しょうが（皮付きの薄切り）……20g
長ねぎ（青いところ）…………1本分
練り辛子 ……………………… 適宜
春菊 …………………………… 適宜
煮汁
　水 …………………………2カップ
　酒 …………………………150cc
　砂糖（三温糖）…………大さじ2½
　みりん……………………大さじ3
　しょうゆ…………………大さじ5

1 下ごしらえ

❶ 鍋にたっぷりの**水**（分量外）、**おから**、**しょうが**、**長ねぎ**の青いところ、**豚肉**を入れ、煮立ったら弱火にして2時間ほどゆで、豚肉がやわらかくなったら、ゆで汁ごと冷ます。

❷ 冷めたら、おからを洗い流してから6㎝角に肉を切り分ける。

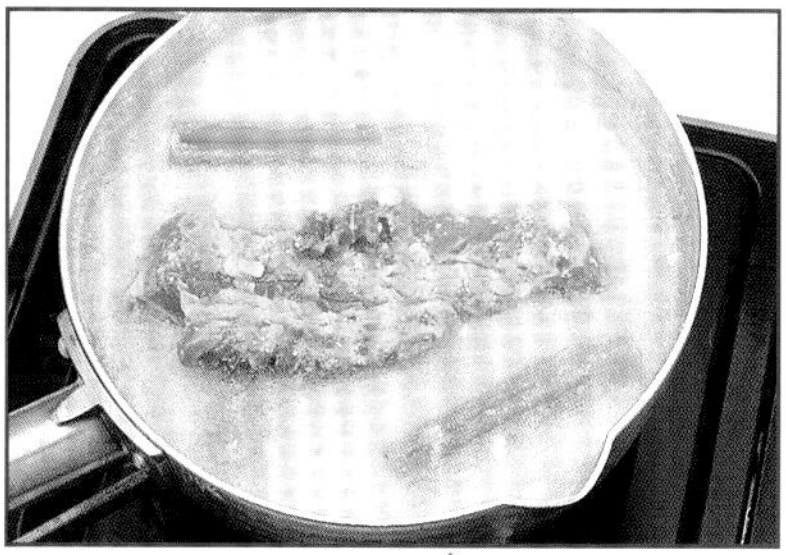

ここがコツ！

おからを使うのは豚バラ肉の脂を抜くため。下ゆでしているときに湯が減ってきたら、湯を足す。ゆで時間は2時間～2時間半が目安。

2 煮る

❸ **煮汁の材料**と**豚肉**を鍋に入れ、煮立ったら落としぶたをして弱火にし煮含める。

❹ 煮汁が煮詰まってきたら、全体に煮汁をからめて仕上げる。

❺ 器に**豚肉**を盛り、**練り辛子**と**生春菊**の葉先のやわらかい部分をちぎって添える。

〈いわしの梅干し煮〉

218 kcal 1人分

＜材料＞	4人分
いわし	中くらいの大きさ8尾
梅干し	3個
しょうが	10g
煮汁	
しょうゆ	大さじ2
酒	大さじ2
みりん	大さじ1
水	1½カップ
砂糖	大さじ2

1 下ごしらえ

① **いわし**は包丁で頭、内臓をとり、腹の内側の部分を水でよく洗い、ペーパータオルで水気をよくふきとる。

② **しょうが**は皮つきのまま薄切りする。

2 煮る

③ 鍋に**煮汁の材料**を煮立て、**しょうが**と半分にちぎった**梅干し**を入れ、その上に**いわし**を並べる。

④ 中火にかけ、落としぶたをして煮汁が¼量になるまで煮る。途中でときどき鍋をかたむけ、スプーンで煮汁をすくってかける。

⑤ **いわし**を器に盛りつける。煮汁を少しかけ、**梅干し**も一緒に盛る。

ヒント

梅干しは、その酸味で魚のクセや臭みを抜き、身を引き締め煮崩れを防ぐ。さば、あじなども梅干しと煮るとおいしい。

仕上がり

〈厚揚げの肉詰め〉

199 kcal 1人分

1 下ごしらえ

❶ **厚揚げ**は煮立った湯の中に入れ、2分くらいゆでて油抜きをしたら斜めに切り落とし、切り口から深く切れ目を入れ、袋状にしておく（イラスト参照）。

＜材料＞　4人分

厚揚げ	2枚
鶏ひき肉	60g
下味	
砂糖	小さじ1/4
酒	小さじ1
しょうゆ	小さじ1/3
しょうがの絞り汁	小さじ1/3
小麦粉	適宜
煮汁	
だし汁	2カップ
砂糖	大さじ3
みりん	大さじ1
塩	小さじ1/2
しょうゆ	大さじ2
さやえんどう	12枚

❷ ボールに**鶏ひき肉**を入れ、ねばりが出るまでよく練り混ぜ、**下味の材料**を加えてさらに練り、4等分にする。

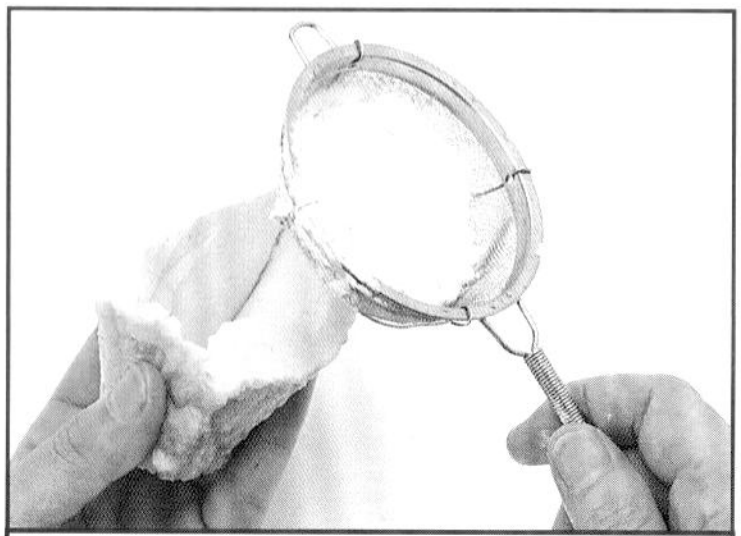

❸ **厚揚げ**の袋状にした内側に**小麦粉**を薄くまぶし、❷を詰める。

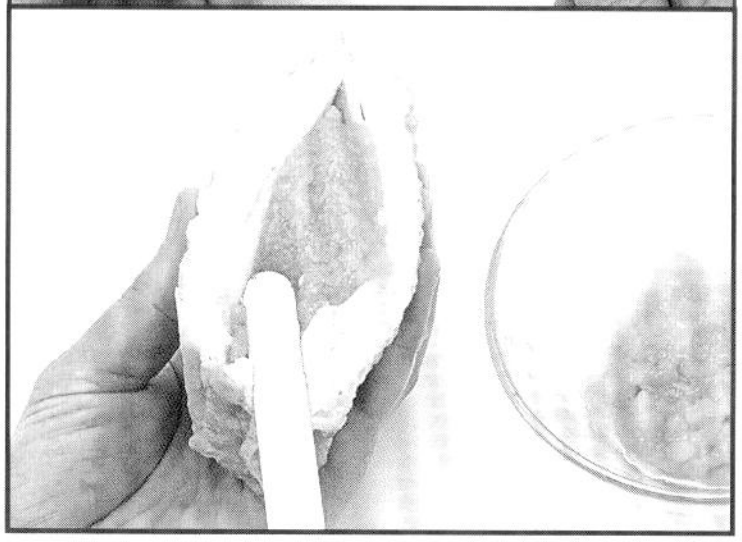

❹ **さやえんどう**はスジをとり、塩ゆでする。

2 煮る

❺ **煮汁の材料**を煮立て、❸を入れ、落としぶたをして中火で煮含める。

❻ 煮あがったら半分に切り分けて器に盛り、**煮汁**を注ぐ。**さやえんどう**を添える。

仕上がり

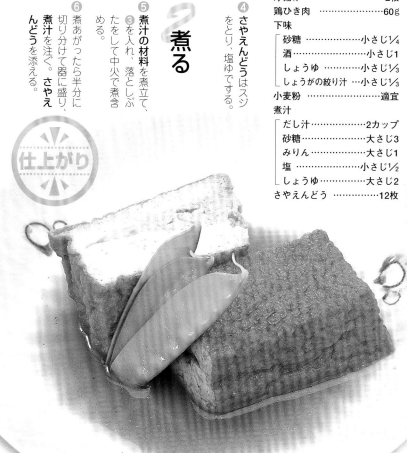

焼き物の基礎

材料

●魚介類は新鮮なものを使う

調理法が単純なので、新鮮なものを使ってこそおいしく仕上がる。

●ふり塩、化粧塩には天然塩を

魚の下ごしらえに使う塩は、できればカルシウム、マグネシウムがたっぷりの天然塩、またはそれに近い塩（あら塩、並塩）を。

火加減

●原則は「強火の遠火」

弱火だと焦げないが、焼く時間が長くなり、材料の身が縮んでかたくなって、味も落ちてしまう。ある程度の強火で焼くことで、魚などは皮がパリパリのおいしい状態になる。

ガスレンジのグリルで焼くのが一般的だが、鉄灸《てっきゅう》を使うと理想的な「強火の遠火」で焼ける。

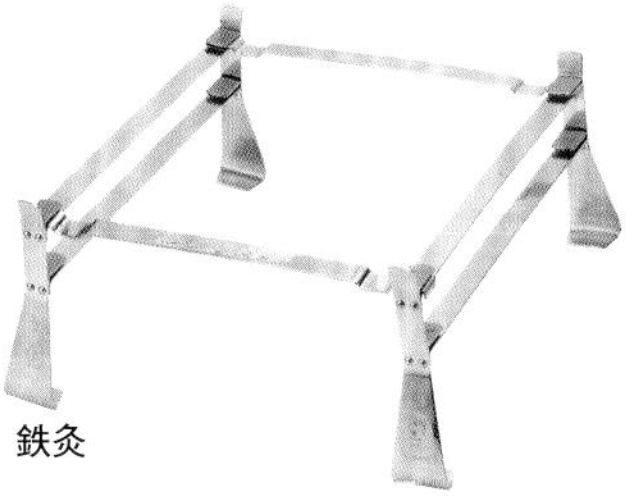

鉄灸

ガスの上に焼き網を乗せ、その上に鉄灸をセットして使う。

焼き方

●網をよく焼いてから魚をのせる

グリルや焼き網を使うときは、網をよく焼いて、サラダ油を塗り、材料の水分をふきとってからのせると、くっつかずにきれいに焼ける。

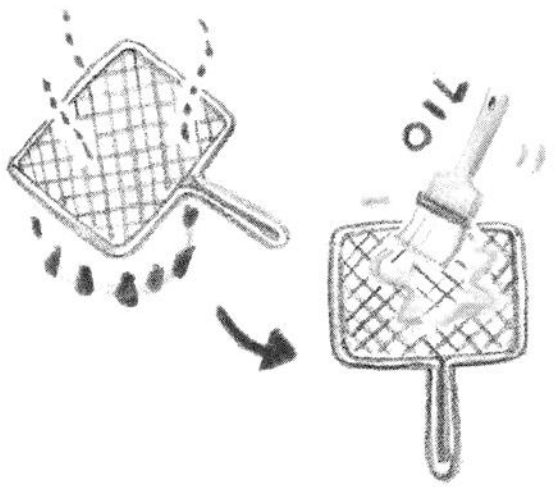

●魚は盛りつけて表になるほうから焼く

きれいに焼くために、必ず表から先に焼き、ある程度火が通ってほどよい焦げ目がついたら、裏を焼く。形がくずれやすいので、裏返すのは、1回だけ。

焼き加減の目安

白身魚 (たら、あじなど)	水分が少ないので、火が九分どおり通ったら火からはずし、余熱で焼き上げる。
背の青い魚 (さば、いわしなど)	身がやわらかくて水分が多く、クセも強いので、十分に火を通す。
淡水魚 (あゆ、鮭など)	独特のくさみがあるので、十二分に火を通す。
貝類、えび、いか	火を通しすぎるとゴムのようにかたくなるので、強火でさっと焼く。
干物	中火でじっくり焼く。少し酒をふりかけて焼くと味がよくなる。
肉	焼きすぎると肉がかたくなっておいしくないが、細菌の問題もあるので十分に火を通す。
野菜	水分の多いものは強火、少ないものは弱火で。ものによっては油を塗っておくと水分が抜けすぎず、つやも出ておいしく仕上がる。

〈あじの塩焼き〉

229 kcal 1人分

1 下ごしらえ

① **あじ**はうろこをこそげとり、ぜいごをとる。次にえらぶたをあけ、えらをとり、内臓もとる（P30参照）。

ここがコツ！

塩焼きは素材の持ち味でおいしさが決まる。新鮮な魚を使うように。

② 流水で腹の中をきれいに洗い、水気をペーパータオルでよくふきとる。

＜材料＞ 4人分

あじ	4尾
塩	適宜
大根	120g
しょうゆ	適宜

菊の花の甘酢つけ

食用菊	8個
甘酢	
酢	½カップ
砂糖	大さじ3
塩	小さじ1

③ 盛りつけて表になるほうの身の厚い部分に切れ目を入れる。

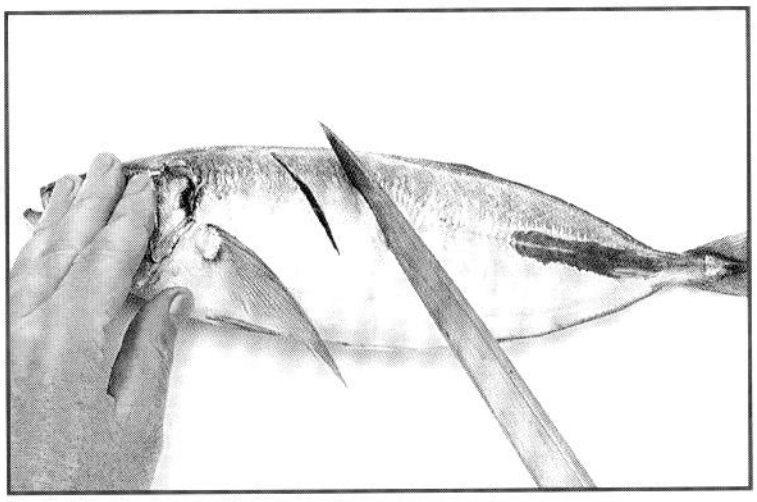

④ 化粧塩をする。胸びれ、尾びれ、背びれにたっぷりと**塩**をつける。

ここがコツ！

ひれの部分に塩をつけてから焼くと、ひれが焦げるのが防げ、仕上がりがきれいになる。

⑤ おどり串を打つ。尾びれ、胸びれはアルミで包んで保護する。

①盛りつけて裏になる側の目の下に金串を刺す。

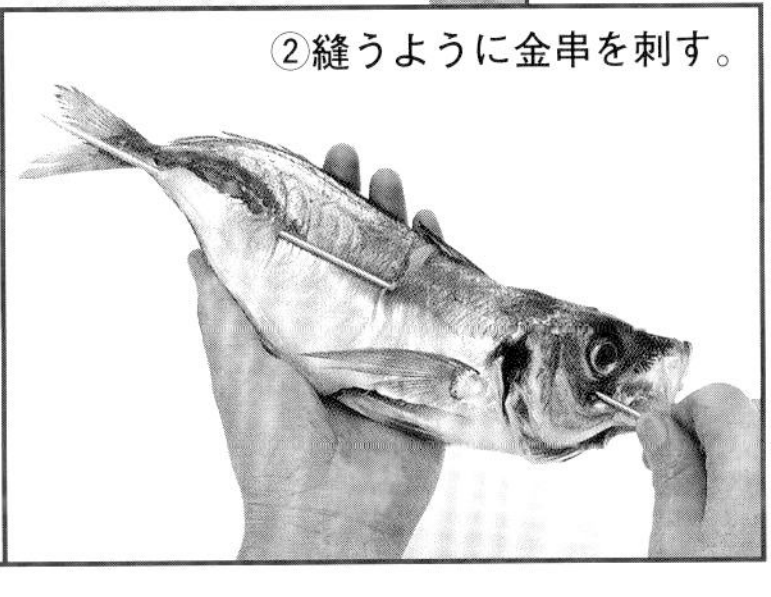

②縫うように金串を刺す。

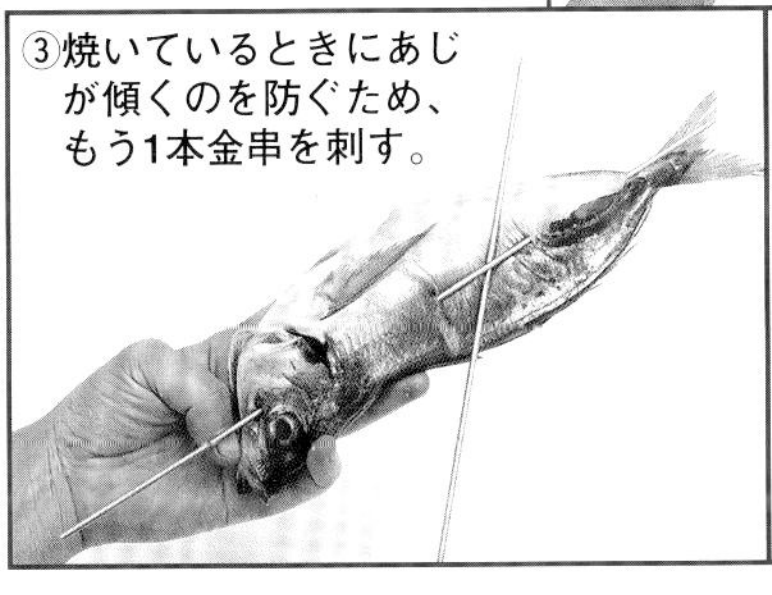

③焼いているときにあじが傾くのを防ぐため、もう1本金串を刺す。

⑥ **大根**はおろしてザルまたは巻きすにのせて自然に水をきる。

2 菊の花の甘酢づけを作る

⑦ **食用菊**は花弁をむしってほぐし、**酢少々**（分量外）を加えた熱湯でサッとゆで、水にさらす。

⑧ **甘酢の材料**をよく混ぜあわせ、**食用菊**を絞って漬ける。

3 焼く

⑨ 焼く直前に表裏まんべんなく魚全体に**塩**をふる。

⑩ ガス台の上に網と鉄灸《てっきゅう》（P82参照）を置いて、**魚**をのせる。盛りつけて表になるほうから先に中火で6分通り焼き、裏返して残りを焼く。

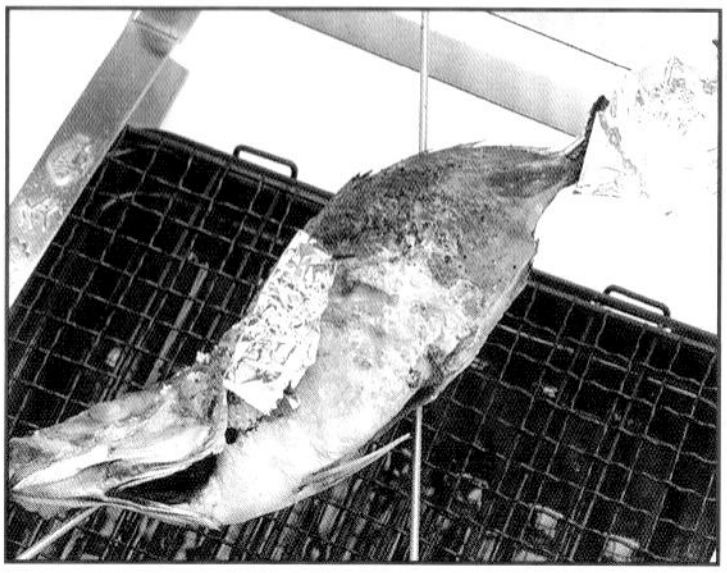

おどり串を使わずにグリルで焼くときは、尾の下に大根の切れ端を置いておくと、きれいな形に焼ける。

⑪ 焼きあがったら、熱いうちに金串を回しながら抜く。

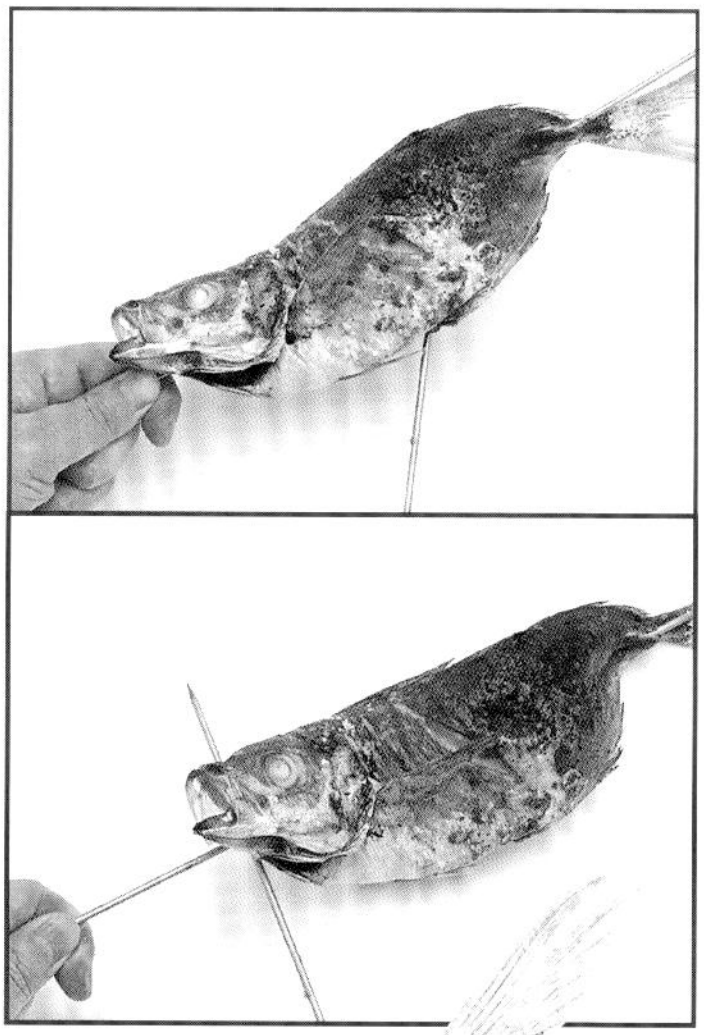

⑫ 器に**あじ**を盛りつける。頭は左に向け、腹側を手前にして盛り、**菊の花の甘酢づけ**、**しょうゆをかけた大根おろし**を手前にそえる。

ヒント

夏はあじ、あゆ、秋はさんまというように、塩焼きはその季節にうまみを増すものを使う。さば、さけなどの切り身を塩焼きしてもおいしい。

仕上がり

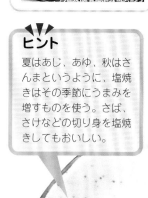

〈ぶりの照り焼き〉

323 kcal
1人分

＜材料＞　4人分

ぶりの切り身（1切れ80～100g）…4切れ
タレ
- しょうゆ……………………大さじ3
- みりん……………………大さじ3
- 砂糖………………………小さじ1

菊花大根の甘酢づけ
- 大根（3cm長さ）…………1本
- 食用菊（葉つき）…………4個
- 甘酢
  - 酢……………………1カップ
  - 砂糖……………………大さじ6
  - 塩……………………小さじ2

1 下ごしらえ

①**ぶり**の切り身は平らなザルに並べ、薄く**塩**（分量外）をふり、15分くらい置いてから水気をよくふきとる。

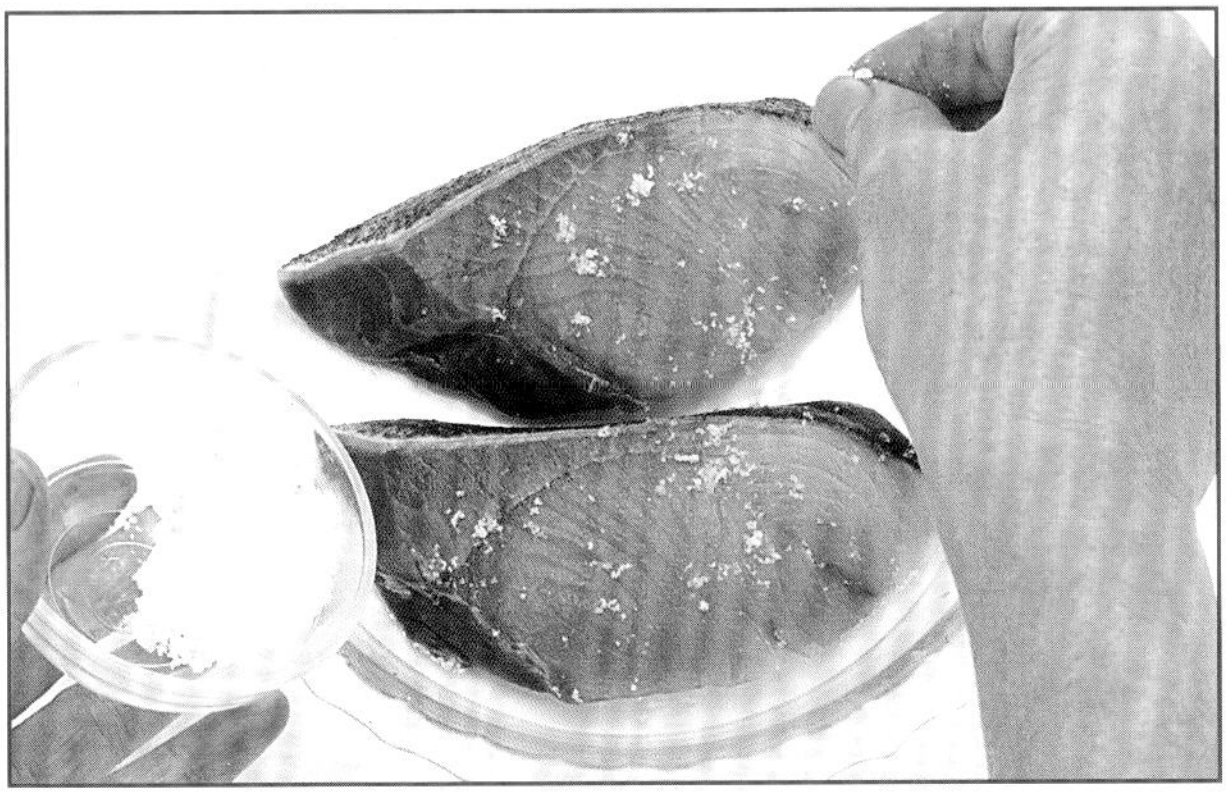

②鍋に**タレの調味料**を合わせて少し（1割くらい）煮つめる。

2 菊花大根の甘酢づけを作る

③3㎝長さの**大根**は皮をむき、切り口に縦横の切りこみを深く入れ、塩をふってしんなりさせたら水気を絞る。**食用菊**はむしってほぐし、ゆでる。

④**甘酢の材料**をよくかき混ぜ、**大根と食用菊**をつける。

3 焼く

⑤**ぶり**をグリルで火が8～9分通るまで焼く。表面の脂をペーパータオルでふきとる。

ヒント

フライパンで焼く鍋照り焼きの作り方

①ぶりに塩を少々ふり15分くらい置く。

②水気をよくふきとり、小麦粉を全体に薄くまぶす。

③熱したフライパンにサラダ油をなじませ、ぶりの両面を焼いて火を通す（盛りつけて表になるほうを先に焼く）。

④余分な油をペーパータオルでふきとり、タレを注いで中火にし、フライパンをゆすりながら全体に照りをつける。

⑥はけで**ぶり**に**タレ**を塗り、表面が乾いたらまた塗るという作業を2〜3度繰り返しながら、焦がさないように照りよく焼き上げる。仕上げに一度、裏側もダレを塗る。

⑦器に**ぶり**を盛り、**大根**に**食用菊**をのせ**菊の葉**を添える。

仕上がり

〈いわしのかば焼き〉

310 kcal 1人分

1 下ごしらえ

① **いわし**は手開き（P33参照）をし、5分くらい**つけ汁**につけておく。

2 大根の甘酢づけを作る

② **大根**は薄くいちょう切りにし、塩を軽くあて、しんなりしたら水洗いし、よく絞っておく。**食用菊**はゆでる。

③ **甘酢の材料**をよくかき混ぜ、**大根**と**食用菊**をつける。

3 焼く

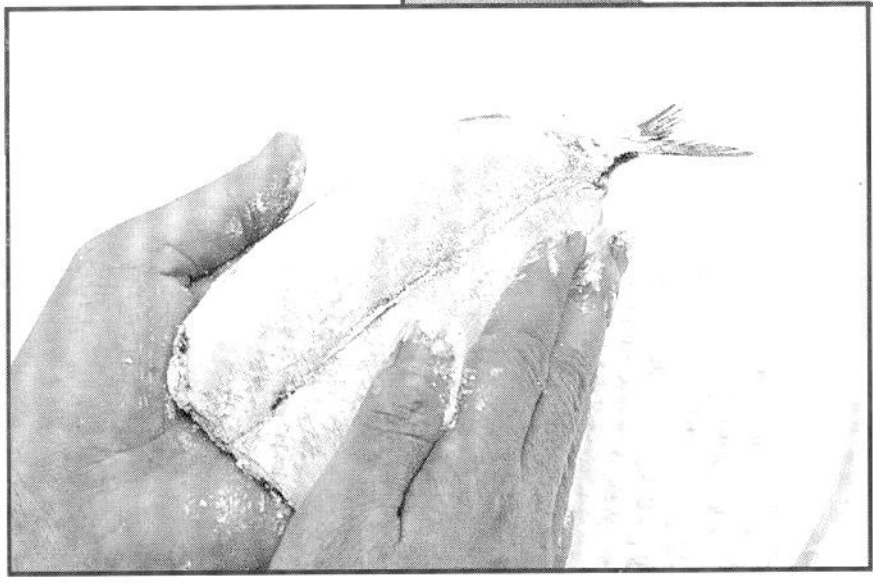

④ **いわし**の汁気をペーパータオルでふきとってから、**小麦粉**を全体にまぶしつける（余分な粉ははたきおとしておく）。

⑤ フライパンを熱し、**サラダ油**をなじませたら、**いわし**の身の方を下にして入れ、フライパンをゆすりながら焼く。裏返して皮の方もこんがり焼く。

＜材料＞　4人分

いわし	8尾
つけ汁	
酒	大さじ2
砂糖	大さじ2
みりん	大さじ4
しょうゆ	大さじ6
しょうがの絞り汁	小さじ1
小麦粉	適宜
サラダ油	適宜
粉ざんしょう	適宜

大根の甘酢づけ	
大根	100g
食用菊	4個
甘酢	
酢	1/2カップ
砂糖	大さじ3
塩	小さじ1
菊の葉	4枚

⑥
フライパンの油をペーパータオルでよくふきとって❶**のつけ汁**を加え、少し煮つめ、いわしに汁をからめる。

ここがコツ!

フライパンの汚れはよくふきとる。汚れがひどいときは、洗ってから使う。

⑦
器に**いわし**を盛って**大根の甘酢づけ**をあしらい、**菊の葉**を添える。好みで**粉ざんしょう**をふっていただく。

仕上がり

〈鶏肉の塩焼き（レモン風味）〉

1 下ごしらえ

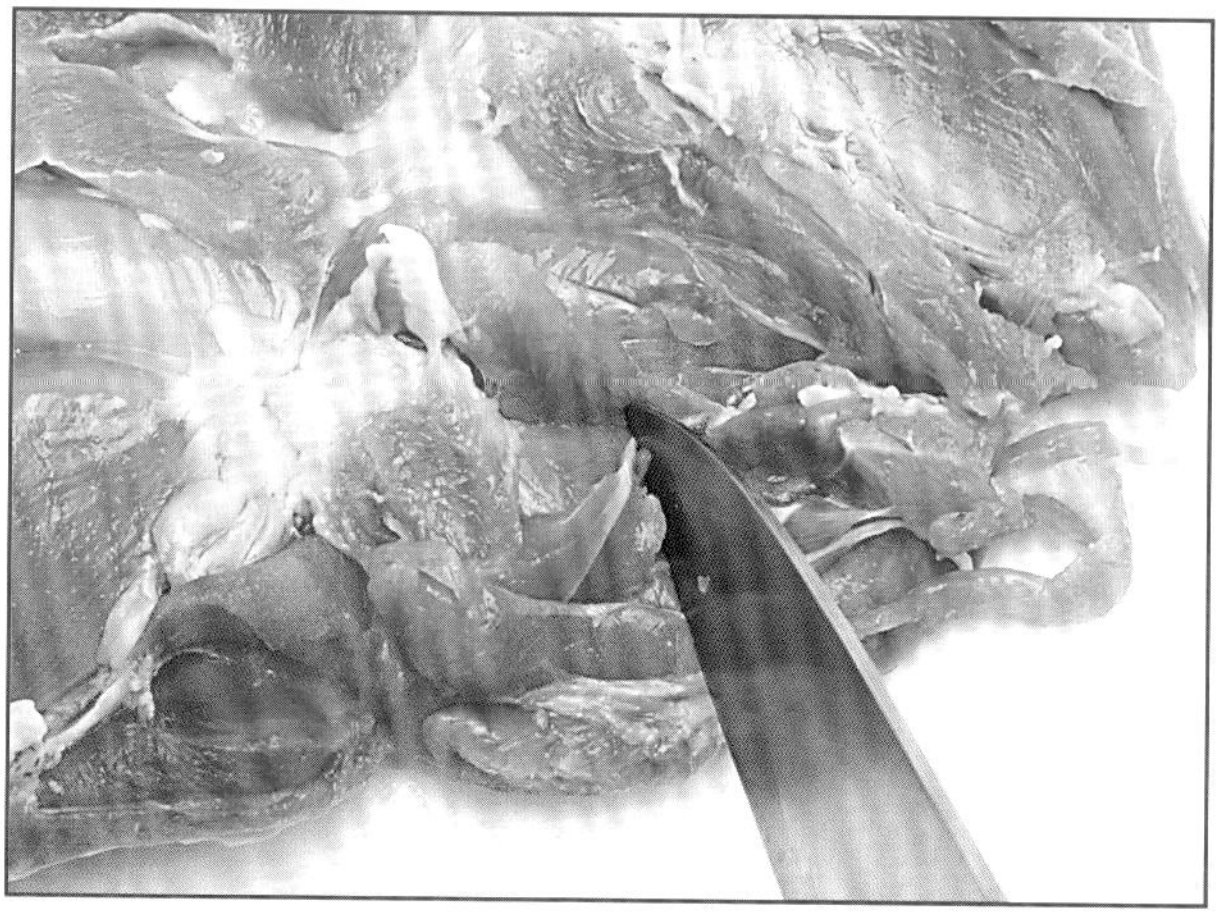

① **鶏肉**の肉厚の部分は包丁で切れ目を入れ、平らにし、スジをとる。皮は、フォークで数カ所穴をあけておく。

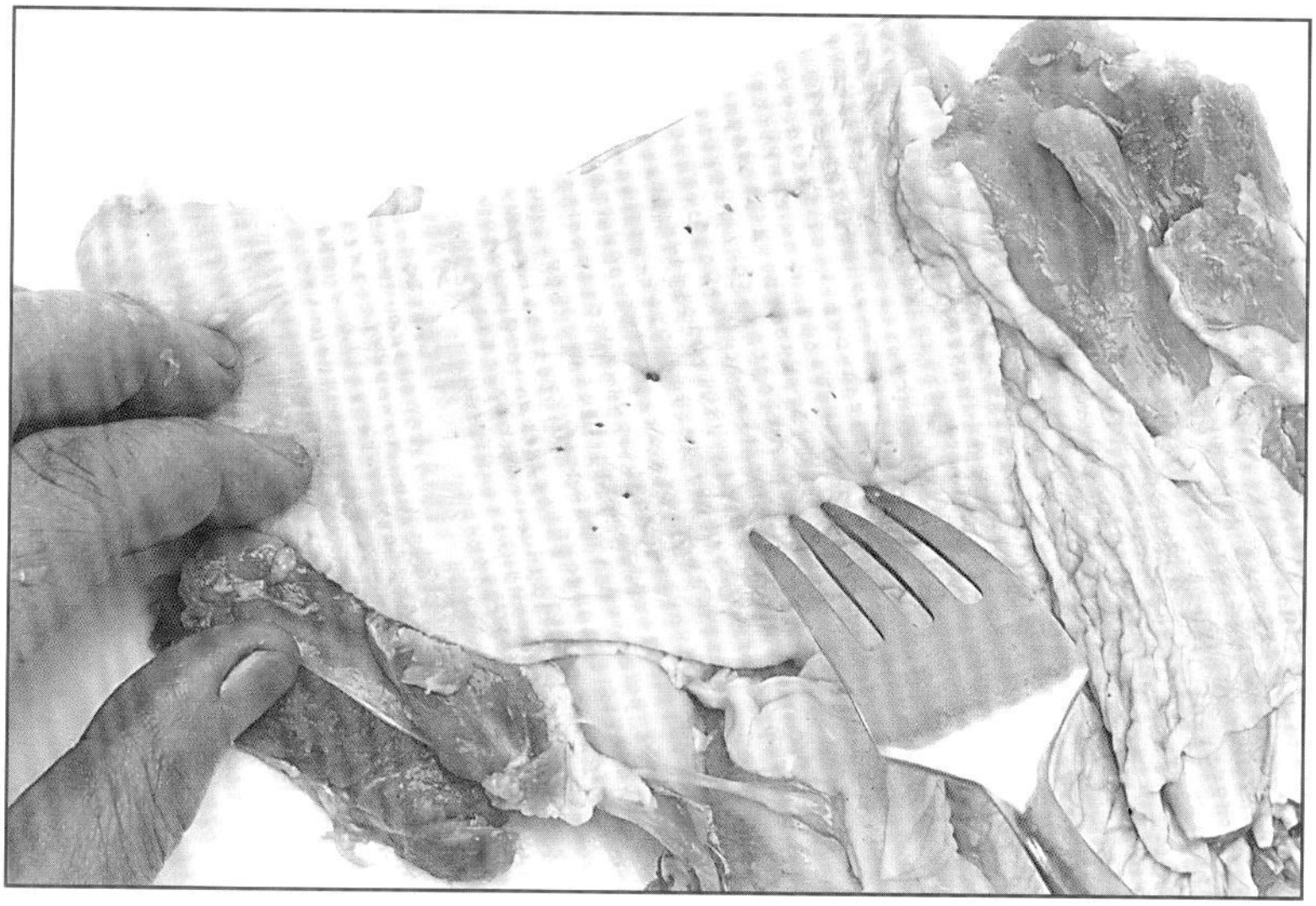

ここがコツ！

穴をあけておくと、味がよくなじむうえ、加熱によって皮がちぢむのを防げる。

② バットに**鶏肉**を並べ、**下味の酒**、**塩**、**レモンのしぼり汁**、**こしょう**、**レモンの皮のすりおろしたもの**を加えて全体によく混ぜ、30分くらいつけておく。

＜材料＞　4人分

鶏肉（もも）……………………2枚
下味
- 酒…………………………大さじ2
- 塩 …………………小さじ1/2～2/3
- レモン汁…………………大さじ3
- こしょう ………………………少々
- レモンの皮（国産）をすりおろしたもの ……………………1/2個分

つけ合わせ
- レモン ……………………1/2個
- フディッシュ…………………2個
- ラディッシュの葉 ………適宜

222 kcal 1人分

❸つけ合せの**レモン**は皮をむいて身は半月切り、皮は白いところをこそげ落とし細切りにする。

❹**ラディッシュ**は薄い半月切りにして冷水でさらし、水気をふきとる。

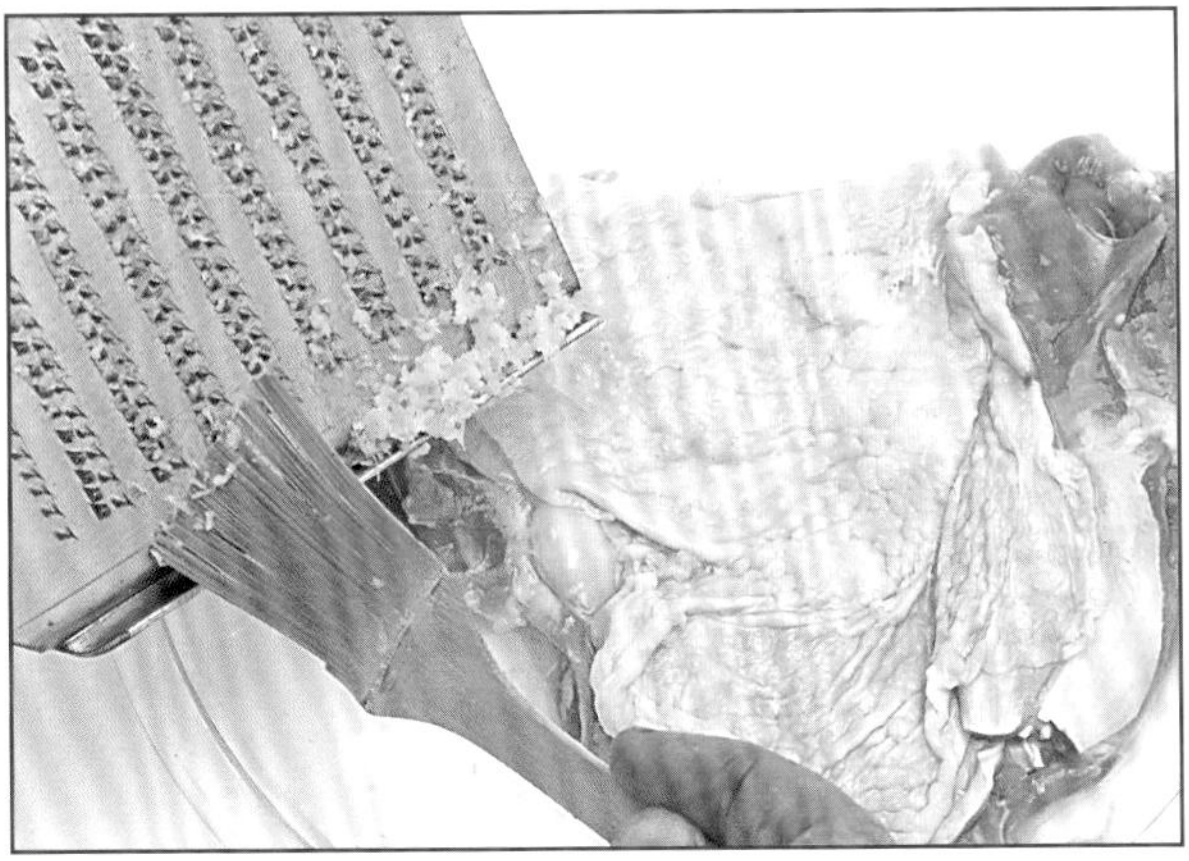

2 焼く

❺オーブンを200℃に熱し、**鶏肉**のつけ汁をふきとり、皮を上にして鉄板にのせて17〜18分焼く（または中火のグリルに入れて焼く。竹串を刺して透き通った肉汁が出たら焼けている）。

❻焼きあがったら切り分けて器に盛り、**レモンとラディッシュ**、**ラディッシュの葉**を飾り、**レモンの細切り**を散らす。

ここがコツ!

少し冷めてから切ったほうが、鶏肉の肉汁が流れず、うまく盛りつけられる。

仕上がり

〈牛肉のグリーンアスパラガス焼き〉

192 kcal
1人分

<材料>　4人分

牛肉（もも肉の薄切り）………250g
グリーンアスパラガス ……細12本
小麦粉 ……………………………適宜
サラダ油 …………………………適宜
タレ
- みりん……………………大さじ3
- しょうゆ…………………大さじ3
- 砂糖………………………小さじ2

つけ合わせ
- 赤ピーマン …………………1/2個
- 黄ピーマン …………………1/2個
- サラダ油 ……………………適宜
- 塩 ……………………………適宜
- こしょう ……………………適宜

1 下ごしらえ

① **グリーンアスパラガス**は茎の根元のかたい部分を切りとり、塩ゆでし、水にとって冷ます。

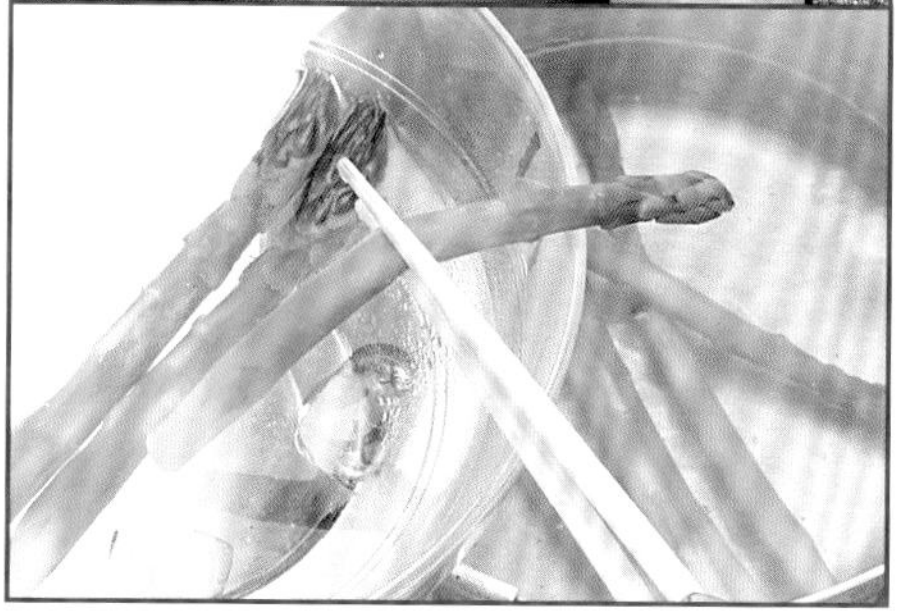

② **牛肉**を広げ、茶こしで**小麦粉**をふる。

③ **グリーンアスパラガス**を3本交互に束ねて**牛肉**の上にのせ、らせん状に巻き込んでいく。

④ **赤、黄ピーマン**は1cm幅の短冊切り（P25参照）にする。

2 焼く

❺熱したフライパンに**サラダ油**をなじませ、❸**の牛肉巻き**をころがしながら焼き、焼き色がついたら、一度とり出す。フライパンが汚れていたら、ペーパータオルでふきとっておく。

❻フライパンで**タレの調味料**を少し煮つめたら、❺を戻し、タレをからめながら照りよく焼く。

❼**赤**、**黄ピーマン**を**サラダ油**で炒め、**塩**、**こしょう**で味つけし、つけ合せにする。

❽❻を食べやすい大きさに切って盛りつけ、❼の**ピーマン**のソテーを添える。

〈牛肉のくわ焼き〉

195
kcal
1人分

1 下ごしらえ

❶ **牛肉**は全体に**小麦粉**をまぶし、余分な粉ははたきおとす。

ヒント
牛肉に限らず、鶏肉や豚肉で作ってもおいしい。

2 焼く

❷ フライパンを熱して**サラダ油**をなじませ、**牛肉**を入れて両面色よく焼き上げたら、いったんとり出しておく。

❸ 焼いたあとのフライパンに**タレの調味料**を入れて煮立て、少し煮つめたら牛肉を戻してタレをからめ、照りよく仕上げる。

❹ 器に**菊の葉**を敷き、**牛肉を盛り合わせ**、**食用菊の花びら**を散らす。

＜材料＞　4人分

- 牛肉（焼肉用）……………320g
- 小麦粉……………適宜
- サラダ油……………適宜
- タレ
  - みりん……………1/4カップ
  - しょうゆ……………1/4カップ
  - 酒……………大さじ1
  - 砂糖……………小さじ2
- 菊の葉……………4枚
- 食用菊……………1個

仕上がり

〈さわらの柚《ゆ》香《こう》焼き〉

198 kcal
1人分

1 下ごしらえ

❶ **ゆず**は輪切りにし、4枚だけ飾り用として別にとっておく。

❷ **輪切りのゆず**を**みりん**、**しょうゆ**、**酒**を合わせたつけ汁に入れる。

❸ ❷の**つけ汁**に**さわらの切り身**を入れ、30〜40分くらいつける。

2 はじかみしょうがの甘酢づけを作る

❹ **はじかみしょうが**は軸を4〜5㎝残して切り、根元の皮をぐるりと薄くむいておく。

❺ 熱湯に10秒ぐらいくぐらせ、ザルにあけたら薄く**塩**（分量外）をふる。水気をふきとり、**甘酢**に10分以上つける。

3 焼く

❻ オーブンを180℃に熱し、盛りつけて上になるほう（皮のついたほう）を上にして**さわら**を並べ、3〜4分くらい加熱する。

❼ 9分通り火が通ったら、魚の表面の水気をペーパータオルでふき、**つけ汁**をはけにつけて塗っては焼く。これを2、3回繰り返す。

❽ 焼き上がったら、器に盛り、飾り用の**ゆず**をのせ、**はじかみしょうがの甘酢づけ**を手前にあしらう。

ヒント
さわらの代わりに生鮭の切り身で作ってもおいしい。

＜材料＞　4人分

さわら
（80〜100gの切り身）…4切れ
つけ汁
- みりん……………大さじ3
- しょうゆ…………大さじ3
- 酒…………………大さじ3

ゆず…………………………1個

はじかみしょうがの甘酢づけ
- はじかみしょうが……4本
- 甘酢（P88参照）……適宜

仕上がり

〈卵焼き〉だし巻き卵（関西風）

汁をふんだんに使い、焼き目をつけずに仕上げる卵焼き

396 kcal 1本分

＜材料＞　1本分

卵	4個
だし汁	大さじ5
塩	小さじ1/5〜1/6
薄口しょうゆ	小さじ1
砂糖	小さじ1
サラダ油	適宜
大根	100g
しょうゆ	少々

1 下ごしらえ

① ボールに**卵**を割り、カラザをとり除き、ボールの底に菜ばしをつけて静かに泡立てないようにほぐす。

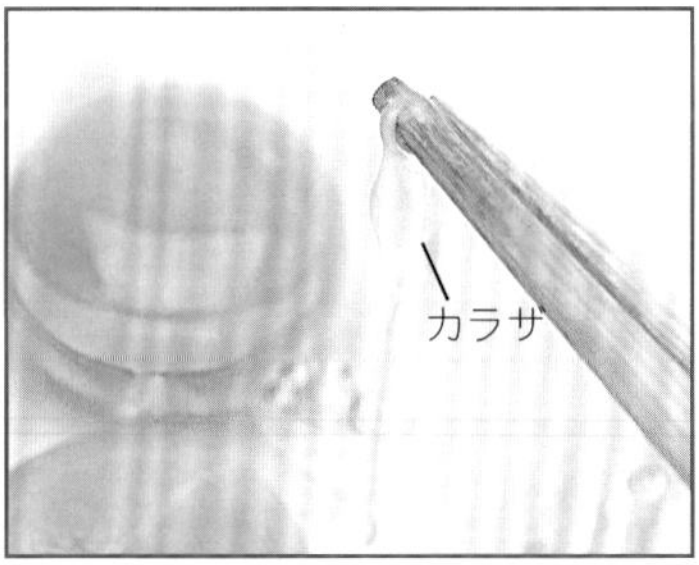

② **だし汁**、**塩**、**薄口しょうゆ**、**砂糖**を合わせ、人肌程度にあたためる。

③ ①の卵に②の**だし汁**を入れて混ぜる。

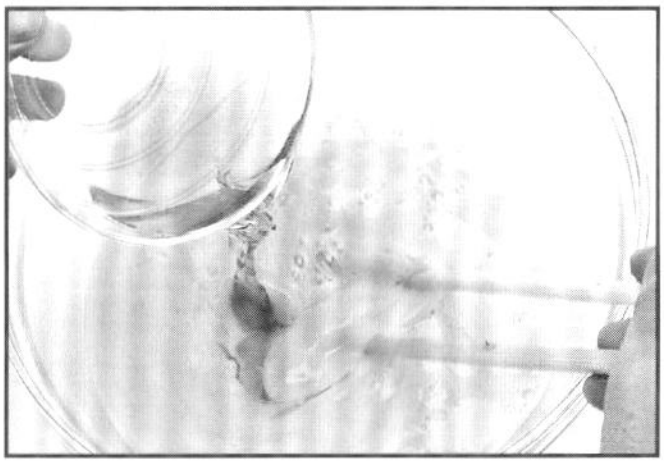

2 焼く

④ 卵焼き鍋を熱して**サラダ油**を全体に薄くなじませる（火加減は強火で）。**卵液**の1/4量を鍋全体に流し入れる。

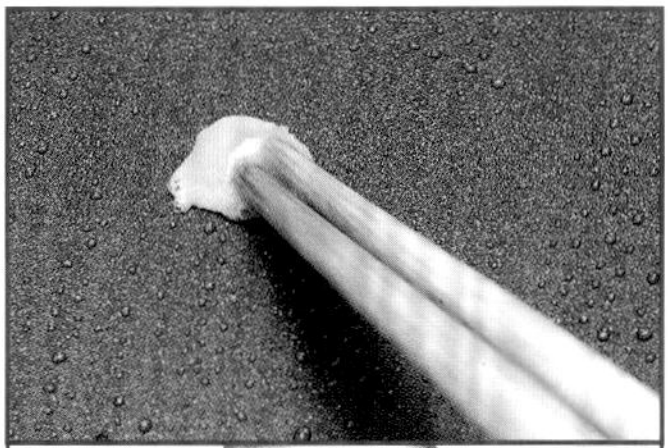

ここがコツ！

箸に卵液をつけて鍋に落とすと、ジューッと音がするくらい鍋を熱しておくのがポイント。強火で一気に焼きあげる。

⑤ 火の上で鍋を動かしながら均等に焼く。卵の表面がプクプクとふくらんできたら菜ばしの先でつぶす。

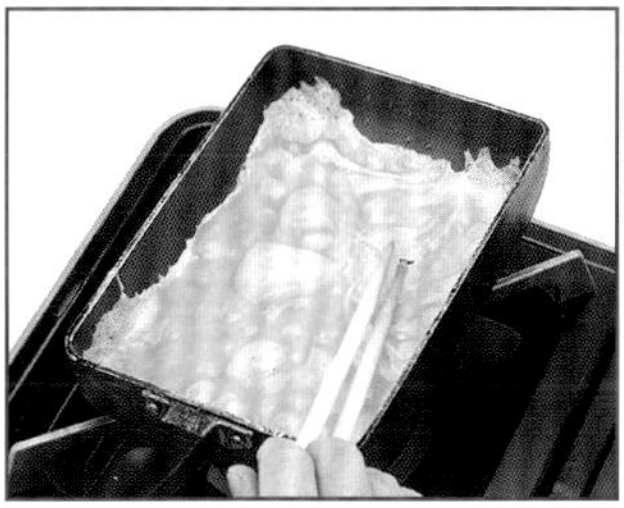

ここがコツ！

はしと鍋を同時に動かしながら巻いていく。必ず半熟で巻いていくこと。

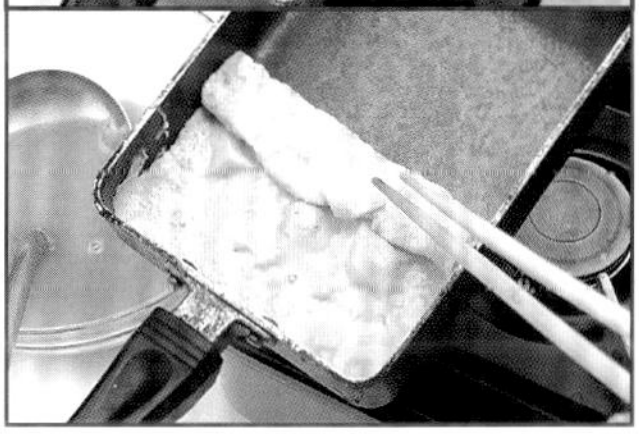

⑥ 表面が半熟状態になったら素早く向こう側から手前に巻きこむ。

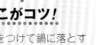

応用

●厚焼き卵（関東風）

（作り方は関西風と同じだが、焼き目をつけて甘く仕上げる）

1本分　464kcal

＜材料＞　1本分

卵 ……………………………4個
だし汁 …………………大さじ4
砂糖 ………………大さじ2½
みりん …………………小さじ2
しょうゆ ………………小さじ2
サラダ油 …………………適宜
はじかみしょうがの甘酢づけ
（P95参照） ………………4本

❼ 再びペーパータオルに薄く**油**をしみこませたもので鍋をふき、卵を向こう側に移動させ手前も油でふく。

❽ 再び**卵液**を¼量流し込み、向こう側の卵焼きの下側へ持ち上げて流し入れる。

❾ 半熟状態のときにまた向こう側から手前へ巻きこむ。この作業をあと2回繰り返し焼きあげる。

❿ 焼きあがったら、まきすの上にとり、熱いうちに形を整える。粗熱がとれたら切り分け、器に盛って**大根**をおろしたものに**しょうゆ**を添える。

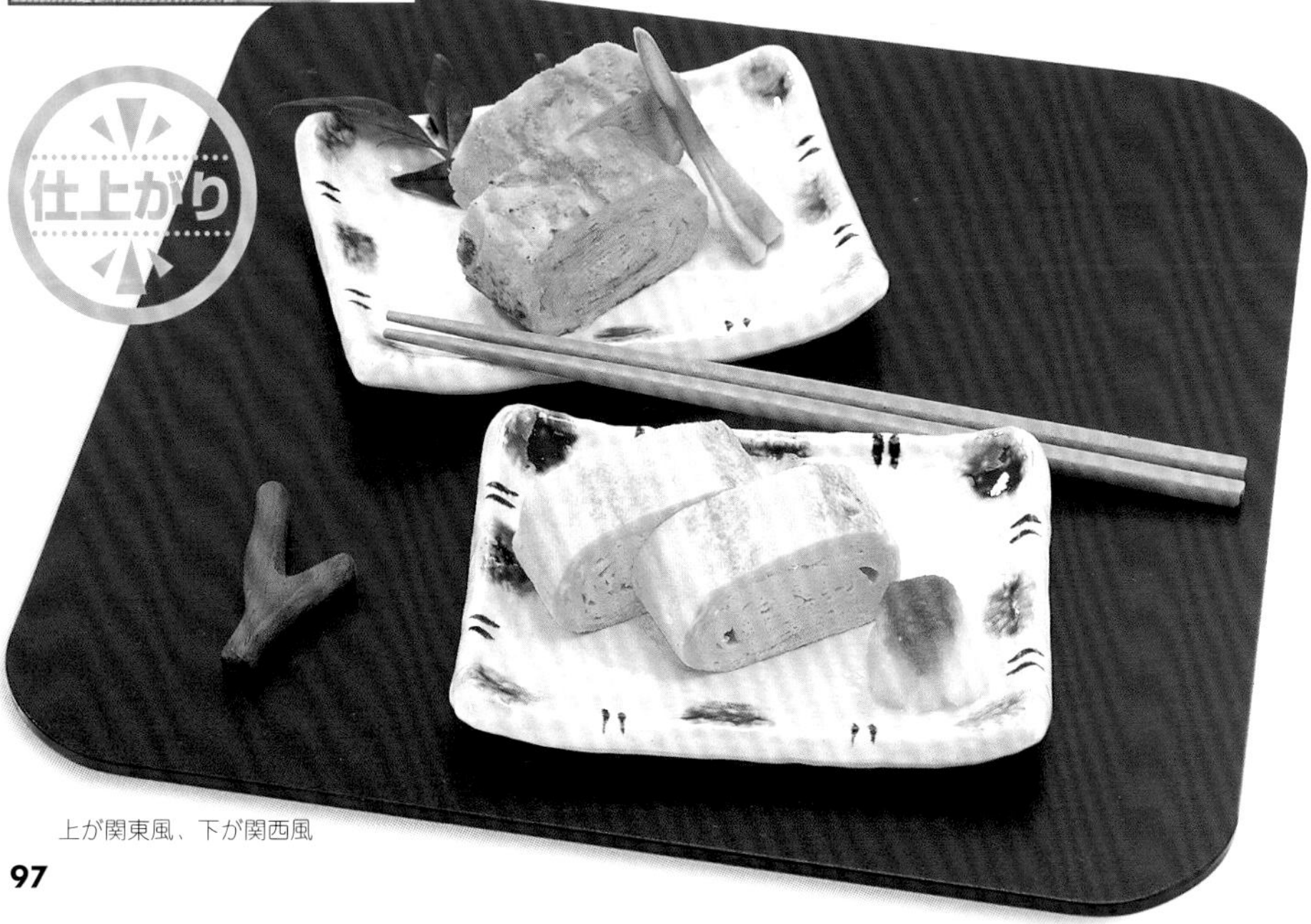

上が関東風、下が関西風

〈豚肉のしょうが焼き〉

1 下ごしらえ

① **豚肉**はスジをところどころ切る。

② バットに**タレの調味料**を合わせる。

③ ①の豚肉を②に10～15分くらいつける。

ヒント

タレのかくし味におろしにんにく、玉ねぎのすりおろしたものを少し加えてもおいしい。

2 焼く

④ フライパンを熱して**サラダ油**をなじませ、**豚肉**を1枚ずつ並べ、中火で両面を焼く。

⑤ 焼き油をペーパータオルでふきとり、**タレ**を加えてからめる。

⑥ 器に盛り、**サラダ菜**、**くし型に切ったトマト**を添える。

＜材料＞　4人分

豚肉(ロースしょうが焼き用)	320g
タレ	
しょうゆ	大さじ3
みりん	大さじ1
砂糖	小さじ1
酒	大さじ2
しょうがしぼり汁	小さじ2
サラダ油	大さじ1
サラダ菜	4枚
トマト	1個

仕上がり

191 kcal 1人分

〈なすの田楽〉

150 kcal 1人分

＜材料＞　4人分

なす	中4個
田楽みそ	
赤みそ	100g
砂糖	大さじ2⅔
酒	大さじ2
みりん	大さじ2
卵黄	1個分
サラダ油	適宜
けしごま	適宜
ゆず(すりおろしたもの)	適宜
はじかみしょうがの甘酢づけ(P95参照)	8本

1 下ごしらえ

① **なす**はへたの先を切り落とし、縦半分に切る。安定をよくするために底の部分を切り落とし、切り口はみその味がよくなじむように格子状に切りこみをいれる。4～5分水につけてアクを抜く。

② 田楽みそを作る。鍋に**田楽みその材料**を入れてよく混ぜ、弱火でなめらかに練り上げる。

2 焼く

③ **なす**の水気をよくふきとり、**サラダ油**を**なす**1切れに対して小さじ½くらいずつ塗り、200℃に熱したオーブンで焼く。

④ **なす**に火が通ったら、**田楽みそ**をテーブルナイフで塗り、格子模様をつけて200℃のオーブンに再び入れて焼く（少し焦げめがつく程度に）。

⑤ 器になすを盛って、**けしごま**と**ゆず**をそれぞれふりかける。仕上げには**はじかみしょうがの甘酢づけ**を添える。

仕上がり

揚げ物の基礎

鍋

●厚手の鍋で

揚げ鍋は、なるべく厚手の鍋で底が広くて深めのものが使いよい（最低8cmは必要）。

カラッと揚げるコツ

●衣は揚げる寸前につける

衣をつけてから時間がたつと、中の材料から水分が出て、衣が厚くなってしまうので、衣をつけたらすぐ揚げる。

●油の量は材料の3倍が目安

使用する油の量が少ないと、材料を入れたとき、油の温度が下がって、一定しないため、カラッと揚がらない。材料を泳がせるようにして揚げると、色も味もよく揚がる。

●揚げ種をたくさん入れない

揚げ種を一度にたくさん入れると、温度が下がってムラが出てしまう。一度に入れる量の目安は油の面積の約1/3に。

●かすはこまめにとる

油かすは、ほうっておくと衣につき、きれいに揚がらず、油をいためる原因にもなるので、こまめにとる。

●油をよくきる

揚げ油から引き上げたら、網つきのバットにのせて油をよくきる。

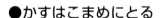

油の温度の見分け方

	衣を落としてみる方法 	菜箸を入れてみる方法
160℃	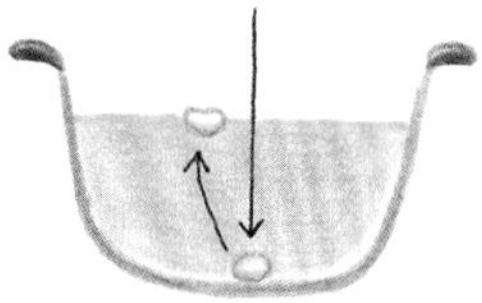 油の中に落とした衣は、いったん底に沈むが、すぐに浮き上がってくる。	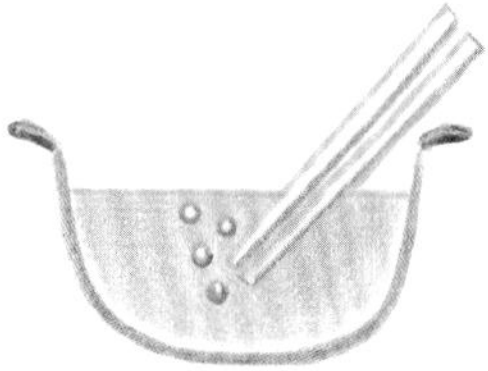 箸の先から泡がゆっくり出る。
180℃	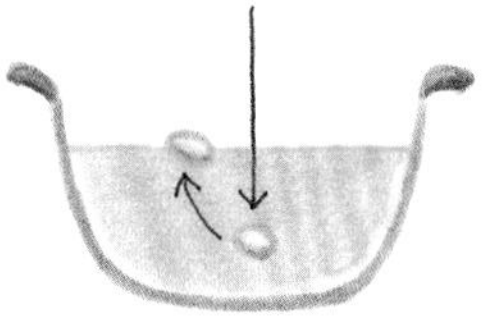 油の中に落とした衣は底まで沈まず、中ほどに沈んですぐ浮き上がる。	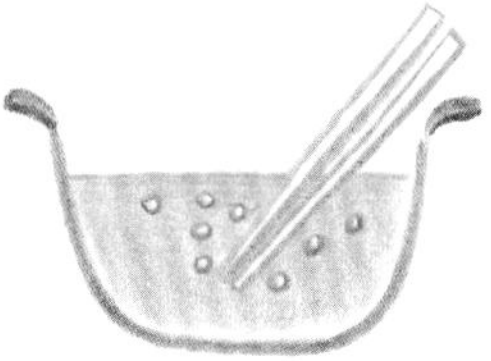 箸全体から泡がフワフワと出る。
200℃	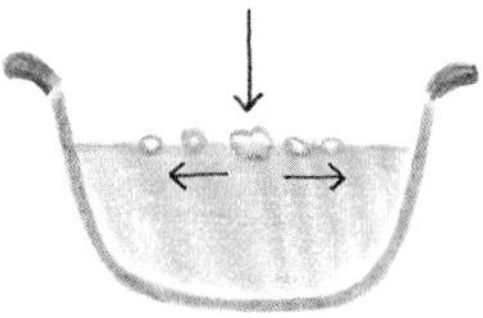 油の中に落とした衣は沈まず、すぐ表面にパッと散るように広がる。	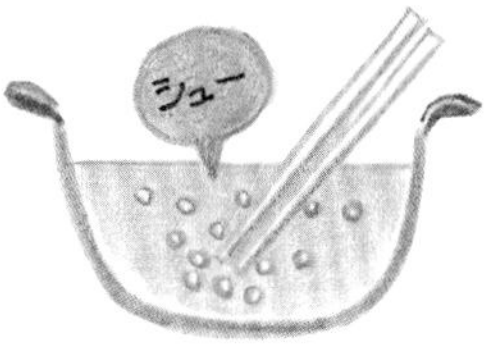 全体から泡がすぐシューと出る。

料理後の揚げ油の後始末

使った油は必ずあら熱がとれたら、冷めないうちにこし紙（ペーパータオル）でこして、缶容器に入れる。容器に入れたら必ず冷暗所に保存。早い期間に使いきること。

揚げ油の寿命

油は2〜3回使っているうちに酸化がすすみ、カラッと揚がらなくなる。新しい油を補うと、あと1回は使えるので、魚や肉類の揚げ物や炒め物に利用して処分を。

油の処分

新聞紙や布などにしみ込ませてビニール袋に厳重に密閉して捨てるほか、油をかためるための市販品などを利用して捨てる。

〈天ぷらの盛り合わせ〉

＜材料＞　4人分

えび	8尾
いか	1杯
きす(開いたもの)	4尾
れんこん	1cm厚さ4枚
かぼちゃ	5mm厚さ4枚
ししとうがらし	8本
なす	1個
衣	
卵黄	1個 ┐
酒	大さじ1 ├ 合計1カップ
冷水	適宜 ┘
小麦粉	1カップ
かき揚げ	
にんじん	20g
ごぼう	30g
三つ葉	4～5本
変わり衣	
みじんこ	適宜
春雨(2～3cm長さに切ったもの)	適宜
卵白	適宜
小麦粉	適宜
天つゆ	
だし汁	150cc
みりん	30cc
しょうゆ	30cc
揚げ油	適宜
おろし大根	適宜
おろししょうが	適宜

674 kcal 1人分

1 下ごしらえ

① **えび**は殻や背ワタをとり、尾先を少し切って水をしごき、腹側に切れ込みを入れておく（P35参照）。

② 下処理をした**いか**は切り開き、内側の汚れをとり除いて表に格子模様の切り目を入れ、7～8㎝長さの短冊切りにする（P34参照）。**きす**はそのまま使う。

③ **れんこん**は皮をむいて1㎝長さに切り、水に放してから水気をきる。

④ **かぼちゃ**は種とわたをとり、5㎜厚さに切る。

⑤ **ししとうがらし**はへたの長さを切りそろえ、縦に包丁目を1本入れる。

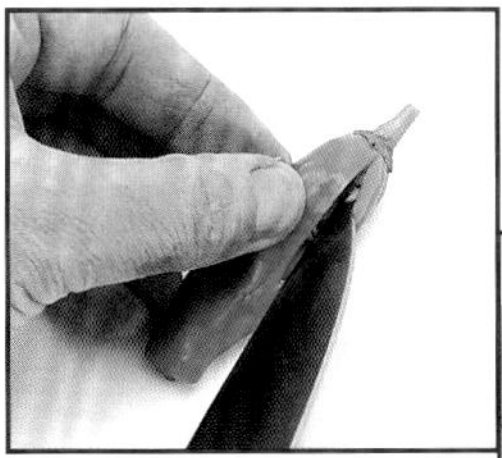

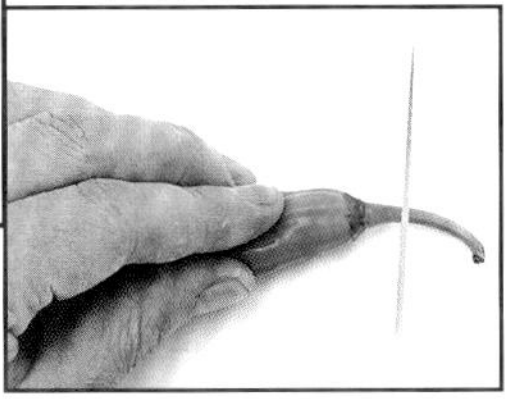

⑥ **なす**は1㎝厚さの斜め輪切りにする。

⑦ かき揚げの**にんじん**と**ごぼう**は、3～4㎝長さの細切りにし、水にさらしておく。

⑧ **三つ葉**は3㎝長さに切る。

2 天つゆを作る

⑨ 鍋に**みりん**を煮立て、**しょうゆ**、**だし汁**を加えて、ひと煮立ちしたら火を止め、そのまま冷ます。

ヒント

天つゆは、だし汁5に対してみりん1、しょうゆ1と覚えておくと便利。

3 衣を作る

⑩ **小麦粉**はふるっておく。

⑪ ボウルに**卵黄**、**酒**、**冷水**を入れて溶き混ぜ、ふるった**小麦粉**を振り入れ、ねばりが出ないように軽く混ぜる（少しダマが残るくらいでよい）。

4 揚げる

⑫ **揚げ油**を175～180℃に熱し、**野菜類**（れんこん、かぼちゃ、ししとうがらし、なす）に**衣**をつけて揚げる。

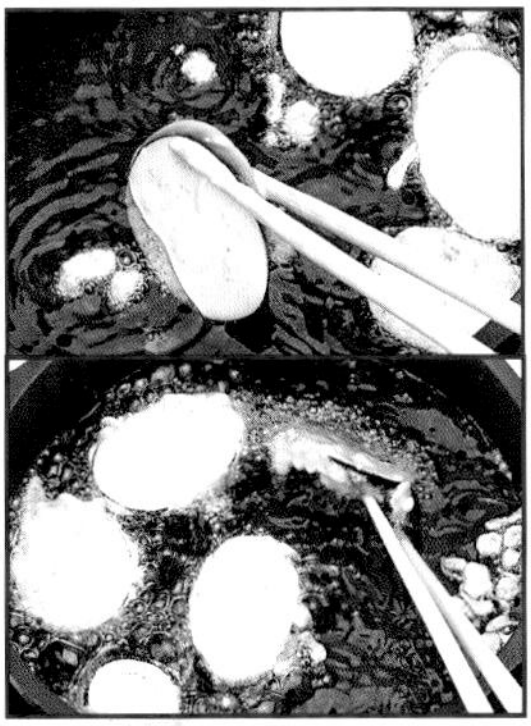

⑬ **えび**（4尾）と**いか**は油はねを防ぐために、薄く**小麦粉**（分量外）をまぶしてから衣をつけて揚げる。

⑭ かき揚げを作る。ボウルに水気をふきとった**にんじん**、**ごぼう**、**三つ葉**を入れ、**小麦粉**大さじ1～2（分量外）をふってまんべんなくまぶしておく。⑪の**衣**を適量加えてからめ、1人分を木しゃもじにのせて、170℃の揚げ油に静かに落として揚げる。

⑮ **えび**（4尾）と**きす**は変わり衣をつける。**えび**は**小麦粉**、ほぐした**卵白**、刻んだ**春雨**の順につけ、**きす**は**小麦粉**、**卵白**、**みじんこ**の順にまぶして175～180℃くらいの油でそれぞれを揚げる。

⑯ 器に懐紙を敷いて天ぷらを盛り合わせ、**大根おろし**、**おろししょうが**を添え、**天つゆ**をつけていただく。

仕上がり

〈かれいの唐揚げ〉

111 kcal 1人分

1 下ごしらえ

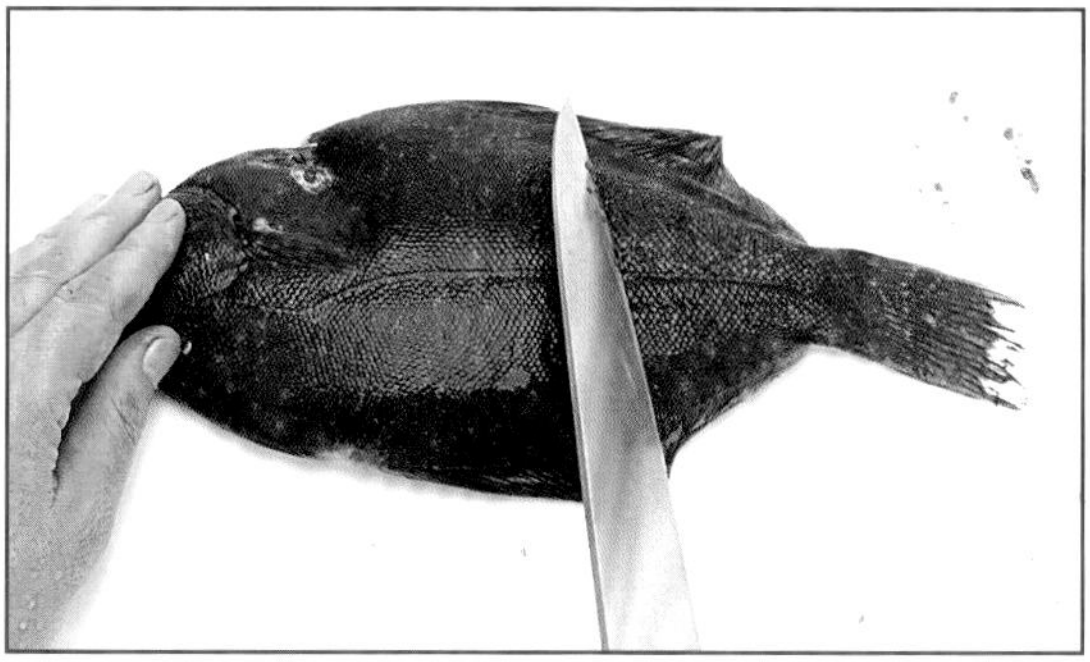

❶ **かれい**は表面にぬめりがあるので、出刃包丁やたわしでよく落としておく。ウロコは包丁をねかせ、薄く皮をそぐように刃を前後に動かしてそぎとる。

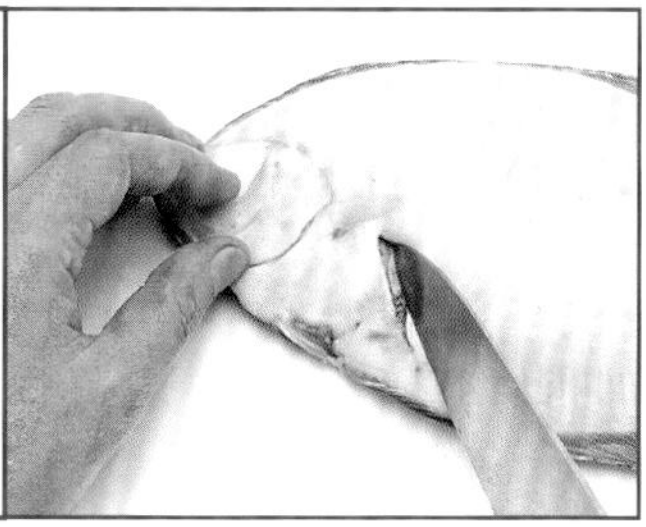

❷ えらをとり除き、身の裏側の腹のところに切れ目を入れて内臓をとり除き、水洗いしてから水気をよくふきとる。

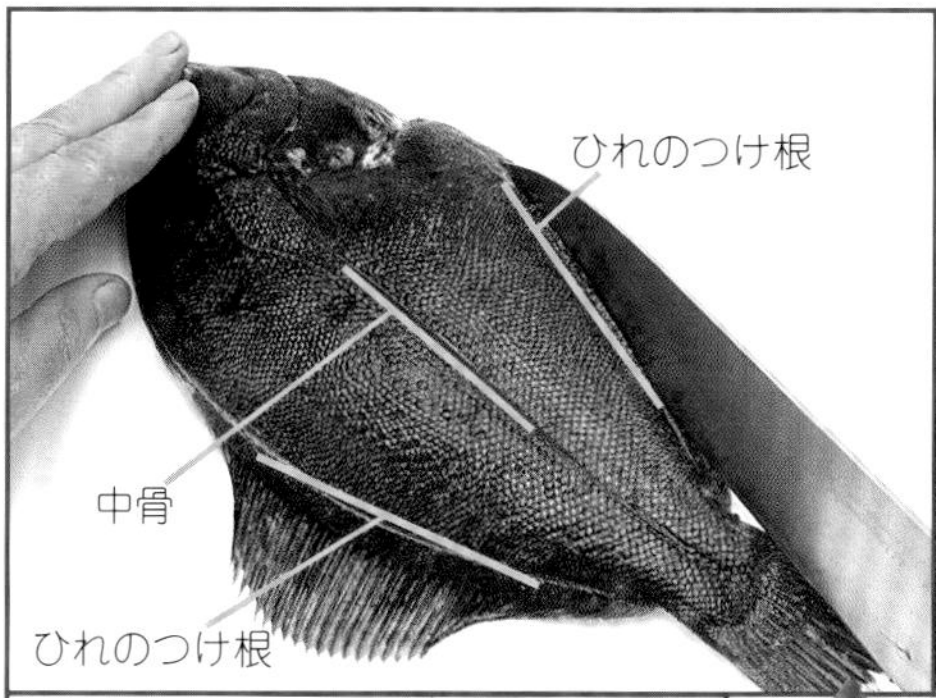

❸ 中骨、ひれのつけ根に切れ目を入れ、尾を短く切る。かれいが大きい場合は、二つに切り分ける。

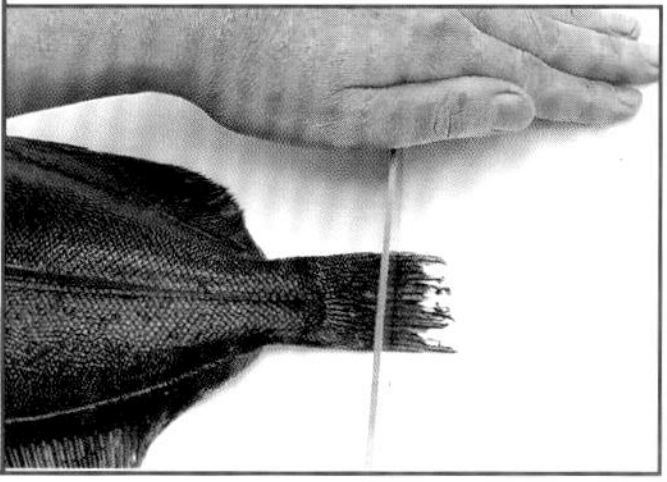

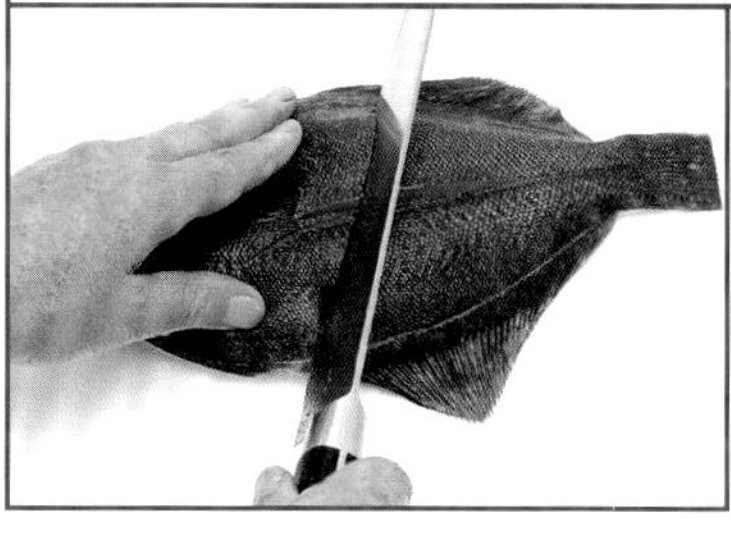

ここがコツ！

下ごしらえで身に切れ目を入れるのは、食べやすくし、火の通りをよくするため。

❹ **塩**、**酒**をふりかけ、下味をつける。

❺ ごぼうチップにする**ごぼう**は、ささがきにして水にさらし、水気をきっておく。

＜材料＞ 4人分

かれい（大）	2尾
下味	
塩、酒	各少々
片栗粉	適宜
揚げ油	適宜
ごぼうチップ	
ごぼう（細めのもの）	1本
小麦粉	適宜
レモン	1個

⑥ **揚げ油**を170〜180℃に熱し、**かれい**の水気を十分にふきとってから**片栗粉**をまぶし、カラリと揚げる。

⑦ **ごぼう**の水気をふきとってから、**小麦粉**をまぶし、余分な粉をはたきいて170℃の**揚げ油**でカリッとなるまで揚げる。

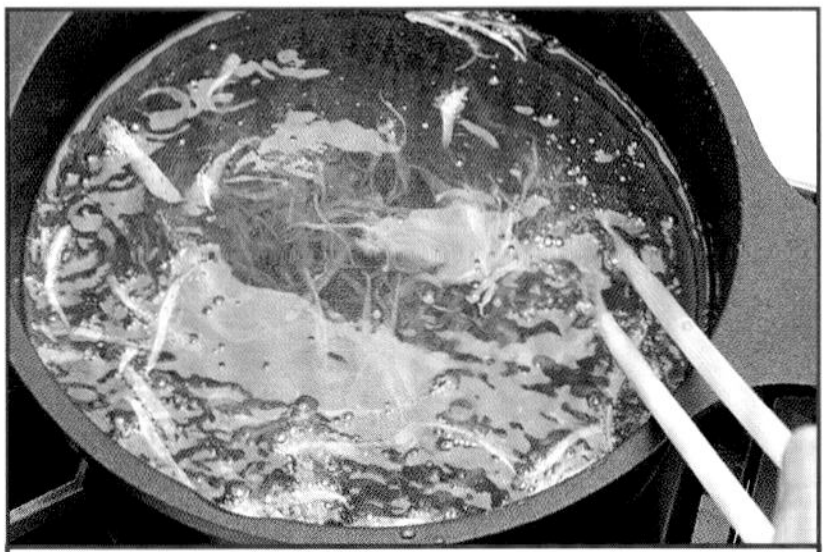

⑧ 器に懐紙を敷いて**かれいのから揚げ**を盛り、**ごぼうチップ**を散らす。仕上げに**レモン**を添える。

ヒント

大根おろし、かぼす、またはポン酢しょうゆを添えてもよい。

仕上がり

〈さばの竜田揚げ〉

329 kcal 1人分

＜材料＞　4人分

さば	1尾
下味	
酒	大さじ3
しょうゆ	大さじ3
しょうがのしぼり汁	大さじ1
片栗粉	適宜
揚げ油	適宜
さんしょう塩	
粉ざんしょう	小さじ1
塩	大さじ1
つけ合わせ	
レタス	3〜4枚
レモン	1個
菊の葉	適宜

1 下ごしらえ

❶ **さば**は三枚におろし（P32参照）、2〜3㎝長さのそぎ切りにする。

❷ ボウルかバットに**下味の調味料**を合わせ、**さば**を入れて手でよく混ぜる。15〜20分おいて下味をつける。

❸ **レタス**は食べやすい大きさにちぎり、**レモン**は半月切りにする。

❹ さんしょう塩を作る。**塩**を鍋（またはフライパン）でさらさらになるまで炒り、**粉ざんしょう**と合わせる。

2 揚げる

❺ **さば**の汁気をきり、**片栗粉**を全体にまぶして余分な粉を落とす。

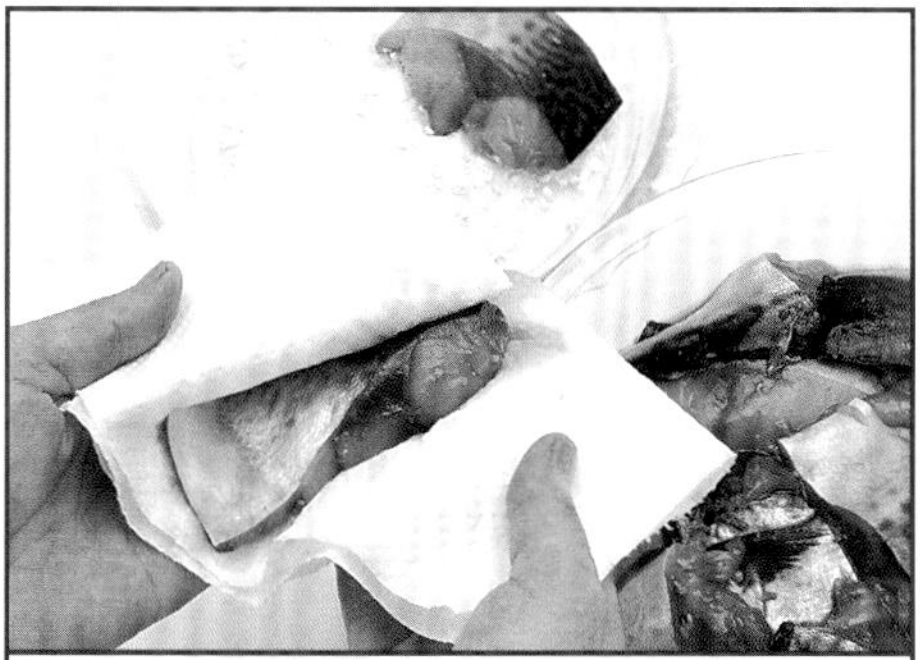

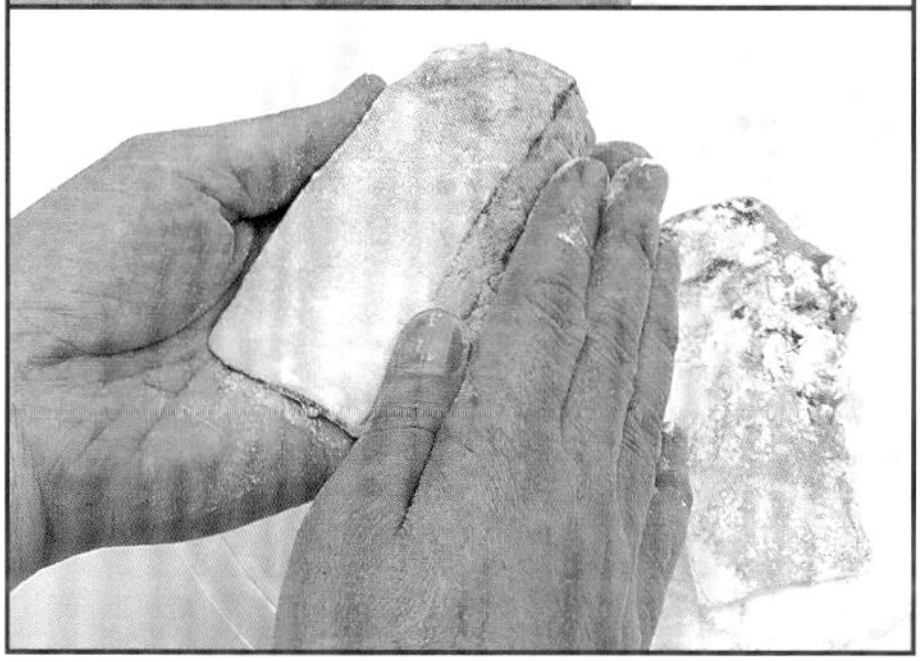

⑥**揚げ油**を170℃に熱し、さばをカラッと揚げる。

ここがコツ！

下味にしょうゆをつけているため、揚げたときにこげやすいので、火加減に注意。

⑦器にさばを盛り、**レタス**、**菊の葉**、**レモン**を添え、**さんしょう塩**をつけていただく。

〈小あじの南蛮漬け〉

449 kcal
1人分

1 下ごしらえ

① **あじ**はうろこ、ぜいごをとる（P30参照）。

② えらぶたをあけ、えらを手でとる。腹を切り開いて包丁の刃先で内臓をかき出す。中の血を残らず水で洗ったら、よく水気をふきとる。

③ **玉ねぎ**は薄く切り、**ピーマン**は種をとり5㎝長さの細切りにする。

ヒント
南蛮酢に入れる野菜は、セロリ、長ねぎなどを千切りにしてもよい。

＜材料＞　4人分

小あじ	12尾
つけ合わせ	
サラダ菜	8枚
小麦粉、揚げ油	各適宜
南蛮酢	
調味料	
酢	1カップ
水	3/4カップ
砂糖	大さじ4
酒	大さじ2
しょうゆ	大さじ3
塩	少々
赤唐辛子	1本
玉ねぎ（小）	1/2個
ジャンボピーマン（赤、黄）	各1/4個

2 南蛮酢を作る

④ 鍋に**南蛮酢の調味料**を合わせて火にかける。ひと煮立ちしたら、種をとって輪切りにした**赤唐辛子**を加え、火を止めて冷ます。

ここがコツ！
南蛮酢に入れる野菜はサッと炒め、歯ざわりを残すこと。

⑤ **玉ねぎ**と**ピーマン**をフライパンでから炒りし、香りが出たら火を止め、④と合わせる。

3 揚げる

⑥ **あじ**に**小麦粉**をまぶし（腹の中にもまぶす）、余分な粉をはたく。

⑦ **揚げ油**を180℃に熱し、⑥を入れてカラッと揚げる。

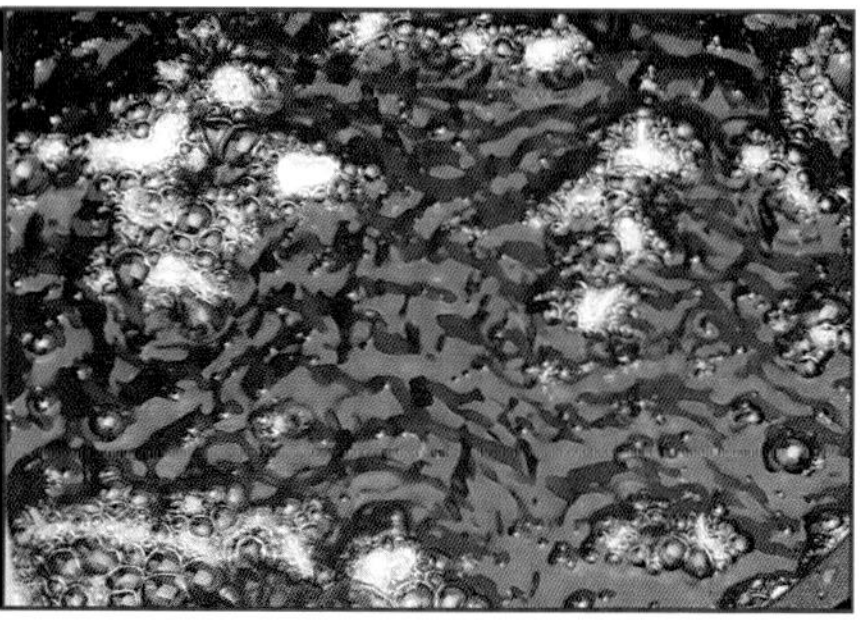

ここがコツ!

小あじは骨まで食べられるように4〜5分揚げてこんがりさせるとおいしい。

⑧ **あじ**が揚がったら、**南蛮酢**に漬け込む。半日くらい漬けたほうがおいしく食べられる。

ここがコツ!

南蛮酢に漬けるときは、ジュッと音がするほどのアツアツの揚げたてを入れると味がよくしみ込む。

仕上がり

⑨ **レタス**と一緒に盛りつける。

〈揚げ出し豆腐〉

278 kcal 1人分

＜材料＞　4人分

木綿豆腐……………………2丁
上新粉……………………適宜
大根……………………100g
しょうが……………………15g
万能ねぎ……………………2本
削りかつお……………………10g
揚げ油……………………適宜
かけ汁
　みりん……………………1/4カップ
　しょうゆ……………………1/4カップ
　だし汁……………………1 1/4カップ

1 下ごしらえ

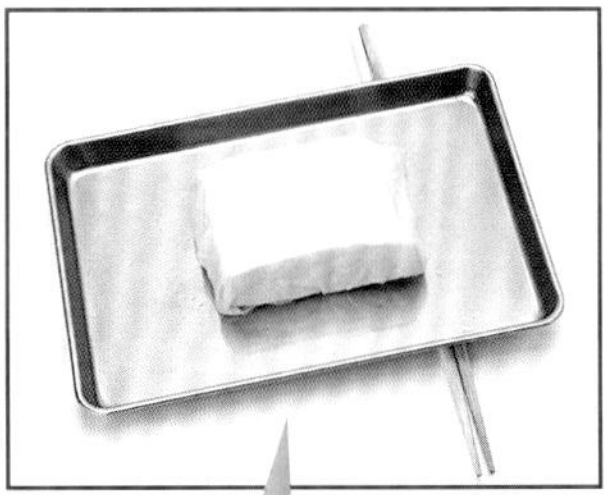

① **豆腐**はふきんに包み、バットとまな板の間にはさんで約30分おき、水切りをする。

ヒント
電子レンジで水きりする方法もある。ペーパータオルに包んだ豆腐を耐熱皿にのせ、電子レンジ（500W）で3分加熱。

② 鍋に**みりん**を入れて煮きり（アルコール分をとばす）、**しょうゆ**、**だし汁**を加えてひと煮立ちさせ、かけ汁を作る。

2 揚げる

③ 水切りした**豆腐**は1丁を4等分にする。**上新粉**をまぶす。

④ **揚げ油**を180℃に熱し、③を入れてきつね色になるまでカラッと揚げる。**豆腐**の中心がふくらめばできあがり。

⑤ あらかじめ湯であたためておいた器に、揚げた**豆腐**を盛り、温めた**かけ汁**をかける。**大根**と**しょうが**をおろしたもの、小口切りにした**万能ねぎ**、**削りかつお**の順にのせる。

仕上がり

〈とんかつ〉

649 kcal 1人分

＜材料＞　4人分

豚肉(ロース)………120g×4切れ
下味
　塩、こしょう……………各少々
小麦粉、溶き卵・パン粉…各適宜
揚げ油 ………………………適宜
つけ合わせ
　キャベツの千切り ……1/6個分
　紫玉ねぎ ……………………1/4個
　トマト ………………………1個
　きゅうり ……………………1/4本
練り辛子、ソース …………適宜

1 下ごしらえ

① **豚肉**は余分な脂を切りとり、脂と赤身の間のスジをところどころ切って、肉が縮むのを防ぐ。

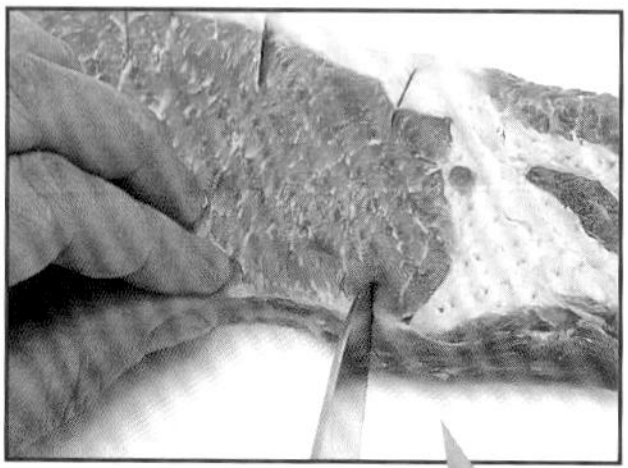

ヒント
豚肉の部位はひれ肉、もも肉など、お好みで代えてもOK。

② 肉たたき（またはビン）で肉を軽くたたき、肉の厚さを均一にする。

③ **肉**に**塩**、**こしょう**で下味をつける。

④ **肉**に**小麦粉**、**溶き卵**、**パン粉**を順につける。パン粉は手で押さえてしっかりとつける。

⑤ **キャベツ**の千切りと**紫玉ねぎ**の薄切りを氷水にとり、パリッとさせ水気をきる。**トマト**はくし形切り、**きゅうり**は末広切り（P29参照）にする。

2 揚げる

⑥ **揚げ油**を175～180℃に熱し、鍋のふちからすべらせるように④の**肉**を入れる。ときどき返しながら火を通し、最後に強火にしてカリッと揚げる。

⑦ 器に食べやすく切った⑥を盛り、⑤**の野菜**を添え、**練り辛子**と**ソース**でいただく。

仕上がり

蒸し物の基礎

蒸し器

●アルミ製などが使いやすい

本来は木製のせいろが一番だが、とり扱いが面倒なので、家庭ならアルミ製やステンレス製のもので十分。角型よりは丸型のほうが温度が均一になり、扱いやすい。

蒸し上がりの見分け方

●手で押してみる

まんじゅうなどは、指で軽く押してみて、かたさと弾力があり、手に何もついてこなければよい。

●竹串を入れてみる

茶わん蒸しや魚の蒸し物などは、竹串を刺してみて、串が軽く通り、にごった汁が出なければよい。

●三つ葉の軸などの色の変わりぐあいで

最初から材料に三つ葉の軸、松葉のような青いものを差し込んでおき、抜いてみて色が黄色く変わっていたらよい。

蒸し器の使い方

①蒸し器の下段の八分目ぐらいまで水を入れて、火にかける。

②蒸気が上がったら、材料を入れた上段をかぶせ、ふたをして蒸す。

【ふたのかけ方】

蒸し器のふたには布巾をあてておくと、ふたについた水滴が材料にかからない。

卵豆腐、茶わん蒸し、まんじゅうを蒸すときは､蒸し器のふたを3〜4mmぐらいずらして蒸気の逃げ場を作る。

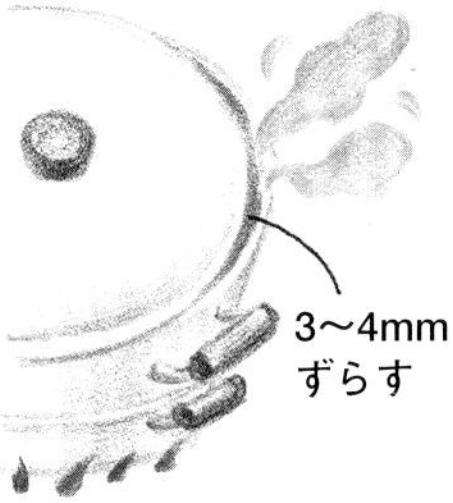

赤飯、ちり蒸し、土瓶蒸しは蒸気がもれないように密閉して強火で蒸す。

【器ごと蒸す場合】

器の下に布巾を敷いておくと、とり出すときに便利。

〈茶碗蒸し〉

112 kcal 1人分

1 下ごしらえ

❶ **だし汁**を40℃くらいに温め、**みりん**、**薄口しょうゆ**、**塩**を加えて味つけし、冷ましておく。

❷ **ささ身**はスジをとり（P39参照）、一口大の斜め薄切りにする。**えび**は尾を残して殻をむき、背わたをとる（P35参照）。ささ身もえびもそれぞれ**下味の調味料**につけておく。

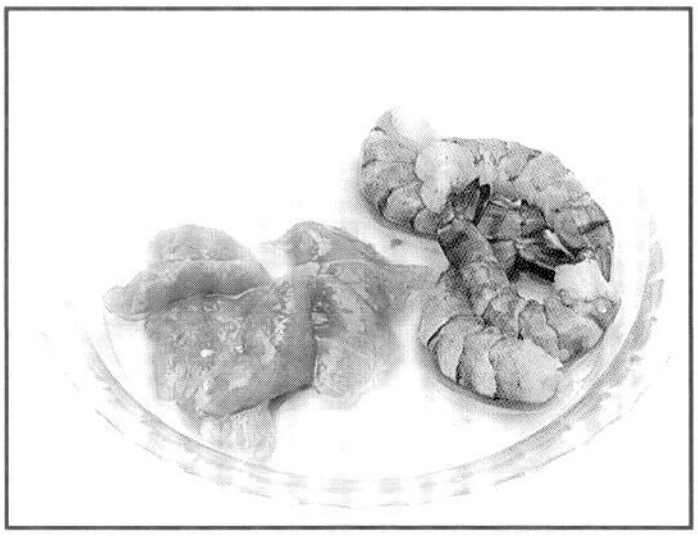

❸ **ゆり根**はおがくずを洗い落とし、1枚ずつはがす。沸騰した湯で30秒くらい、かたゆでにする。

❹ **しめじ**は石づきを落とし、小房に分ける。

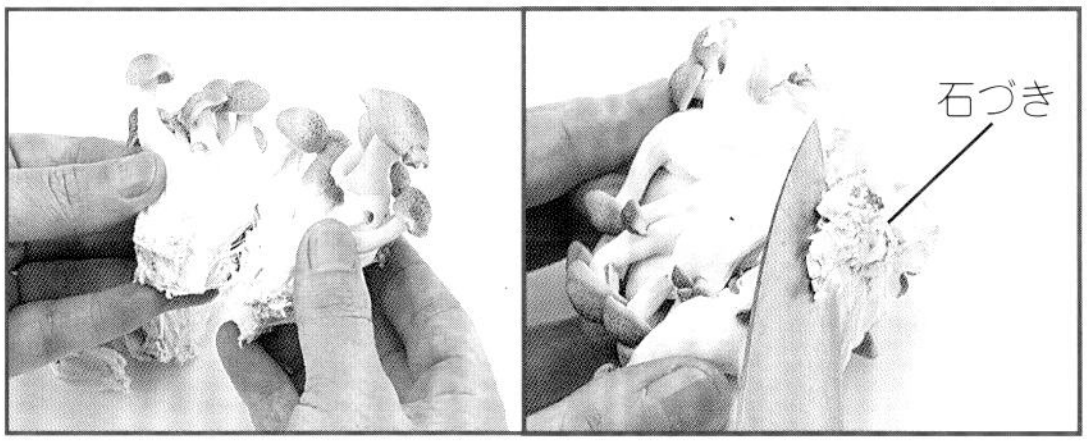

❺ 殻を割った**ぎんなん**は、**塩**（分量外）を入れた熱湯で3分くらいゆでる。ときどきおたまでぎんなんを押さえながらかき混ぜる。ゆで上がったら熱いうちにうす皮をむく。

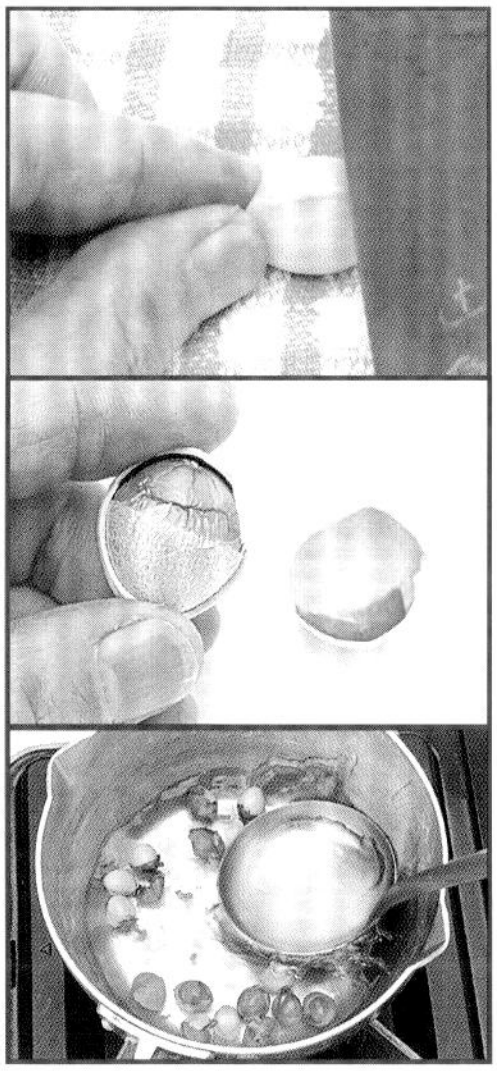

❻ **三つ葉**は軸だけをさっとゆでて、結んでおく。

❼ ボウルに**卵**を割りほぐし、泡を立てないようによく溶きのばす。❶を加えて軽く混ぜ、こしてなめらかな卵液をつくる。

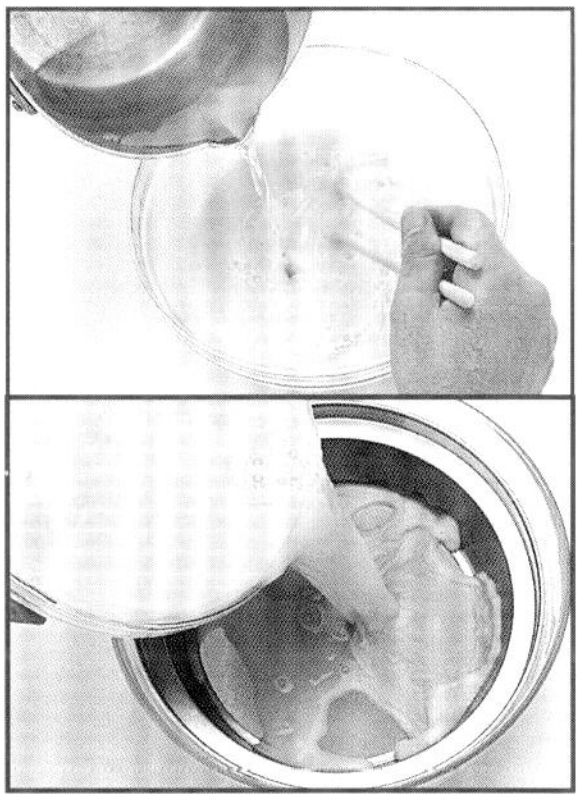

❽ 器に**三つ葉以外の具**を入れて、**卵液**を静かに注ぎ、浮いた泡をとる。

＜材料＞　4人分

卵液

卵	3個
だし汁 （卵：だし汁＝1：4）	3カップ
みりん、薄口しょうゆ	各小さじ2
塩	小さじ$\frac{2}{3}$

具

鶏肉（ささ身）	1本
えび	4尾
下味	
酒、しょうゆ	各少々
しめじ	適宜
ゆり根	$\frac{1}{3}$個
ぎんなん	8個
かまぼこ（薄切り）	4枚
三つ葉	4本

2 蒸す

❾ 蒸気の上がった蒸し器に❽を入れてふたをし、最初の3分くらいは強火、次に弱火にして12〜13分ゆっくり蒸す。

ここがコツ！

火加減が強すぎると、スがたってしまうので、注意。

×

ここがコツ！

茶碗蒸しの真ん中に竹串を刺し、その穴から完全に透明なだし汁が出てくれば蒸し上がり。

仕上がり

❿ 仕上げに**三つ葉**を入れて火を止め、ふたをして少し蒸らす。

〈さわらのかぶら蒸し〉

161 kcal 1人分

1 下ごしらえ

① **さわら**は**下味の調味料**をふり、10分くらいおいてから水気をよくふきとる。

② **かぶ**は皮をむいておろし金でおろし、まきす（またはザル）にのせて自然に水気をきる。

③ **しめじ**は小房に分け、**三つ葉**はあらく刻む。

④ **卵白**を軽く泡立て、**塩**ひとつまみ加え、②のおろした**かぶ**を加えてさっくりと混ぜる。

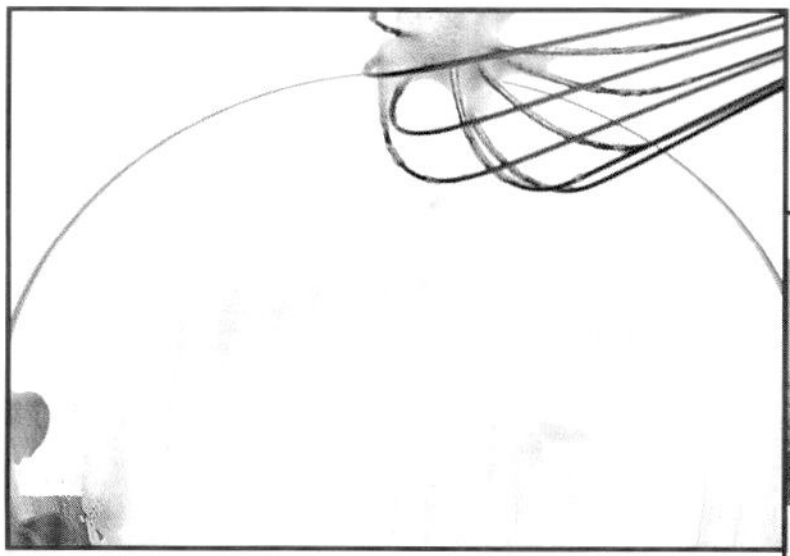

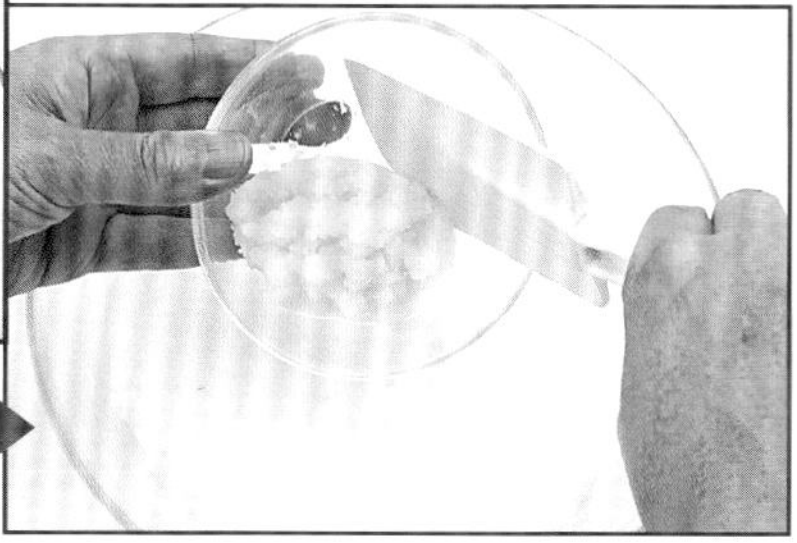

ここがコツ！

混ぜ合わせたらできるだけ早く蒸し上げるのがポイント。

2 蒸す

⑤ **さわら**を器にのせ、蒸気の上がった蒸し器に入れてふたをし、さっと蒸して水気を捨てる。

⑥ **さわら**の上から④をかけ、**しめじ**を散らし、蒸気の上がった蒸し器で6〜7分蒸す。

＜材料＞　4人分

さわら	60g×4切れ
下味	
塩、酒	各少々
かぶ	420g
しめじ	1/2パック
三つ葉	1/3束
卵白	2個分
塩	ひとつまみ
あん	
だし汁	1カップ
塩	小さじ1/3
薄口しょうゆ	小さじ2/3
みりん、酒	各小さじ1
水溶き片栗粉	
片栗粉、水	各大さじ1
わさび	適宜

3 あんを作る

⑦鍋にあんのだし汁と塩、薄口しょうゆ、みりん、酒を入れて火にかけ、煮立ったら水溶き片栗粉でとろみをつける。

⑧⑥のかぶら蒸しに⑦のあんをかけ、三ツ葉とわさびをのせる。

仕上がり

〈卵豆腐〉

126 kcal 1人分

1 下ごしらえ

① 鍋にかけつゆの**みりん**を煮立て、アルコール分がとんだら、**だし汁**と**しょうゆ**を加えてひと煮し、冷ましておく。

② **だし汁**を人肌にあたため、**塩**、**薄口しょうゆ**、**みりん**で味つけする。

③ ボウルに**卵**を割り入れ、泡立てないように注意しながら十分に溶きほぐす。

④ ②と③を合わせて裏ごしする。

⑤ ぬらして水気をきった流し缶に④の**卵液**を流し入れる。

<材料> 4人分(流し缶1台分)

卵	4個
だし汁	1カップ
塩	小さじ1/2
薄口しょうゆ	小さじ1
みりん	小さじ1/2
かけつゆ	
だし汁	1カップ
みりん	40cc
しょうゆ	40cc
木の芽	6～7枚

2 蒸す

⑥ 蒸気の上がった蒸し器の底に**割り箸**を2本敷き、その上に**流し缶**を置いて蒸す。最初は強火で2～3分、あとは弱火にして、14～15分蒸す。

⑦ **卵豆腐**が蒸し上がったら、**水**をたっぷりはったボウルの中に流し缶ごと入れて、あら熱をとり、冷蔵庫で冷やす。

⑧ ⑦が十分冷めたら、流し缶からはずし、4等分にして器に盛る。冷たい**かけつゆ**を注ぎ、香りに刻んだ**木の芽**をのせる。

仕上がり

〈白身魚のちり蒸し〉

115 kcal
1人分

＜材料＞　4人分

生たら　……………………100g×4
下味
　酒、塩　…………………各少々
春菊…………………………………4株
木綿豆腐　……………15g×8切れ
まいたけ　………………½パック
にんじんの薄切り（梅型）……8枚
ちり酢
　ぽん酢、しょうゆ、だし汁 ………
……………………………各¼カップ
もみじおろし（P49参照）……適宜
白髪ねぎ …………5cm長さ×2本

下ごしらえ

❶ **生たら**は1切れを2〜3等分のそぎ切りにする。**下味の調味料**をふりかけ、10分くらいおいたら水気をふいておく。

❷ **春菊**はやわらかい葉先をつみとる。

❸ **まいたけ**は小房に手で分ける。

❹ **にんじん**は薄く梅型にぬき、ゆでておく。

❺ **ちり酢の調味料**を合わせておく。

ヒント
白身魚はほかにさわら、たいなどの魚を使ってもおいしい。

蒸す

❻ 器に**生たら**、**豆腐**、**春菊**、**にんじん**、**まいたけ**を盛り合わせる。**ちり酢**を**たら**の器に注ぐ。蒸気の上がった蒸し器に入れ、強火で2〜3分蒸す。

❼ 蒸し上がったら、**白髪ねぎ**を散らし、**もみじおろし**を添える。

仕上がり

鍋物の基礎

鍋

●厚手の鍋が適している

鍋物に使う鍋は、保温性が高く、底がこげついたりしないような厚手の鍋がいい。土鍋や鉄鍋なら申し分ない。

材料

●クセの強いものは湯通ししておく

淡泊な材料はそのまま使い、魚などのクセやアクの強いものはあらかじめ湯通ししてから使うと、おいしい。

●豊富なとり合わせで

白身魚、貝類、肉類、野菜などを各種とり合わせ、それぞれのうまみを出すのが鍋料理。多彩な材料を彩りよくとりそろえる。

材料の入れ方

●煮えにくいものから入れる

まず、煮えにくいかたい野菜や、だしの出る魚介類や肉類を早めに入れ、煮ながらアクをすくいとる。

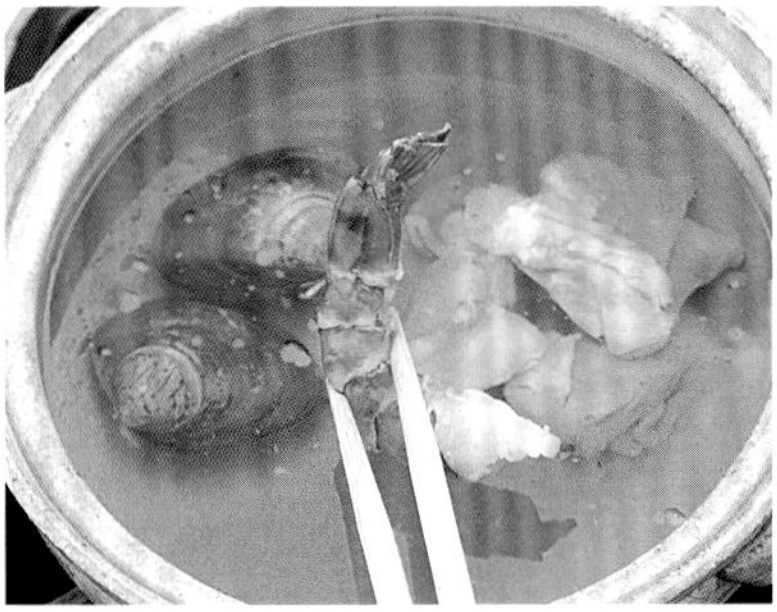

●食べる分だけを入れる

おでんなどは別だが、多くの鍋物は材料が煮えたらすぐに食べるので、食べる分だけ補いながら煮る。

火加減

●沸騰したら中火で

沸騰するまでは強火。沸騰したら、沸騰を保つ程度の中火にする。煮詰まったら、割り下やだし、水を加え、汁の量を保ちながら作る。

最初は強火にする。

↓

沸騰したら、沸騰を保つ程度の中火にする。

↓

煮詰まったら、割り下やだし、水を加える。

〈すき焼き（関東風）〉

538 kcal
1人分

1 下ごしらえ

❶ **ねぎ**は2～3㎝長さの斜め薄切りにする。

❷ **春菊**は根元のかたい部分を落とし、半分の長さに切る。

❸ **えのきだけ**は根元を切り落とす。

❹ **焼き豆腐**は半分に切り、横に5～6等分に切る。

❺ **しらたき**は熱湯でさっとゆで、ザルに上げて水気をきり、食べやすい大きさに切る。

❻ 割り下の**酒**と**みりん**を煮立て、**砂糖**、**しょうゆ**を加えてひと煮立ちしたら火を止める。

＜材料＞　4人分

牛肉（薄切り・すき焼き用）…600g
ねぎ ……………………………3～4本
春菊…………………………1束（約200g）
えのきだけ ……………………………2袋
焼き豆腐 ………………………………1丁
しらたき ………………………………2袋
卵 ………………………………………4個
牛脂 ……………………………………適宜
割り下
　砂糖 ……………1/3～1/2カップ
　酒 ……………………………1/2カップ
　しょうゆ ……………………1/2カップ
　みりん ………………………1/4カップ

2 煮る

❼ 鉄鍋（すき焼き用鍋）を熱して**牛脂**を入れ、鍋全体に脂をなじませる。**牛肉**を広げて入れ、焼き目をつける。

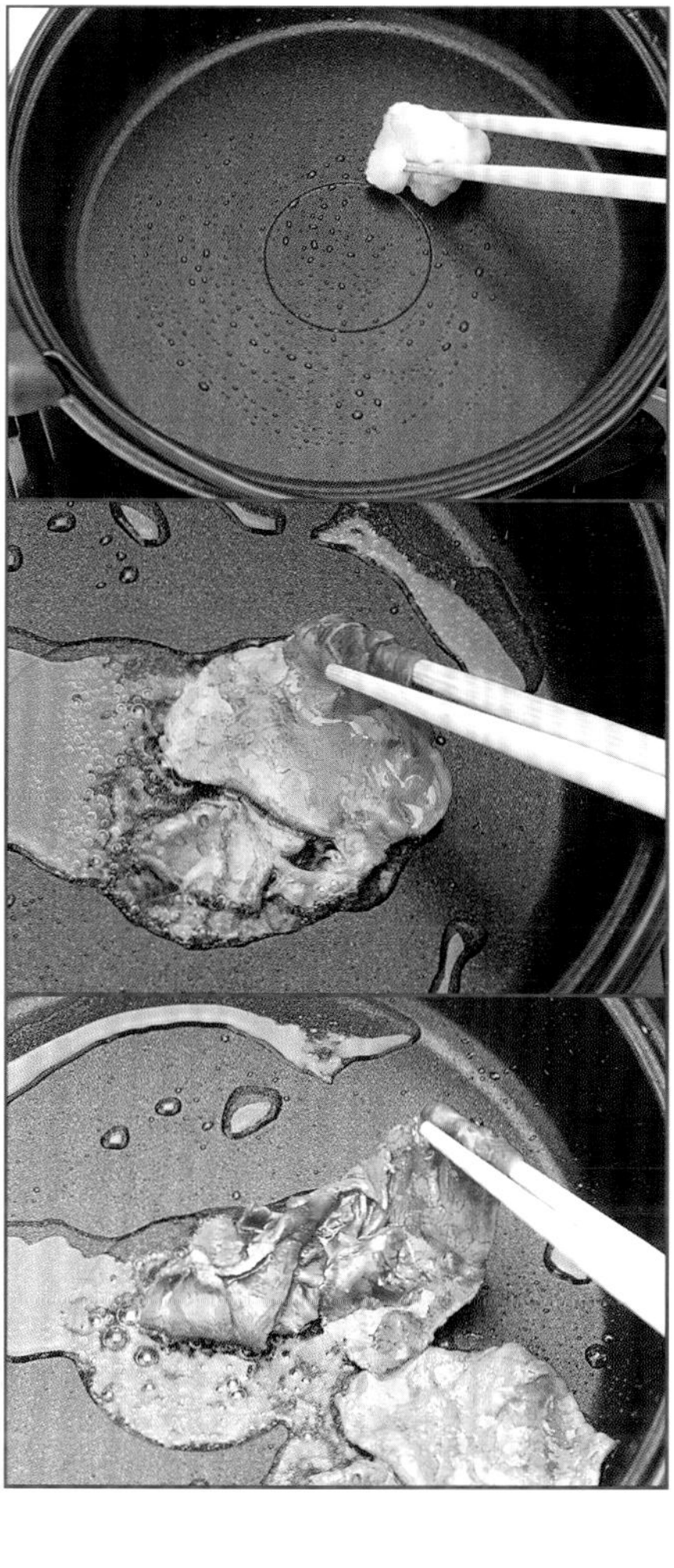

応用

●すき焼き（関西風）

材料は関東風と同じだが、割り下を使わず、材料から出る水分を利用するため、煮汁が少ない。

（作り方）
①鉄鍋（すき焼き用鍋）を熱して牛脂を入れ、鍋全体に脂をなじませる。牛肉を広げて入れ、両面を焼く。ここまでは関東風と同じ。
②次に、牛肉に砂糖をふりかけ、しょうゆを加える。

③牛肉に味がなじんだら火の通りにくい材料から順に加える。煮詰まったら昆布だし、または酒を加えながら煮る。

⑧ **牛肉**が半生のうちに**½量の割り下**を入れる。次に相性のよい**ねぎ**、その他**煮えにくい材料**から順に入れ（豆腐、しらたき、春菊、えのきだけ）、**割り下**を足しながらしばらく煮る。

⑨ とり鉢に**卵**を溶きほぐし、溶き卵をくぐらせていただく。

ここがコツ！

しらたきは肉をかたくする性質があるので、隣り合わせに入れないように。

〈寄せ鍋〉

363 kcal 1人分

1 下ごしらえ

❶ **たいの切り身**は、ひと口大のそぎ切りにする。

❷ **えび**は尾からひと節のところを残して殻をむき、背わたをとる。

❸ **いか**は内臓、足を抜きとり、皮をむいて縦に切り開く。松笠切り（P34参照）をしてから、ひと口大の短冊切りにする。

❹ **鶏肉**は食べやすい大きさに切る。

❺ たっぷりの**お湯**に**塩**ひとつまみ（分量外）を入れた中に**たい**、**えび**、**いか**、**鶏肉**をさっとくぐらせ（霜降り）、冷水にとり、水気をきっておく。

❻ **はまぐり**は殻と殻をすり合わせて洗い、じん帯を刃先で切り落とす（イラスト参照）。

＜材料＞　4人分

たいの切り身	4切れ（200g）
えび	8尾
いか	1杯
はまぐり	8個
鶏肉（胸肉）	1枚
白菜（大きめの葉）	4枚（200g）
にんじん	10cm長さ（50g）
春菊	1束
生しいたけ	4枚
えのきだけ	2束
木綿豆腐	1丁
煮汁	
だし汁	6カップ
みりん	大さじ2〜3
薄口しょうゆ	大さじ4½
塩	適宜
七味唐辛子	適宜
すだち	2個

❼ **白菜**は**塩**ひとつまみ（分量外）を入れた熱湯でゆで、ザルに上げて冷ます。冷めたら水気をかたく絞る。**にんじん**も同じ熱湯でかためにゆでる。

❽ **春菊**は根元のかたい部分を切り落とし、半分に切る。**生しいたけ**は軸を落とし、かさの表に飾り切り（P28参照）をする。

❾ **えのきだけ**は根元の部分を切り落とす。

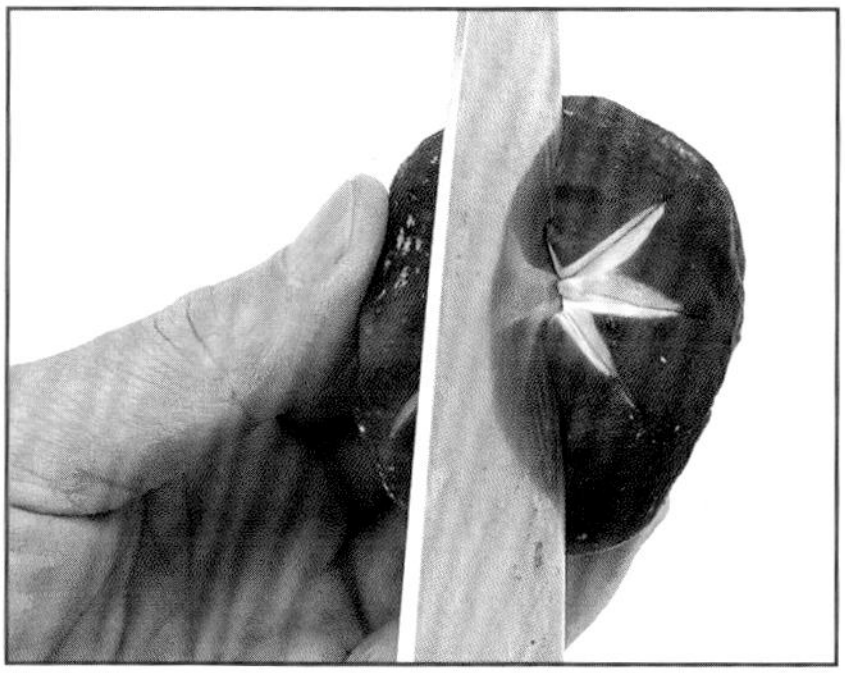

❿ **木綿豆腐**は縦半分にして1.5〜2cm幅に切る。

⓫ まきすを広げ❼の**白菜**の芯と葉を互い違いに重ねながら並べる。**にんじん**、**春菊**のかたい葉の部分を芯にして巻き、まきすごと絞ってから食べやすい大きさに切る。全部で2本作る。

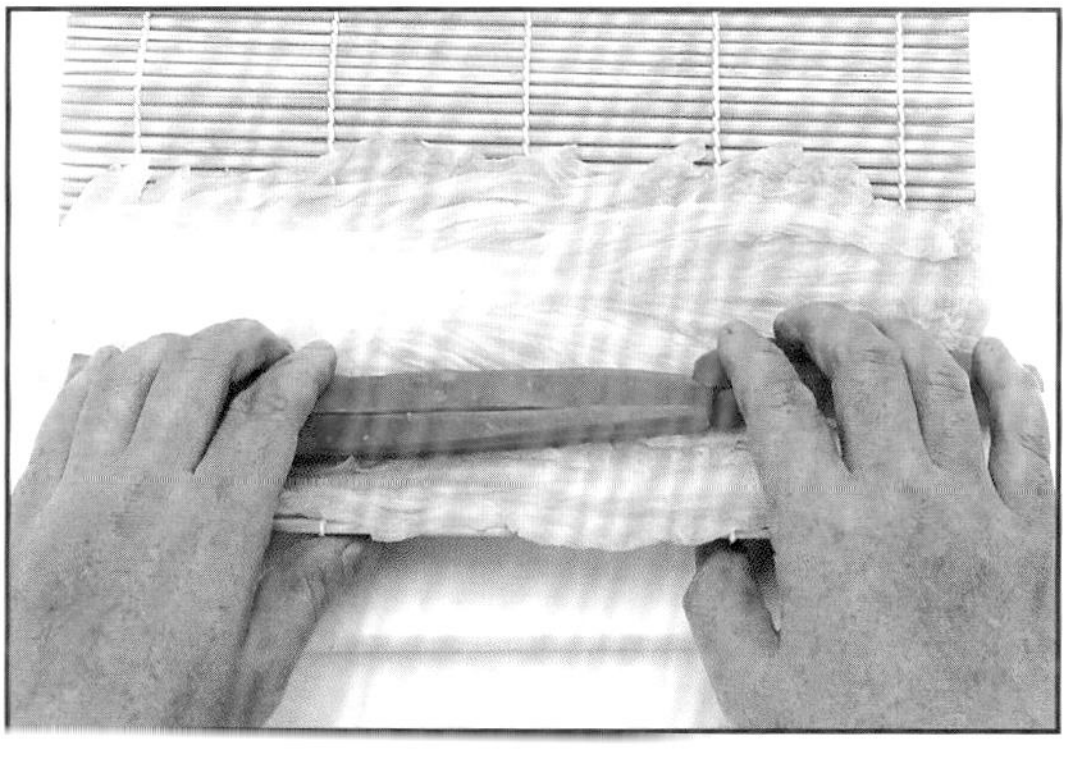

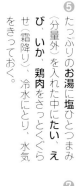

2 煮る

⑫土鍋に**煮汁の材料**を入れて火にかける。

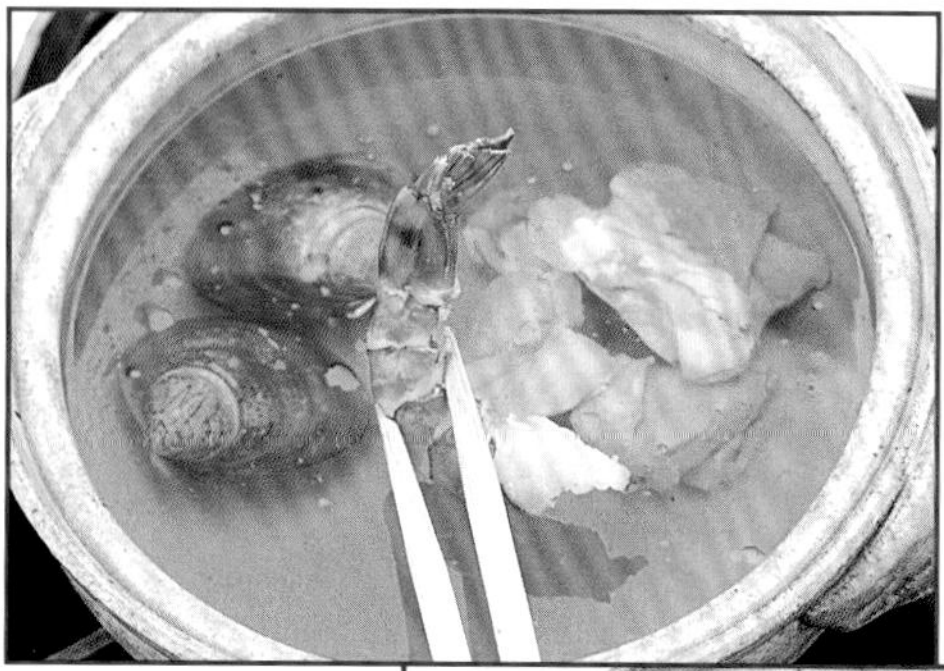

⑬材料を入れるときの順は、火の通りにくいもの、だしの出るものを先に入れる（このレシピなら、**鶏肉**、**はまぐり**、**生しいたけ**、**えび**、**たい**、**いか**、**豆腐**そして、**野菜**、**えのきだけ**というぐあい）。

ヒント

煮汁が残ったら、うどんを加えたり、ごはんを加えて雑炊に。

⑭材料に火が通ったら煮汁ごととり鉢にとり、好みで**すだち**、**七味唐辛子**をかけていただく。

仕上がり

〈おでん〉

528 kcal 1人分

＜材料＞　4人分

大根 ……………… 400g（中1/3本）
じゃがいも ……………………小4個
こんにゃく ……………………1/2丁
すじ ……………………………120g
ちくわ …………………………1本
さつま揚げ（ごぼう巻き） …4本
がんもどき ……………………4個
ゆで卵 …………………………4個
はんぺん ………………………1枚
昆布(15cm長さのもの)………4枚
煮汁
- だし汁 …………………8カップ
- しょうゆ…………… 大さじ3 1/2
- 塩 ……………………… 小さじ1
- みりん ……………… 大さじ3

練り辛子 …………………… 適宜

1 下ごしらえ

❶ **昆布**は水につけてやわらかくし、結び昆布にする。

❷ **大根**は3㎝厚さの輪切りにして皮をむき、面とりをし、隠し包丁を入れる。**米のとぎ汁**（分量外）でかためにゆで、水でよく洗っておく。

❸ **じゃがいも**は皮をむく。

❹ **こんにゃく**はゆでてから、両面に浅く斜めに切り込みを入れる。厚さを半分にそぎ、食べやすい大きさの三角形に切る。

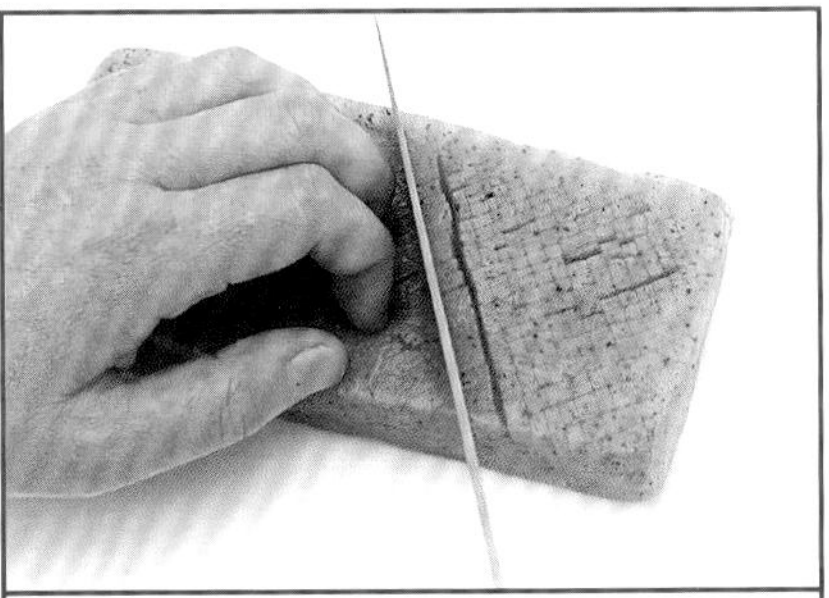

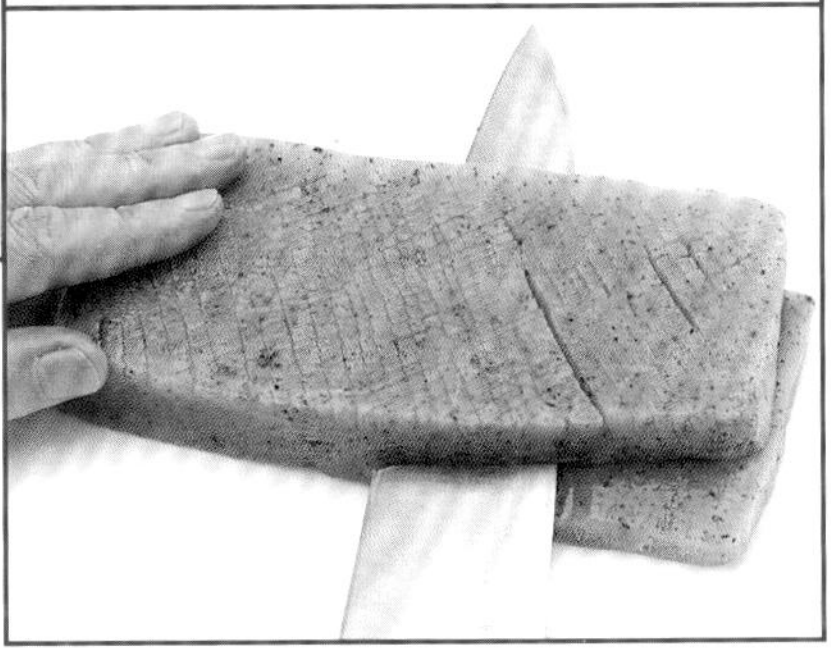

❺ **さつま揚げ**、**がんもどき**、**ちくわ**は熱湯をくぐらせて、油抜きをする。**ちくわ**は斜め輪切りにする。

❻ **ゆで卵**は殻をむき、**すじ**は1.5㎝幅に切る。

ここがコツ！

具を入れる順は火の通りの悪いもの、味のなじみにくいものから先に入れる。

2 煮る

❼ 鍋に**煮汁の調味料**を入れて味つけし、**大根**、**こんにゃく**も入れて煮る。

⑧ 煮立ってから20分ほど煮て、**昆布**、**ゆで卵**を加え、さらに10分煮る。途中でだしが少なくなってきたら補う。

⑨ **じゃがいも**を加えて10分、次に**ちくわ**、**すじ**、**さつま揚げ**、**がんもどき**、**はんぺん**を加えて7～8分煮たらできあがり。

⑩ **練り辛子**をつけていただく。

ここがコツ！

おでんは煮立てると汁がにごるので、火加減は弱火を保って。煮汁が減ったら補う。

〈湯豆腐〉

144 kcal
1人分

＜材料＞　4人分

木綿または絹ごし豆腐………2丁
生麩…………………………1/3本
昆布………15cm長さのもの1枚
つけ汁
　しょうゆ……………………大さじ5
　酒……………………………大さじ1½
　水……………………………大さじ2〜3
　かつお節……………………5g
水溶き片栗粉
　片栗粉、水……………各適宜
薬味
　ねぎ…………………1/3〜1/2本
　大根おろし…………1/3カップ
　ゆず、七味唐辛子、一味唐辛子、
　ゆずこしょう…………各適宜

1 下ごしらえ

① 小鍋に**つけ汁の材料**を入れて火にかけ、ひと煮立ちさせる。

② **ねぎ**は小口切りにし、布巾にとり、水洗いしてよく水気を絞る。**大根おろし**はザルに上げて自然に汁をきる。

③ **ゆず**は黄色いところだけそぎ、細切りにする。

2 煮る

④ 鍋に布巾でサッと汚れをふいた**昆布**を敷き、七分目ほど**水**（分量外）を入れて火にかける。沸騰したら少量の**水溶き片栗粉**を入れる。

ここがコツ！

水溶き片栗粉は入れなくてもよいが、汁に少しとろみがあると、豆腐を長くゆでてもスが入らず、口あたりがよくなる。

⑤ **豆腐**は1丁を8等分に切り、④に入れる。豆腐があたたまったら、**好みの薬味**を入れたつけ汁につけていただく。彩りに5mm厚さに切った**生《なま》麩《ふ》**も加える。

〈しゃぶしゃぶ〉

501 kcal 1人分

1 下ごしらえ

❶ **白菜**は葉先と軸に切り分け、軸は斜めに薄く4㎝ぐらいにそいでおく。葉は手でちぎり、大きめの一口大にする。

❷ 根元のかたい部分を切り落とした**春菊**は、やわらかい葉をつみとっておく。

❸ **くずきり**は、さっとゆでて水にとり、水気をきる。

2 タレ、薬味を作る

❹ ごまダレを作る。あたためた**だし汁**に**砂糖**を加え、砂糖が溶けたら**練りごま**に少しずつ加えてのばし、**しょうゆ**を加える。

❺ ポン酢じょうゆを作る。**昆布だし汁**に**ポン酢**、**しょうゆ**を合わせる。

❻ **万能ねぎ**は小口切りにする。**もみじおろし**はP49参照。

＜材料＞　4人分

牛肉（薄切り肉しゃぶしゃぶ用）……600g
白菜 ……大4〜5枚
春菊 ……1/2袋
くずきり（乾燥）……100g
昆布 ……18cm長さのもの1枚
ごまダレ
- 白練りごま……80g
- 砂糖……大さじ2
- しょうゆ……40cc
- だし汁……1/4カップ

ポン酢しょうゆ
- ポン酢（あるいはすだちの絞り汁）……1/3カップ
- しょうゆ……1/3カップ
- 昆布だし汁……1/3カップ

薬味
- 万能ねぎ……4本
- もみじおろし……適宜

3 鍋で煮る

❼ 鍋に7〜8分目ぐらいの**水**と**昆布**を入れて火にかけ、沸騰直前に昆布をとり出す。

❽ 鍋の中で、**牛肉**をふり洗うようにしてさっと火を通し、**ごまダレ**か**ポン酢しょうゆ**をつけていただく。**白菜**、**春菊**、**くずきり**も、適当に火を通して同様に。薬味は好みのものを入れる。

酢の物

〈きゅうり、わかめ、しらすの酢の物〉

23 kcal 1人分

1 下ごしらえ

❶ **きゅうり**は**塩**少々（分量外）をふり、板ずりし（P20参照）、小口切りにする。塩を薄くふってしんなりさせたら、水でさっと洗い、水気をしっかりと絞る。

❷ **生わかめ**は塩を洗い流し、熱湯をくぐらせて水にとる。茎のかたい所を切りとり、2～3cm長さに切る。

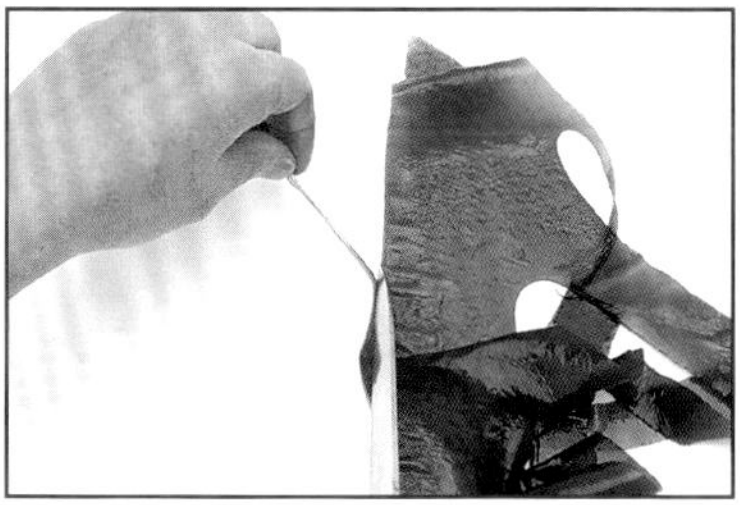

❸ **しらす干し**はさっと熱湯をかけ、水気をきる。

2 甘酢を作り、あえる

❹ ボウルに**甘酢の調味料**を合わせておく。

❺ ❶❷❸を合わせ❹の**甘酢**であえる。

甘酢

＜材料＞ 4人分

きゅうり	2本
生わかめ	20g
しらす干し	大さじ2
甘酢	
酢	大さじ2
砂糖	大さじ1
塩	小さじ1/8

仕上がり

〈うざく〉

102 kcal 1人分

土佐酢

＜材料＞　4人分

うなぎ（蒲焼）	1/2尾（100g）
きゅうり	2本
みょうが	1個
土佐酢	
酢	大さじ2
砂糖	大さじ1/2
薄口しょうゆ	大さじ1/2
水	大さじ1/2
削りがつお	3g

1 土佐酢を作る

❶ 鍋に**土佐酢の材料**をすべて合わせて火にかけ、ひと煮立ちしたら火を止め、茶こしでこす。冷たくしておく。

2 下ごしらえ

❷ **うなぎ**は1〜1.2cm幅に切る。

❸ **きゅうり**は板ずり（P20参照）してから小口切りにし、たて塩（P20参照）につける。しんなりしたら、水気をしっかりと絞る。

❹ **みょうが**は縦半分に切り、薄切りにして水にさらす。

3 あえる

❺ ❶❷❸を合わせ、❹の**土佐酢**であえる。

〈さらし玉ねぎとグレープフルーツの二杯酢〉

28 kcal 1人分

二杯酢

1 下ごしらえ

❶ **玉ねぎ**は縦半分に切り、芯をとる。薄切りにして冷水にさらす。

❷ **グレープフルーツ**は実を袋から出し、あらく手でほぐしておく。

❸ **ラディッシュ**は細切りにし、冷水にとり、パリッとさせる。

2 二杯酢を作り、あえる

❹ ボウルに**二杯酢の材料**を合わせておく。

❺ ❶と❷を合わせ❹の二杯酢であえる。

❻ 器に盛り、**ラディッシュ**をのせる。

＜材料＞　4人分

玉ねぎ	150g（小1個）
グレープフルーツ	½個
ラディッシュ	2個
二杯酢	
酢	大さじ1½
薄口しょうゆ	大さじ1
砂糖	小さじ½
だし汁	大さじ2

〈セロリとかにの三杯酢〉

34 kcal 1人分

三杯酢

1 下ごしらえ

❶**セロリ**はスジをとり除き、できるだけ薄切りにして冷水にとる。

❷**かにの身**は軟骨をとり除く。

❸**ピーマン**は種をとり除き、薄切りにする。

2 三杯酢を作り、あえる

❹ボウルに**三杯酢の材料**を合わせる。

❺水気をよくふいた❶と❷、❸を合わせ、❹の**三杯酢**であえる。

ここがコツ！

セロリは薄く切らないと味がなじまないので、できるだけ薄切りに。または薄い塩水につけてしんなりさせてから使うといい。

＜材料＞　4人分

セロリ	1本
かにの身(缶詰)	60g
ピーマン(黄色)	1/4個
三杯酢	
酢	大さじ1 1/2
みりん	大さじ1 1/2
薄口しょうゆ	大さじ1 1/2
だし汁	大さじ1/2

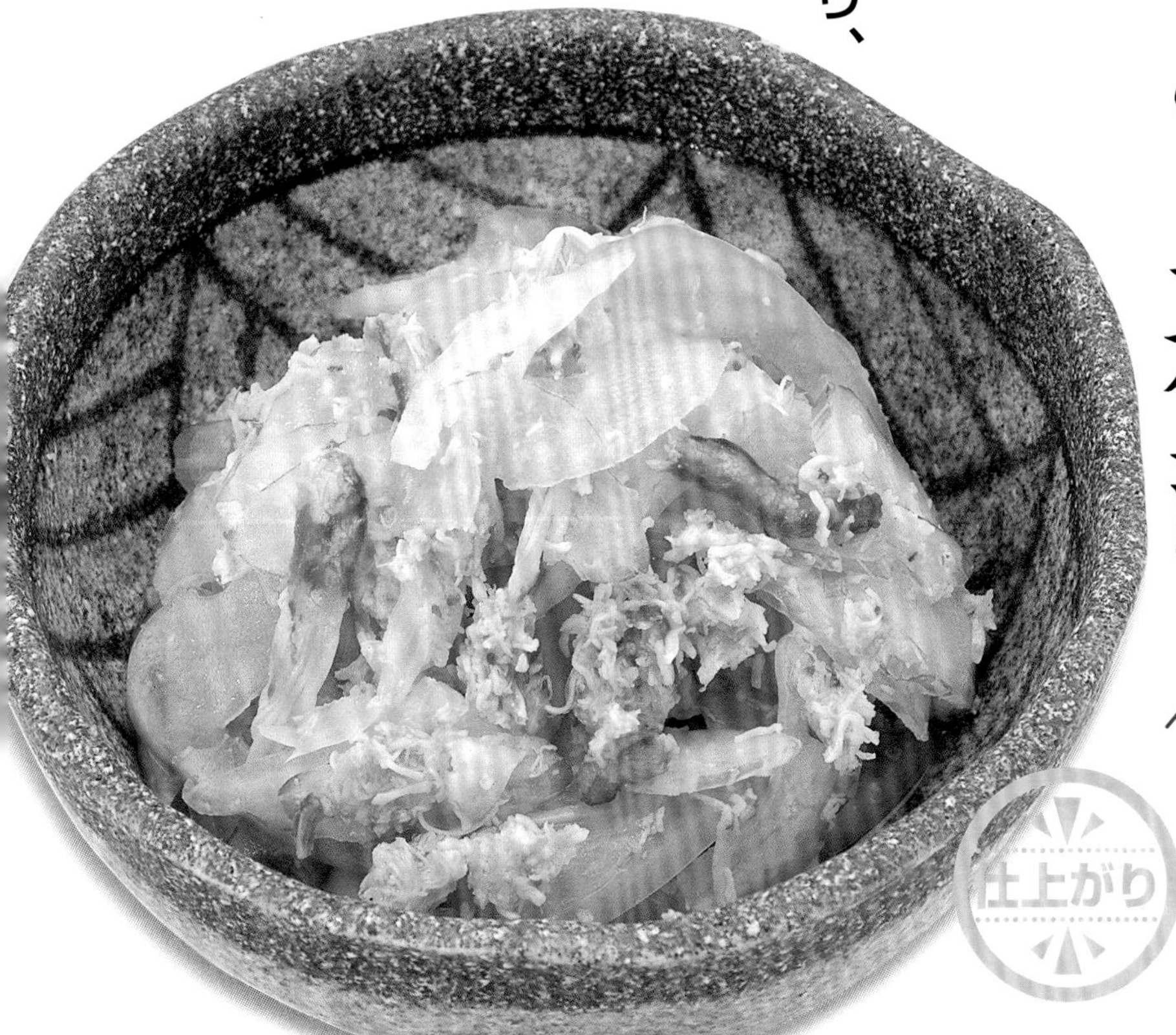

〈揚げさつまいものみぞれ酢あえ〉

121 kcal
1人分

みぞれ酢

1 下ごしらえ

① **さつまいも**は皮をむいてから、1.5㎝長さのさいの目に切り、水にさらす。

② ①の水気をよくふきとり、170～180℃の**揚げ油**でカラッと中までやわらかく揚げる。

③ **さやえんどう**はスジをとり、**塩**少々（分量外）を加えた熱湯で色よくゆで、冷水にとる。1.5㎝長さの色紙切り（P24参照）にする。

2 みぞれ酢を作り、あえる

④ **大根**は皮をむいておろし、ザルにのせて水気をきる。

⑤ **大根おろし**に**みぞれ酢の調味料**を混ぜ合わせてみぞれ酢を作り、②、③をあえて器に盛る。

＜材料＞　4人分

さつまいも	300g
さやえんどう	4枚
揚げ油	適宜
みぞれ酢	
大根	200g
酢	大さじ2
砂糖	大さじ1½
塩	小さじ½

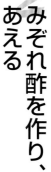

〈もやしと油揚げのごま酢あえ〉

58 kcal 1人分

ごま酢

1 下ごしらえ

❶ **もやし**は芽と根をつみとり、熱湯でさっとゆで、ザルに上げて冷ます。

❷ **油揚げ**は焼き網で両面をカリッと焼き、5㎜幅の細切りにする。

2 ごま酢を作り、あえる

❸ すり鉢に**練りごま**を入れてすり、**その他の調味料**も加えてよくすり混ぜる。

❹ ❶と❷を❸の**ごま酢**であえ、器に盛って**青のり**を散らす

＜材料＞　4人分

もやし	200g
油揚げ	1枚
青のり	適宜
ごま酢	
練りごま	大さじ1
酢	大さじ1⅓
砂糖	大さじ½
塩	小さじ⅕
だし汁	大さじ1
薄口しょうゆ	小さじ½

仕上がり

〈長いもとかにかまぼこのわさび酢〉

58 kcal 1人分

わさび酢

1 下ごしらえ

❶**長いも**は皮をむき、包丁の腹でたたきつぶしておく。

❷**かにかまぼこ**は食べやすい長さに切り、手で細かく裂く。

❸**貝割れ菜**は根元を切り落として、3㎝長さに切る。

＜材料＞ 4人分

長いも	200g
かにかまぼこ	4本(50g)
貝割れ菜	1/8パック
わさび酢	
酢	大さじ2
砂糖	小さじ2
薄口しょうゆ	大さじ1½
だし汁	大さじ1
練りわさび	小さじ1½

2 わさび酢を作り、あえる

❹ボウルに**練りわさび**、**酢**を入れて溶きのばし、**砂糖**、**薄口しょうゆ**、**だし汁**を加えておく。

❺❶、❷、❸を❹の**わさび酢**であえる。

〈えびときゅうりの黄身酢〉

113 kcal 1人分

黄身酢

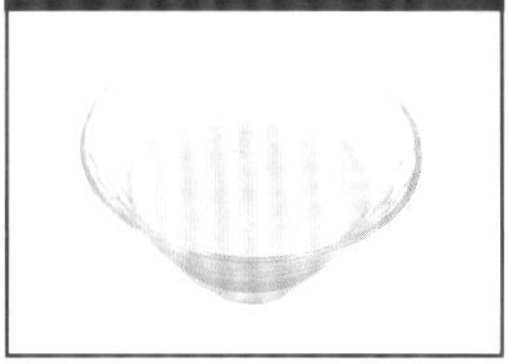

2 下ごしらえ

❶ **えび**は背わたをとり、塩ゆでにし、殻をむく。

❷ 蛇腹きゅうりを作る。**きゅうり**に斜めに細かく切り目を入れ、次に裏にひっくり返し、垂直に切り目を入れる（P28参照）。**塩**（分量外）を少々まぶしてしんなりしたら、水洗いし、2～3㎝長さに切る。

1 黄身酢を作る

❸ 小鍋に**黄身酢の材料**を入れて、よく混ぜ合わせ、湯煎にかける。とろりと半熟状になったら火を止め、あら熱をとり、裏ごしして冷ましておく。

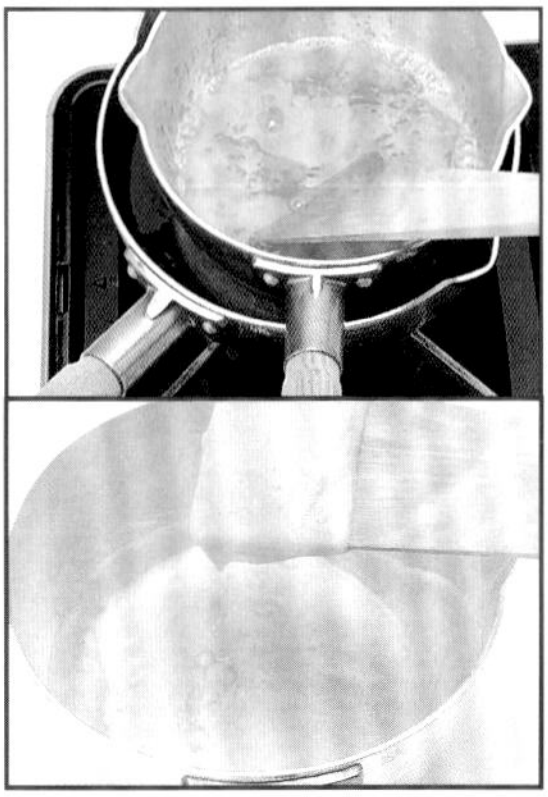

3 あえる

❹ 器に❶と❷を盛り合わせ、❸の**黄身酢**をかける。

＜材料＞　4人分

えび……………………………8尾
きゅうり………………………2本
黄身酢
　酢……………………½カップ
　砂糖………………………大さじ3
　塩…………………………小さじ1
　卵黄………………………2個分

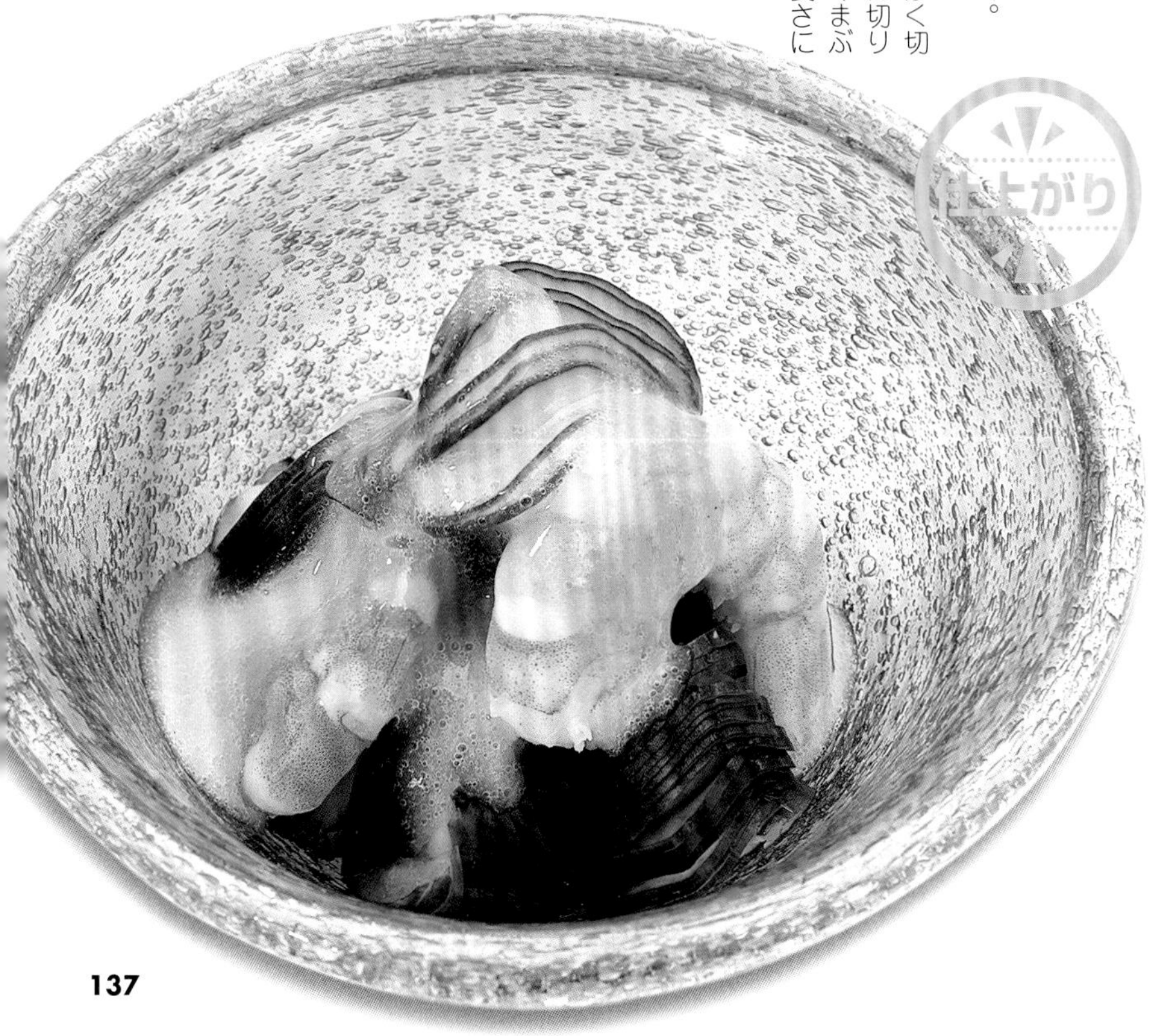

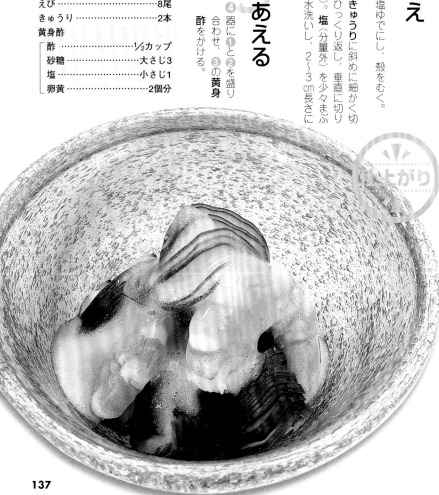

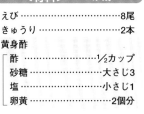

あえ物

〈たこと三つ葉の辛子酢みそ〉

75 kcal 1人分

辛子酢みそ

＜材料＞　4人分

- たこの足(ゆでたもの)………100g
- 根三つ葉………………………150g
- 辛子酢みそ
  - 白みそ…………………………50g
  - 溶き辛子………………小さじ⅔
  - 砂糖……………………大さじ1
  - 酢………………………大さじ2⅓
  - しょうゆ………………小さじ½

1 下ごしらえ

❶ **たこ**は一口大のそぎ切りにする。

❷ **根三つ葉**は根を落とし、塩少々加えた熱湯で色よくゆで、冷水にとる。水気を絞って3～4㎝長さに切る。

2 辛子酢みそを作り、あえる

❸ すり鉢に**白みそ**、**溶き辛子**、**砂糖**を入れてよくすり、次に**酢**、**しょうゆ**を加えてなめらかに練り上げる。

❹ 器に❶と❷を盛り合わせ、食べる直前に❸の**辛子酢みそ**をかける。

ヒント

先にたこ、三つ葉を辛子酢みそであえてから、器に盛ってもよい。

〈たけのこといかの木の芽みそ〉

85 kcal 1人分

木の芽みそ

1 下ごしらえ

❶ **たけのこ**は約1.3cmのさいの目切り（P24参照）にする。

❷ 鍋に**煮汁の材料**を入れて混ぜ、**たけのこ**を入れ、2〜3分煮て薄く味を含ませる。そのまま冷まし、冷めたら汁気をきる。

❸ 下処理のすんだ**いか**を唐草切り（P34参照）にし、一口大に切る。

❹ **塩**少々（分量外）を入れた熱湯に❸を入れてさっとゆで、ザルにとり、冷ます。

2 木の芽みそを作り、あえる

❺ すり鉢で**木の芽**とゆでてあらく刻んだ**ほうれん草**をよくすり、**白みそ**、**砂糖**、**だし汁**を加えてすり混ぜ、**塩**で味をととのえる。

❻ ❺の**木の芽みそ**に❷と❹を入れてあえる。

❼ 器に盛りつけて、**木の芽**を飾る。

＜材料＞　4人分

たけのこ（ゆでたもの）	200g
いかの胴	1杯分
煮汁	
だし汁	1カップ
薄口しょうゆ	小さじ1
みりん	小さじ1
塩	ひとつまみ
木の芽みそ	
木の芽	12枚
ほうれん草の葉先	5〜6枚分(ゆでる)
白みそ	60g
砂糖	小さじ2
だし汁	大さじ2
塩	ひとつまみ
木の芽	4枚

仕上がり

〈しらたきの真《ま》砂《さご》あえ〉

23 kcal 1人分

真砂あえ(たらこあえ)衣

1 下ごしらえ

① **さやえんどう**はスジをとり、**塩**少々(分量外)を加えた熱湯でかためにゆでる。水にとってから水気をきり、細切りにする。

② **しらたき**は熱湯でさっとゆで、6～7㎝長さに切る。

2 あえ衣を作り、あえる

③ **たらこ**は皮に薄く切り目を入れて開き、包丁の背でしごき、卵をとり出す。**酒**を加えて少しやわらかめにのばす。

④ **煮汁の調味料**を煮立てた中に**しらたき**を入れて3～4分煮る。ザルにあげて汁気をきる。

⑤ ③に熱々の**しらたき**を混ぜ合わせる。彩りに**さやえんどう**を加え、器に盛る。

<材料> 4人分

しらたき……………1玉(180g)
さやえんどう………………8枚
煮汁
- だし汁………………1カップ
- 薄口しょうゆ………小さじ1
- みりん………………小さじ1

あえ衣
- たらこ(生食用)…½腹(50g)
- 酒……………………小さじ2

(たらこの塩分がきついときは、みりん少々も加える)

〈いんげんのごまあえ〉

64 kcal 1人分

＜材料＞　4人分

いんげん ………………… 150g
あえ衣
- 白炒りごま …………大さじ3
- 砂糖 ………………大さじ$1\frac{1}{3}$
- しょうゆ …………大さじ1
- だし汁 ……………大さじ1

1 下ごしらえ

❶ **いんげん**はスジをとり、たっぷりの熱湯に塩を加え、つめが立つくらいまで色よくゆでる。冷水にとり、ザルにあげて水気をきる。

ごまあえ衣

2 あえ衣を作り、あえる

❷ すり鉢に**白炒りごま**を入れ、油が出てねっとりするまでよくすりつぶす。次に**砂糖**、**しょうゆ**、**だし汁**の順に加え、すり混ぜる。

ヒント

春菊、ほうれん草などで作ってもおいしい。ごまも、黒ごまでもいい。

❸ **いんげん**の水気をよくふきとり、❷であえる。

仕上がり

〈にんじんとこんにゃくの白あえ〉

81 kcal 1人分

＜材料＞　4人分

こんにゃく	100g
にんじん	60g
いんげん	6本
下煮汁	
だし汁	⅔カップ
薄口しょうゆ	小さじ⅔
みりん	小さじ⅔
あえ衣	
木綿豆腐	½丁（50g）
白炒りごま	大さじ2
西京みそ	小さじ1½
砂糖	大さじ1
塩	小さじ¼
薄口しょうゆ	小さじ1
だし汁	大さじ2
木の芽	4枚

白あえ衣

1 下ごしらえ

① **こんにゃく**は水からゆで、沸騰後約2分ゆでてザルにあける。3～4㎝長さの短冊切り（P25参照）にする。

② **にんじん**もこんにゃくと同様に切る。

③ **いんげん**はスジをとって塩ゆでにし、斜め細切りにする。

④ 鍋に**下煮汁の材料**を入れて煮立て、**こんにゃく**と**にんじん**を入れて2分ほど煮、**いんげん**を加えてさっと煮たら火を止める。冷めたら汁気をきる。

⑤ **豆腐**を熱湯の中に入れて2分くらい煮、ザルにあけて水気をきったら、手であらくほぐしておく。

2 あえ衣を作り、あえる

⑥ すり鉢に**白炒りごま**を入れてよくすり、**豆腐**を加えてすり混ぜる。**その他の調味料**をすべて加えて、なめらかなあえ衣を作る。

⑦ 下煮した④の**具**を加えてよくあえ、器に盛り、**木の芽**をのせる。

仕上がり

〈ほうれん草のおひたし〉

15 kcal 1人分

割りじょうゆ

1 下ごしらえ

❶ **ほうれん草**は株の太いものは、根元に十文字の切り目を入れる。根元の土を落としながら洗う。

❷ たっぷりの湯を沸かし、**塩**少々（分量外）を加え、**ほうれん草**の根元のほうから入れて、全体を手早くゆでる。

❸ ゆで上がった**ほうれん草**を冷水にとり、流水に1〜2分さらしてアクをとる。水の中で根元をそろえてひとまとめにし、水気をしっかりと絞る。

＜材料＞　4人分

ほうれん草	200g
糸がきかつお	大さじ2
割りじょうゆ	
だし汁	大さじ3 1/3（50cc）
しょうゆ	小さじ2（10cc）

（だし汁：しょうゆは5：1）

2 割りじょうゆを作り、あえる

❹ ボウルに**割りじょうゆの材料**を合わせておく。

❺ **ほうれん草**を3〜4㎝長さに切り、❹の**割りじょうゆ**をかけ回してから、軽く絞って器に盛る。**糸がきかつお**をのせる。

ヒント

にら、小松菜、菜の花、春菊、白菜なども塩ゆでにして、おひたしにしてもおいしい。

仕上がり

和風サラダ

〈わかめのサラダ〉

137 kcal 1人分

＜材料＞ 4人分

生わかめ	40g
きゅうり	1本
にんじん	60g
レタス	2枚
ちりめんじゃこ	30g
揚げ油	適宜
梅肉ドレッシング	
梅干し	2個
酢	大さじ1
しょうゆ	小さじ1/2
こしょう	少々
砂糖	小さじ1
サラダ油	大さじ3

梅肉ドレッシング

1 下ごしらえ

① **わかめ**は水洗いして塩をとり除き、熱湯にさっとくぐらせて冷水にとる。かたい部分をとり、3㎝ぐらいの長さに切る。

② **きゅうり**は**塩**少々（分量外）をふり、板ずり（P20参照）して洗ったら、横半分に切り、皮むきを使って縦長に薄くむく。

③ **にんじん**もきゅうりと同様、皮むきでりぼん状にする。

④ **レタス**は大きめの一口大に手でちぎる。

⑤ ②、③、④を氷水にとり、シャキッとさせてから水気をきり、よくふきとっておく。

⑥ **ちりめんじゃこ**は、**揚げ油**を180℃に熱し、カリカリになるまで揚げ、油をきっておく。

ヒント

ちりめんじゃこを揚げるのがめんどう、というときは、大さじ3くらいの油でカリカリになるまで炒めてもいい。

2 梅肉ドレッシングを作り、あえる

⑦ **梅干し**は種をとり除き、梅肉を包丁でたたいてなめらかにする。

⑧ ⑦をボウルに入れ、**サラダ油以外のドレッシングの調味料**を加えて泡立て器でよく混ぜる。最後に**サラダ油**を加えてよく混ぜ合わせる。

⑨ 器に①、⑤を盛り合わせ、⑥の**ちりめんじゃこ**をのせ、⑧の**梅肉ドレッシング**をかけていただく。

仕上がり

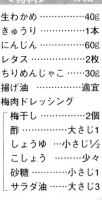

〈たいの刺し身サラダ〉

133 kcal 1人分

わさびドレッシング

1 下ごしらえ

❶ **たいの刺し身**は、薄く一口大にそいでおく。

❷ **クレソン**は葉先をちぎる。

❸ 白髪ねぎを作る。**ねぎ**を4～5㎝長さに切り、縦に切り込みを入れて開き、中の芯をとり除く。内側を上にして重ね、縦に細切りにして水にさらす（P25参照）。

❹ **切り三つ葉**は3～4㎝長さに切る。

ヒント

刺し身はまぐろ、ひらめ、かんぱち（ぶり）、あじなどでもいい。

2 わさびドレッシングを作り、あえる

❺ **サラダ油以外の調味料**をボウルに入れ、泡立て器でよく混ぜる。最後に**サラダ油**を加えてよく混ぜ合わせる。

❻ 器に❷、❸、❹の野菜と**たいの刺し身**を盛りつけ、❺の**わさびドレッシング**を回しかける。

仕上がり

＜材料＞　4人分

たいの刺し身	100g
クレソン	½束
ねぎ	1本
切り三つ葉	30g
わさびドレッシング	
酢	大さじ3
しょうゆ	大さじ2
塩	小さじ¼
砂糖	小さじ¼
練りわさび	小さじ1
サラダ油	大さじ3

〈ごぼうサラダ〉

167
kcal
1人分

1 下ごしらえ

ごまマヨネーズ

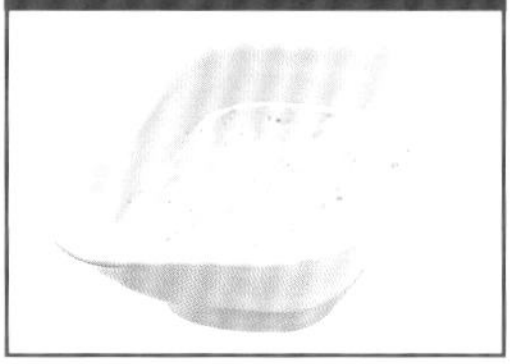

❶ **ごぼう**は4～5㎝長さのささがき（P27参照）にし、水（または酢水）にさらしてから、かためにさっとゆでる。ザルにあげ、水気をきり、冷ましておく。

❷ **ハム**は細切りにする。

❸ **春雨**は熱湯でやわらかくゆで、水洗いして水気をきり、4～5㎝長さに切る。

❹ **春菊**は葉のやわらかいところをつまんで冷水にとり、シャキッとさせてからよく水気をふきとる。

＜材料＞　4人分

ごぼう	70g（2/3本）
ハム	3枚
春雨（乾燥）	30g
春菊	3株
ごまマヨネーズ	
マヨネーズ（市販品）	大さじ3
しょうゆ	小さじ2
ごま油	小さじ1
炒り白ごま	大さじ1

2 ごまマヨネーズを作り、あえる

❺ ごまマヨネーズを作る。**炒り白ごま**はあらくきざむか、すりごまにし、**ほかの調味料**と一緒にボウルに入れ、よく混ぜ合わせる。

❻ ❶、❷、❸、❹を❺の**ごまマヨネーズ**に入れてあえ、器に盛る。

〈大根とほたて貝柱のサラダ〉

131 kcal
1人分

辛子しょうゆマヨネーズ

＜材料＞　4人分

- 大根 ……………………¼本(300g)
- 貝割れ菜 ………………⅓パック
- ほたて貝柱(缶詰)……小1缶(65g)
- 菊の花 ……………………………6個
- 辛子しょうゆマヨネーズ
  - マヨネーズ(市販品)…大さじ4
  - しょうゆ ……………………小さじ1
  - レモン汁 ……………………小さじ1
  - ほたての缶詰の汁 ……小さじ1
  - 練り辛子 ……………………小さじ1

1 下ごしらえ

❶ **大根**は皮をむき、3〜4㎝長さの短冊切り（P25参照）にする。**塩**少々（分量外）をふり、しんなりしたら水洗いし、よく水気をふきとる。

❷ **貝割れ菜**は根元を切り落とし、3㎝長さに切る。

❸ **ほたて貝柱**は身をほぐしておく。汁はとっておく。

❹ **菊の花**は花びらをむしり、**酢**少々（分量外）を加えた熱湯でさっとゆでて水にとり、水気を絞る。

ヒント

ほたて貝柱の代わりに、かにの缶詰、ツナ缶でもおいしくできる。

2 辛子しょうゆマヨネーズを作り、あえる

❺ ボウルに**マヨネーズ**と**練り辛子**を入れてよく混ぜ、**ほかの調味料**を加えてよく溶きのばす。

❻ ❺の**辛子しょうゆマヨネーズ**に❶、❷、❸、❹を入れてよく混ぜ合わせる。

つくだ煮、保存食

〈花豆の甘煮〉

405 kcal
1人分

1 下ごしらえ

① **花豆**はよく洗い、7カップの**水**に10～12時間つけておく。

2 煮る

② ①をそのまま中火にかけ、5～6分煮立て、アク抜きをし、煮汁を捨てる。

③ 鍋に②の**豆**を入れ、豆がかぶるくらいの**水**（分量外）を加えて火にかける。煮立ったら弱火にし、豆がゆで汁より表面に出ないようにときどき差し水をしながら煮る。

④ 手で豆をつまんでみて十分にやわらかくなったら、ゆで汁を捨てる。

⑤ ④の**豆**に、ひたひたの**水**（分量外）と**グラニュー糖**、**塩**を加えて再び火にかける。沸騰したら中火よりやや弱火にし、**煮汁**がほぼなくなるまで煮含める。

＜材料＞　4人分

花豆（乾燥）	300g
水	7カップ
グラニュー糖（または上白糖）	160g
塩	小さじ1/4

ここがコツ！

グラニュー糖で煮るとアクが少なく、上品な味に仕上がる。

〈五目豆〉

422 kcal
1人分

1 下ごしらえ

① **大豆**は洗って汚れを落とし、たっぷりの水に一晩つける。

② ①の**大豆**はそのまま火にかけ、途中でアクをとり、やわらかくなったら火を止め、ゆで汁ごと冷ます。冷めたらザルにあけて、大豆を水洗いする。

2 煮る

③ **干ししいたけ**は汚れをさっと洗い流し、水またはぬるま湯につけてもどす。十分もどったら水気を絞り、軸を切り落とし、1cm長さの色紙切り（P24参照）にする。**もどし汁**は煮汁に使うため、とっておく。

④ **ごぼう**は皮をこそげ、小さめの乱切りにし、水（または酢水）にさらす。

⑤ **れんこん**は皮をむき、ごぼうより少し大きめの乱切りにして水にさらす。

⑥ **にんじん**は皮をむき、れんこんと同じ乱切りにする。

⑦ **こんにゃく**は熱湯で5分くらいゆがいてからザルにあけ、手で小さめのひと口大にちぎる。

⑧ 鍋に②の**大豆**、**ごぼう**、**れんこん**、**にんじん**、**こんにゃく**、**しいたけ**の順に入れ、**薄口しょうゆ以外の煮汁の調味料**を入れて火にかける。ひと煮立ちしたら弱火にし、15分くらい煮、**薄口しょうゆ**を加えて煮汁がなくなるまでゆっくり煮含める。

＜材料＞　4人分

大豆	2カップ（300g）
ごぼう	100g
れんこん	100g
にんじん	150g
こんにゃく	1/2丁
干ししいたけ	3枚
煮汁	
しいたけのもどし汁、だし汁	合わせて3カップ
砂糖	大さじ4
薄口しょうゆ	大さじ4
みりん	大さじ1

〈牛肉のしぐれ煮〉

231 kcal 1人分

＜材料＞　4人分

- 牛肉の切り落とし（脂の少ないもの）……400g
- しょうがの皮……適宜
- しょうがのしぼり汁…小さじ1
- 炒り白ごま……適宜
- 煮汁
  - 酒……1カップ
  - しょうゆ……大さじ$2\frac{2}{3}$
  - みりん……$\frac{1}{4}$カップ
  - 砂糖……小さじ2

1 下ごしらえ

① **牛肉**は脂肪の部分を包丁できれいにとり除き、細かく切る。

② 熱湯に**しょうがの皮**と**塩**ひとつまみ（分量外）を入れ、**牛肉**を加えて大きくひと混ぜしたらザルにあける。

2 煮る

③ 鍋に**煮汁の酒**と**牛肉**を入れて火にかけ、沸騰したら弱火にしてアクをとる。**しょうがのしぼり汁**を加え、弱火で20分ほど煮たら、**煮汁の残りの調味料**を入れる。さらに20分ほど炒り煮して仕上げ、そのまま冷ます。

④ 器に盛り、**炒り白ごま**をあらく刻んだものを散らす。

〈きのこの当座煮〉

89 kcal 1人分

＜材料＞　4人分

- えのきだけ……1束
- 生しいたけ……5枚
- しめじ……1パック
- まいたけ……1パック
- なめこたけ……1袋
- ゆずの皮……適宜
- 煮汁
  - 酒……$\frac{1}{2}$カップ
  - みりん……大さじ5
  - しょうゆ……大さじ4
  - 昆布……5cm長さのもの1枚
  - 赤唐辛子……$\frac{1}{2}$本

1 下ごしらえ

① **えのきだけ**は根元を落とし、長さを半分にする。

② **生しいたけ**は軸のかたいところをとり除き、薄切りにする。

③ **しめじとまいたけ**は小房に分ける。

2 煮る

④ 鍋に①、②、③の**きのこ**と**なめこ**、**昆布**、**酒**、**みりん**を入れて火にかける。煮立ったら、中火よりやや弱い火加減で、2～3分煮る。

⑤ ④に**しょうゆ**、種をとった**赤唐辛子**を加え、煮汁が少なくなるまで④と同じ火加減で煮る。

⑥ 器に盛りつけ、**ゆずの皮**の細切りをのせる。

ヒント
大根おろしをかけて食べてもおいしい。

〈ちりめんじゃこの山椒煮〉

100 kcal 1人分

1 下ごしらえ

① **ちりめんじゃこ**は、余分な塩気をとるため、ザルに入れてたっぷりの熱湯を全体に回しかける。

2 煮る

② 鍋に**酒**、**みりん**を煮立て、アルコール分を飛ばしてから**酢**、**しょうゆ**を加える。

③ ②が煮立ったら①の**ちりめんじゃこ**を加える。

④ **さんしょうの実のつくだ煮**も加え、弱火で汁気がなくなるまで菜箸で混ぜながら炒り煮する。

⑤ ④をフライパンに移して、さらに弱火で乾かすようにかき混ぜながら、から炒りにして仕上げる。

＜材料＞ 4人分

ちりめんじゃこ ……………………150g
さんしょうの実のつくだ煮…大さじ2
煮汁
- 酒 ……………………………$\frac{1}{3}$カップ
- みりん………………………大さじ1
- 酢……………………………小さじ2
- しょうゆ……………………大さじ2

ヒント

パラパラに仕上げたいときは、耐熱皿に広げ、ラップなしで500wの電子レンジで3分加熱、全体をかき混ぜた後、さらに2分加熱する。

〈昆布のつくだ煮〉

141 kcal
1人分

1 下ごしらえ

❶ かたくしぼったふきんで汚れをふきとった**昆布**は、1.5㎝角の正方形に切る。

2 煮る

❷ 鍋に❶の**昆布**と、**水**、**酢**、**酒**を加えて火にかけ、煮立ったら弱火にして20分くらい煮る。途中、浮いたアクはとり除く。

ここがコツ！

酢を入れて煮ると昆布がやわらかくなる。酢の代わりに梅干しを2個加えて煮てもよい。

❸ ❷に**しょうゆ**を加えて煮立て、落としぶたをして弱火で約30分煮含める。

❹ ❸に**みりん**を加えて弱火で煮、煮汁がほとんどなくなってきたら中火にし、鍋返しをしながらつやよく煮つめる。

❺ ❹を熱いうちに広いバットなどにあけて冷まし、表面のつやを出して仕上げる（つやは自然に出る）。

＜材料＞	4人分
昆布（乾燥）	100g
水	4カップ
酢	大さじ2
酒	$1\frac{1}{2}$カップ
しょうゆ	$\frac{1}{2}$カップ
みりん	大さじ4

漬け物

＜材料＞　4人分

なす……………………… 300g（4本）
しょうが ……………………… 20g
みょうが…………………………2個
塩……………………………小さじ1
昆布 ……… 5〜6cm長さのもの1枚
炒り白ごま ……………………… 適宜

＜なすの刻み漬け＞

16 kcal 1人分

1 下ごしらえ

❶ **なす**はへたをとり、縦半分にし、さらに2㎜厚さの斜め薄切りにする。水にさらしてから水気をふきとる。

❷ **しょうが**は皮をむいて、細切り、**みょうが**は縦半分にしてから薄切りにする。それぞれ水によくさらしてから、水気をきる。

2 漬ける

❸ ボウルに❶、❷と分量の**塩**を入れ、手でよくもむ。しんなりしたら、**昆布**を加えて落としぶたをし、2㎏くらいの重しをのせ、3時間ほどおく。

❹ ❸の水気をよくきって器に盛り、あらく刻んだ**炒り白ごま**をふりかける。

〈キャベツときゅうりの即席漬け〉

32 kcal 1人分

1 下ごしらえ

❶**キャベツ**は4～5㎝長さの短冊切り（P25参照）にする。

❷**きゅうり**は縦半分に切り、斜め薄切りにする。

❸**にんじん**は4～5㎝長さの細切りにする。

❹**青じそ**は手で細かくちぎっておく。

❺**赤唐辛子**は種をとり、小口切りにする。

ヒント

赤唐辛子が乾燥しすぎて扱いにくいときは、ぬるま湯につけ、やわらかくもどしてから使う。

＜材料＞　4人分

キャベツ	400g（1/4個）
きゅうり	2本
にんじん	30g
青じそ	4～5枚
塩	小さじ2
昆布	5～6cm長さのもの1枚
赤唐辛子	1/2本

2 漬ける

❻ボウルに**キャベツ**、**きゅうり**、**にんじん**、**青じそ**と分量の**塩**を入れ、野菜がしんなりするまで手でもむ。

❼❻がしんなりしたら**昆布**、**赤唐辛子**を加え、さっと混ぜ合わせる。

❽❼のボウルに落としぶたをして、1㎏の重し（または皿を重ねる）をのせ、3時間くらいおく。

❾❽の水気をしっかり絞ってから器に盛る。

おいしいごはんの炊き方

1 米を洗う（とぐ）

❶ボールに水をため、一気に米を入れてさっと洗い、水を捨てる。

これは米の表面についているぬかを洗う作業で、ゆっくりやっていると米が水にとけたぬかを吸ってしまうので、注意。

昔は力を入れて行う作業だったが、いまは精米技術が発達しているので、それほどギューギューやらなくても大丈夫。

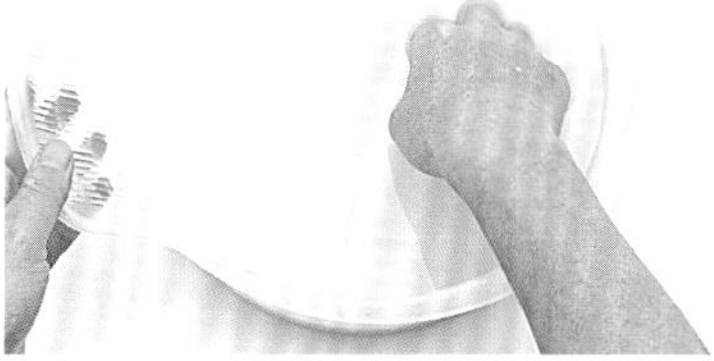

❷再び水を入れ、手のひらで米をこするようにして洗い、水を捨てる。これを3〜4回（水がにごらなくなるまで）繰り返す。

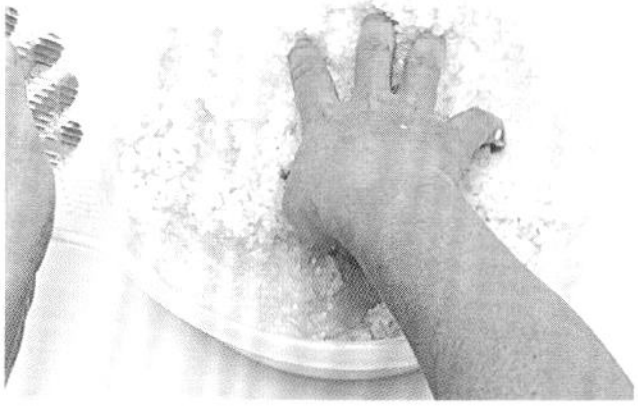

目安としては、夏は30分、冬は40分程度おく。

❸水を入れ、米の芯まで水が吸収されるまでしばらくおく。

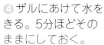

❹ザルにあけて水をきる。5分ほどそのままにしておく。

2ごはんを炊く

炊飯器に米と分量の水を入れ、スイッチを入れる。

3ごはんが炊けたら

炊けたら、水にぬらしたしゃもじを、まずごはんと内釜の間に入れて、底のほうから数回大きく返す。

おひつに入れると、余分な水分が吸収されて、おいしさが保たれる。

炊き込みごはんのコツ

●具と米をよいバランスで入れる

炊き込む具の分量は、米の約2割がちょうどおいしくできる。

●炊き込む具に合った味つけをする

【塩味の合う材料】

豆類、いも類、木の実など、炭水化物系の材料や菜類。

【しょうゆ味の合う材料】

たけのこのようなアクの強い野菜や魚介類、肉類などのたんぱく質系。

〈五目炊き込みごはん〉

358 kcal
1人分

1 下ごしらえ

❶ **米**はよく洗って30分くらい水につけておき、ザルにあけ、5分ほどおいて水をきる。

❷ **干ししいたけ**は2/3カップくらいの**水**につけてもどす。水気を絞ってから軸を切り落とし、薄切りにする。**もどし汁**はこしておく。

❸ **鶏肉**は1.5㎝くらいの角切りにし、**酒**少々をふりかけておく。

❹ **ごぼう**はささがき（P27参照）にし、水にさらす。

❺ **こんにゃく**はゆでてから、3㎝長さの短冊切り（P25参照）にする。

❻ **にんじん**は3㎝長さの細切りにする。

❼ **油揚げ**は熱湯をくぐらせて油抜きをし、3㎝長さの細切りにする。

❽ **さやいんげん**は色よく塩ゆでし、3㎝長さの斜め薄切りにする。

2 炊く

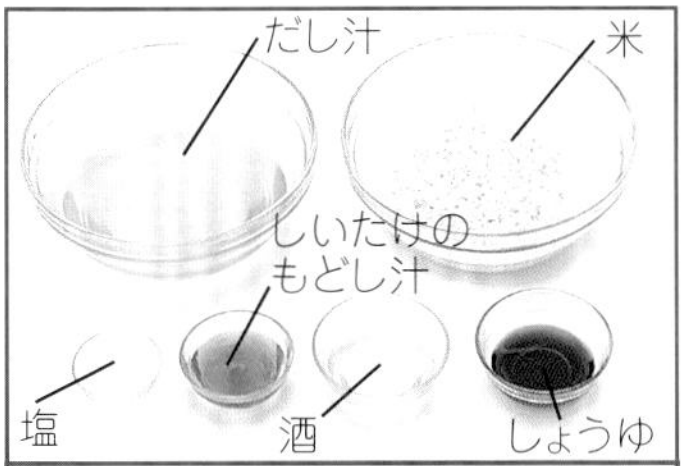

❾ 炊飯器に洗った**米**と**煮汁の調味料**を入れ、**さやいんげん以外のすべての具**を入れて混ぜ合わせ、ふつうのごはんと同様に炊く。

＜材料＞　4人分

米	2カップ（400cc）
鶏肉（もも肉）	100g
酒	少々
ごぼう	40g
こんにゃく	1/4丁
にんじん	40g
干ししいたけ	2枚
油揚げ	1/2枚
さやいんげん	4〜5本
煮汁	
だし汁、干ししいたけのもどし汁	合わせて2 1/3カップ
酒	大さじ2
しょうゆ	大さじ1
塩	小さじ2/3

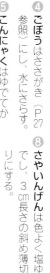

⑩ 炊き上がったら10分ほど蒸らし、**さやいんげん**を加えて全体を混ぜ合わせ、器に盛る。

ヒント

好みでもみのりをかけていただいてもおいしい。

仕上がり

〈たけのこごはん〉

329 kcal
1人分

1 下ごしらえ

① **米**はよく洗って30分くらい水につけておき、ザルにあけ、5分ほどおいて水をきる。

② **たけのこ**の穂先は3㎝長さの薄切りにする。かたい根元のところは、薄い半月切り、またはいちょう切りにする。

③ **油揚げ**は熱湯に通して油抜きをし、3㎝長さの細切りにする。

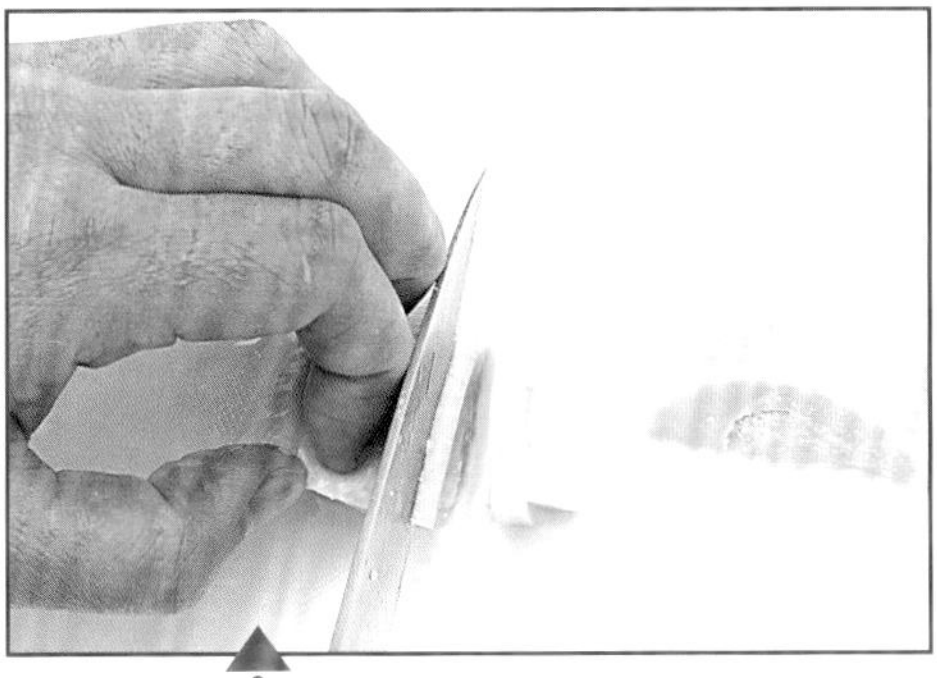

ここがコツ!

たけのこは根元と穂先の部分ではかたさが違うので、根元は薄切りに、穂先は繊維に沿って縦長に切ると歯ごたえがある。

2 炊く

④ 炊飯器に**米**、**たけのこ**、**油揚げ**を入れ、**ごはんの味つけの材料**を加えてふつうのごはんと同様に炊く。

⑤ 炊き上がったら10分くらい蒸らす。

⑥ 水でぬらしたしゃもじで全体を大きく混ぜ、器に盛って**木の芽**をのせる。

仕上がり

〈材料〉　4人分

米	2カップ(400cc)
たけのこ(ゆでたもの)	120g
油揚げ	⅔枚
木の芽	8～12枚
ごはんの味つけ	
昆布だし	2⅓カップ
薄口しょうゆ	大さじ2
塩	小さじ⅓
酒	小さじ2
みりん	小さじ2

〈まつたけごはん〉

305 kcal 1人分

1 下ごしらえ

❶ **米**はよく洗って30分くらい水につけておき、ザルにあけ、約5分おいて水をきる。

❷ **まつたけ**は薄い**塩水**（分量外）で汚れをさっと落とし、よく水気をふきとる。石づきはけずりとって薄切りにし、**下味**をつけておく。

❸ **油揚げ**は熱湯をくぐらせて油抜きをし、3㎝長さの細切りにする。

2 炊く

❹ 炊飯器に**米**、**まつたけ**、**油揚げ**、**ごはんの味つけの材料**を入れ、ふつうのごはんと同様に炊き上げる。

❺ 炊き上がったら10分くらい蒸らし、全体を混ぜ合わせ、器に盛って**ゆずの皮**の細切りを散らす。

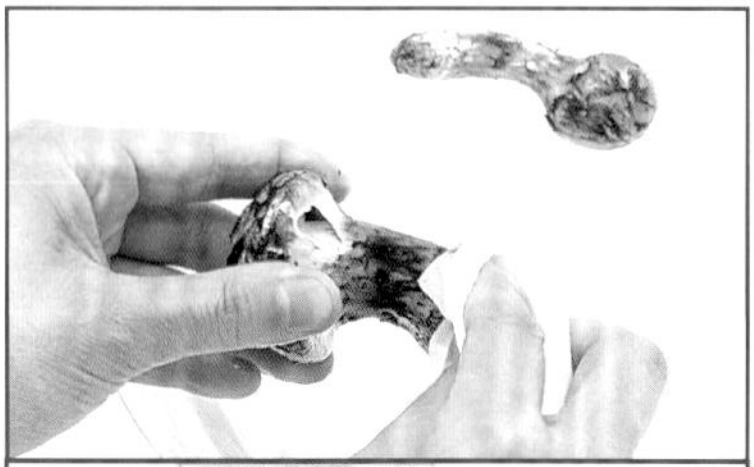

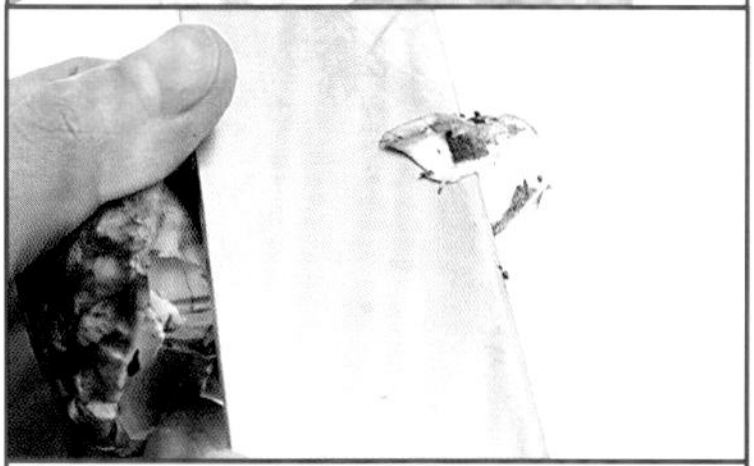

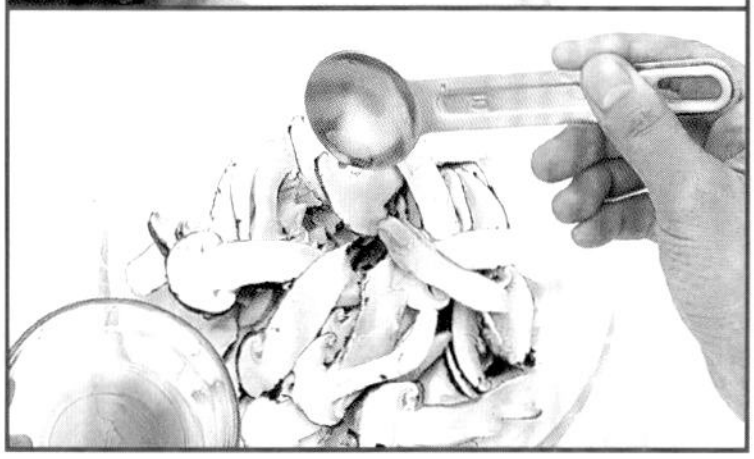

仕上がり

＜材料＞　4人分

米……………………2カップ（400cc）
まつたけ…………………………………60g
まつたけの下味
- 酒……………………………小さじ1
- 薄口しょうゆ…………………小さじ1

油揚げ…………………………………½枚
ゆずの皮………………………………適宜
ごはんの味つけ
- 昆布だし…………………2½カップ
- 塩……………………………小さじ½
- しょうゆ…………………小さじ1½
- 酒……………………………小さじ2

〈えんどうごはん（グリンピースごはん）〉

307 kcal 1人分

＜材料＞　4人分

米……………… 2カップ（400cc）
えんどう豆（むき身）……$2/3$カップ
（さやつきなら約300g）
ごはんの味つけ
- 水 ……………………$2\frac{1}{3}$カップ
- 酒 ……………………大さじ1
- 塩 ……………………小さじ$1/2$

1 下ごしらえ

① **米**はよく洗って30分くらい水につけたあとザルにあけ、5分ほどおいて水をきる。

② **えんどう豆**は、さっと水洗いし、水気をきって**塩**少々（分量外）をふりかけ、軽く混ぜて10分くらいおく。水洗いして、水気をふきとる。

2 炊く

③ 炊飯器に①の**米**を入れ、**ごはんの味つけの調味料**と**えんどう豆**を加えて全体を混ぜ合わせ、ふつうのごはんと同様に炊く。

④ 炊き上がったら蒸らし、水でぬらしたしゃもじで軽くきるように混ぜ、器に盛る。

ここがコツ！

豆にシワがよったり、色が悪くなるのが気になる場合は、少々味が落ちるが、色よくゆでた豆を炊きあがったごはんに加えてもいい。

〈栗おこわ〉

365 kcal 1人分

1 下ごしらえ

①**もち米**はよく洗ってから、たっぷりの水に一晩（7〜8時間）つける。炊く30分前にザルにあけ、水気をきる。

②**栗**は熱湯に10分ほどつけてから、鬼皮（外側の皮）を包丁でむく。次に、底の部分を切り落とし、底のほうからとがったほうに向けて渋皮をむく。大きいものは2等分にし、さっと水洗いする。

③蒸し器の上段にぬれ布巾を敷き、①と②を混ぜ合わせたものを平らにおく。湯気が通りやすくするために、中央を少しあけておく。

2 蒸す

④蒸気の上がった下段の蒸し器に③をのせ、ふたをして40分ほど蒸す。途中3回くらい**打ち水**（P165参照）をする。

⑤蒸しあがったら④を飯台かバットにあけ、大きく広げてあら熱をとる。かたく絞ったぬれ布巾をかけて冷ます。

ヒント

栗は渋皮をむいたら、焼きみょうばんを入れた水にさらしてから使うと、鮮やかな色がでる。

＜材料＞　4人分

もち米　2カップ（400cc）
栗……………………20粒
打ち水
- 水……………1カップ
- 酒……………小さじ2
- 塩……………小さじ⅔

仕上がり

〈赤飯（おこわ）〉

465 kcal 1人分

1 下ごしらえ

❶ **ささげ**は洗ってから鍋に入れ、たっぷりかぶるくらいの**水**を加えて火にかけ、沸騰したらゆで汁を捨てる。

❷ 再びかぶるくらいの**水**と一緒に火にかけ、沸騰したら、ささげが踊らない程度の火加減でかためにゆでる。途中、ささげがゆで汁から出ないように、ときどき半カップ程度の差し水をする。

❸ ゆであがったらザルにあげ、冷めたらラップをかけておく。**ゆで汁**はとっておく。

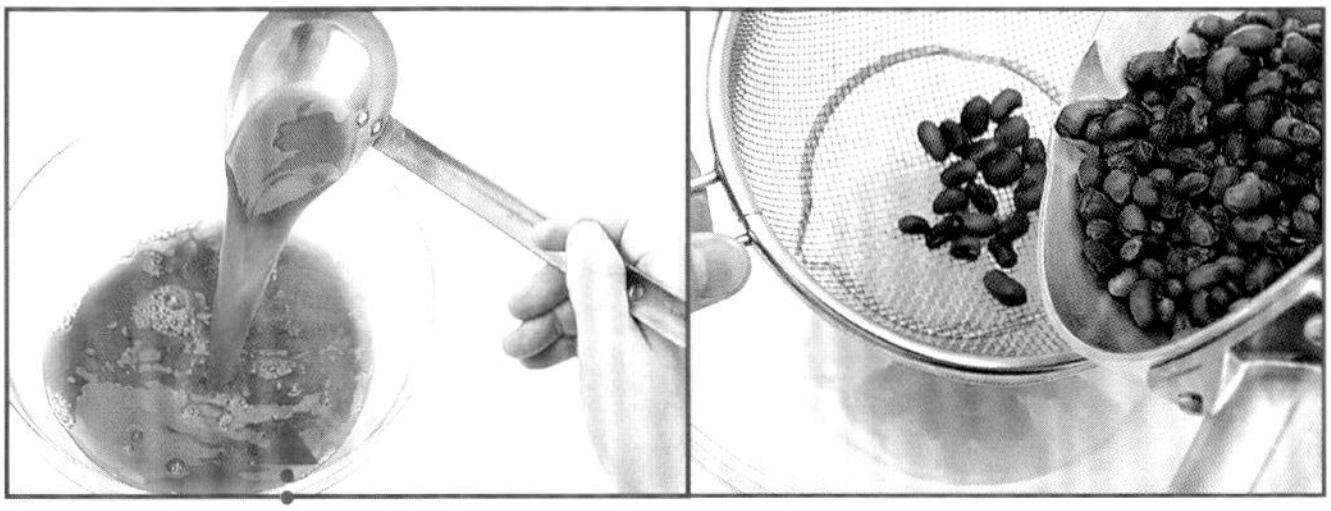

ここがコツ！

ザルの下にボウルを置いて、ゆで汁を受け止めるといい。ゆで汁は、おたまで空気を入れるようにかき混ぜると、酸化されて色よくなる。

❹ **もち米**はよく洗ってから、水気をきり、**ささげのゆで汁**を冷ましたものに水を足して一晩つける。

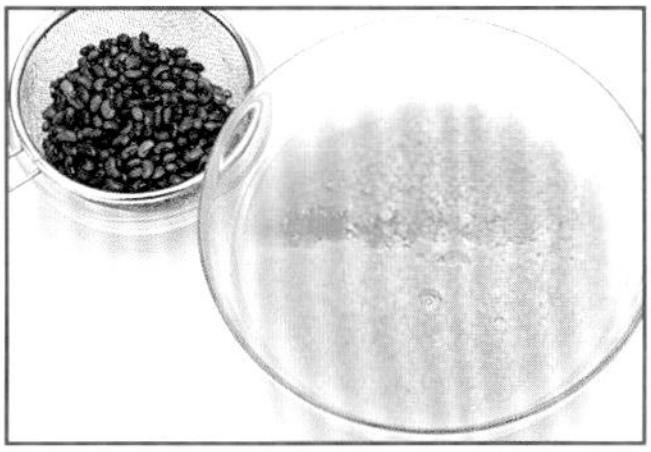

＜材料＞ 4〜6人分

もち米………… 3カップ（600cc）
ささげ（または小豆）…1/3カップ
（もち米の約1割）

打ち水
- つけ汁 ……………………2カップ
- 塩 ……………………小さじ1/2

ごま塩
- あら塩 ……………………小さじ1
- 炒り黒ごま ……………大さじ1

❺ 蒸す30分前になったら**もち米**をザルにあげ、水気をきる。**もち米**と**ささげ**を混ぜ合わせる。❹の**つけ汁**は打ち水に使うので、とっておき、**塩**を混ぜておく。

2 蒸す

❻ 蒸し器の上段にぬれ布巾を敷いて**もち米**と**ささげ**を入れ、外側はあけて平均にならす。中央の部分をくぼませ、蒸気の通りをよくする。

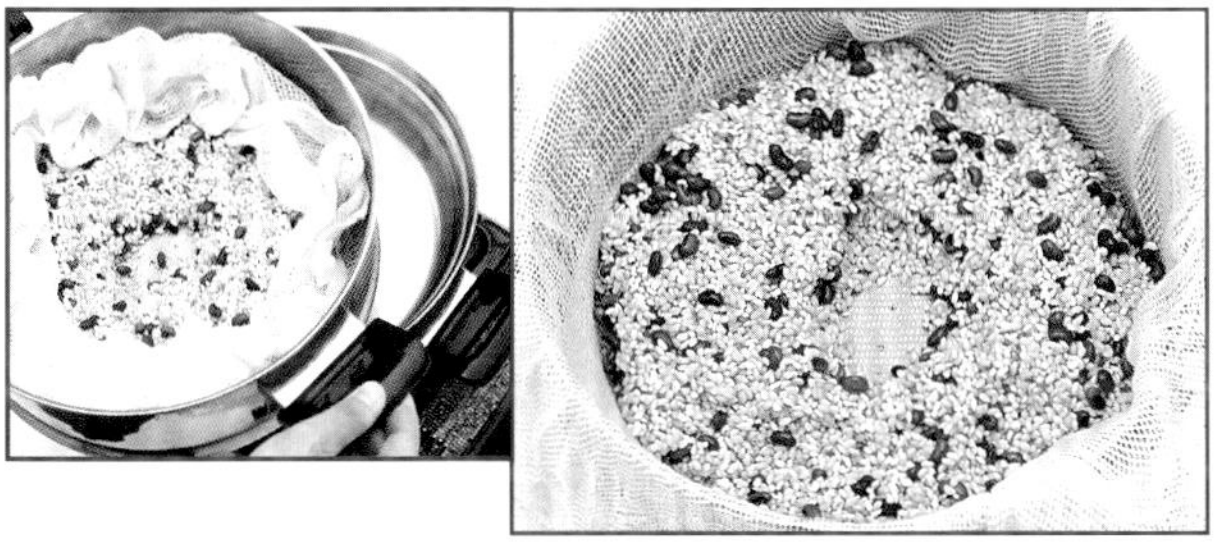

⑦
上段にのせ、ふたに別のぬれ布巾を燃えないようにかぶせ、蒸気のあがった下段の蒸し器にのせて強火にかける。

⑧
15〜16分ほど蒸して**打ち水**をする。さらに8〜10分おきに打ち水をしてやわらかく蒸し上げる。

⑨
蒸し上がったら飯台などにあけてうちわで手早く冷まし、つやよく仕上げる。

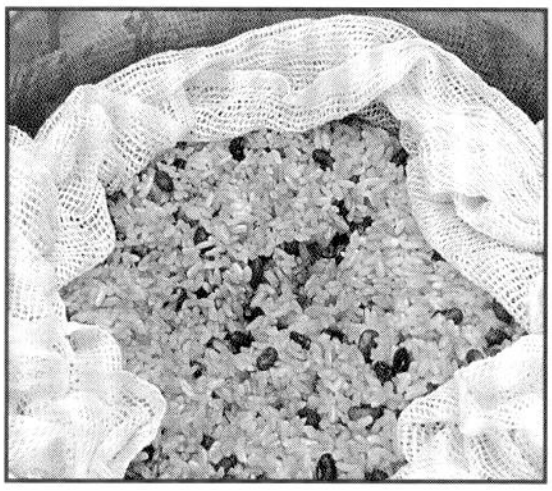

⑩
あら塩を弱火で炒り、さらさらになったら火を止め、**炒り黒ごま**を混ぜ、ごま塩を作る。

⑪
赤飯に**ごま塩**をかけていただく。

仕上がり

応用

●電子レンジでつくる赤飯

<材料>　4人分
もち米……… 3カップ(600cc)
ささげ(または小豆)…… 1/3カップ

作り方
①**もち米**は洗って約30分〜1時間水につけてザルに5分くらいあげておく。
②**ささげ**はひたひたより少し多めの水を入れて中火で3分くらいゆで、沸騰させたら水を捨てる。
③②の4〜5倍の**水**を入れ、沸騰したら**差し水**を1/2カップ加え、中火よりやや弱火にして、小豆を少しかためにゆでる。
④耐熱ボウルに**もち米**と**ささげ**、**ゆで汁**480cc（足りなければ水を足す）を入れ、よく混ぜ合わせる。

⑤④にラップをふんわりとかけ、レンジで約10分加熱したらラップをはずし、全体をよく混ぜ、再びラップをして約10〜12分加熱したらできあがり。

〈親子丼〉

524 kcal 1人分

1 下ごしらえ

① **鶏肉**は一口大のそぎ切りにする。

② **玉ねぎ**は縦半分に切り、薄切りにする。

③ **切り三つ葉**は2～3㎝長さに切る。

④ **卵**は軽く溶きほぐす。

2 煮て、ごはんにのせる

⑤ 鍋に**みりん**を入れて煮きり（アルコール分をとばす）、**しょうゆ**、**だし汁**を加えてひと煮立ちさせる。**鶏肉**、**玉ねぎ**を入れて、材料がやわらかくなるまで煮る。

⑥ 丼鍋または小さめのフライパンに⑤の1人分を入れ、煮立ったら、1人分の**溶き卵**を箸づたいに「の」の字を描くように流し入れる。

⑦ 半熟状になったら、**三つ葉**を散らしてふたをして火を止め、蒸らす。

＜材料＞　4人分

ごはん	丼４杯分
鶏肉（胸肉）	150g
玉ねぎ	200g（1個）
卵	4個（Lサイズ）
煮汁	
みりん	大さじ4
しょうゆ	大さじ4
だし汁	1¼カップ
切り三つ葉	8本
針のり	適宜

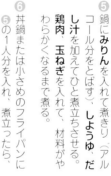

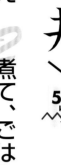

❽丼に**ごはん**を小高く盛り、鍋を傾けて、形をくずさないように注意しながら鍋肌をすべらせるようにして**ごはん**にかける。**針のり**をのせる。

ここがコツ！

ごはんに具をのせるときは、左手に丼を持ち右手に鍋を持って、ずらしながら移すとうまくいく。

仕上がり

〈牛丼〉

647 kcal 1人分

1 下ごしらえ

① **牛肉**は3〜4㎝長さに切る。

② **玉ねぎ**は8㎜幅のくし型に切る。

③ **わけぎ**は斜め輪切りにする。

2 煮て、ごはんにのせる

④ 鍋に煮汁の**みりん**、**酒**を入れて火にかけ、煮立ったら**残りの煮汁の材料**を加える。

⑤ 再び煮立ったら**玉ねぎ**を入れて2分煮、次に**牛肉**を入れて煮る。材料が味を含んだら、**わけぎ**を加えてさっとひと煮立ちさせ火を止める。

⑥ 丼にアツアツの**ごはん**を盛り、⑤の1人分をのせ、真ん中に**卵黄**1個を静かにのせる。仕上げに**煮汁**を少し回しかける。

＜材料＞ 4人分

ごはん	丼4杯分
牛肉（薄切り）	200g
玉ねぎ	200g（1個）
わけぎ	2本
煮汁	
みりん	大さじ2
酒	大さじ2
しょうゆ	大さじ4
砂糖	大さじ3
だし汁	1カップ
卵黄	4個分

仕上がり

〈まぐろのづけ丼〉

536 kcal 1人分

1 下ごしらえ

❶ **まぐろ**は刺し身を切る要領（P36参照）で切る。

❷ **漬けじょうゆの調味料**を合わせてまぐろを入れ、5〜6分漬ける。

2 ごはんにのせる

❸ **ごはん**1人分を丼に盛り、**焼きのり**を手で細かくちぎって散らす。

❹ その上に❷の**たれ**をかけ、**まぐろ**を並べる。**青じそ**の細切りと、**本わさび**のおろしたものをのせる。味が薄いときはしょうゆをかけていただく。

ヒント

ごはんがすし飯になると鉄火丼になる。

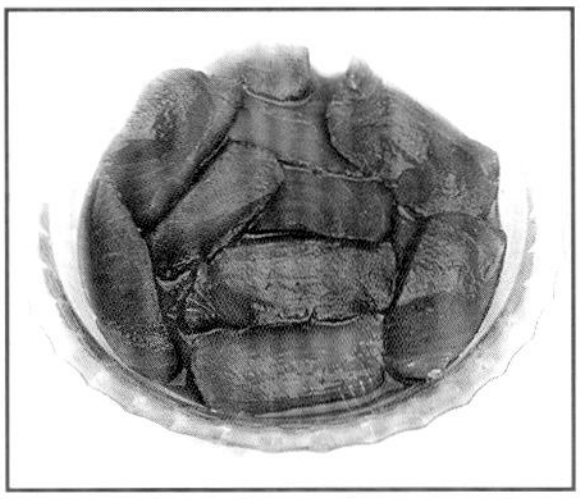

＜材料＞ 4人分

ごはん	丼4杯分
まぐろの刺し身	320g
漬けじょうゆ	
しょうゆ	大さじ2½
酒	大さじ2½
みりん	小さじ1⅓
焼きのり	2枚
青じそ	8枚
本わさびのおろしたもの（または練りわさび）	適宜

〈うな重〉

821 kcal
1人分

1 下ごしらえ

① **うなぎのかば焼き**は1尾を2〜3等分に切り分け、蒸し器で温めるか、アルミホイルに包んで焼き網を使って両面を温める。

② 鍋にタレの**みりん**を入れて煮きり（アルコール分をとばす）、**しょうゆ**を加えてさっと煮る。

ヒント
アルミホイルに包んで、グリルかオーブントースターで温めてもよい。

＜材料＞ 4人分

ごはん	丼4杯分
うなぎのかば焼き（市販）	2尾分
タレ	
みりん	大さじ6
しょうゆ	大さじ4
粉ざんしょう	適宜

2 ごはんにのせる

③ 器に熱々の**ごはん**を盛り、②の**タレ**を少しかけ、**うなぎ**の身を上にしてのせる。さらにタレをかけ、仕上げに**粉ざんしょう**をふりかける。

仕上がり

〈鮭茶づけ〉

493 kcal 1人分

＜材料＞　4人分

ごはん………茶わん４杯分
塩鮭 ……………………2切れ
切り三つ葉 ………… 1/2束
炒り白ごま ………大さじ1
焼きのり …………………1枚
小粒あられ ………小さじ2
お茶（熱い煎茶）……適宜

ここがコツ!

ごはんとお茶の割合は4：6がよい。

1 下ごしらえ

❶ **塩鮭**は網で焼き、骨と皮を除いて身をほぐしておく。

❷ **切り三つ葉**は3㎝長さに切り、**炒り白ごま**はあらく刻む。**焼きのり**は手で細かくもむか、細切りにする。

2 ごはんにのせ、お茶を注ぐ

❸ 炊きたての**ごはん**（または熱々にあたためたもの）にほぐした**鮭**をのせ、❷の**ごま**、**三つ葉**を散らし、熱い**煎茶**を注ぐ。いただく直前に**焼きのり**、**小粒あられ**を散らす。

仕上がり

〈おにぎり〉

396 kcal
1人分

1 下ごしらえ

❶ **塩鮭**は網で焼き、骨と皮を除いて身をあらくほぐしておく。

❷ **たらこ**は焼いて、一口大に切る。

❸ **小梅**は種をとっておく。

2 にぎる

❹ 両手を**水**につけて**塩**を少々まぶす。

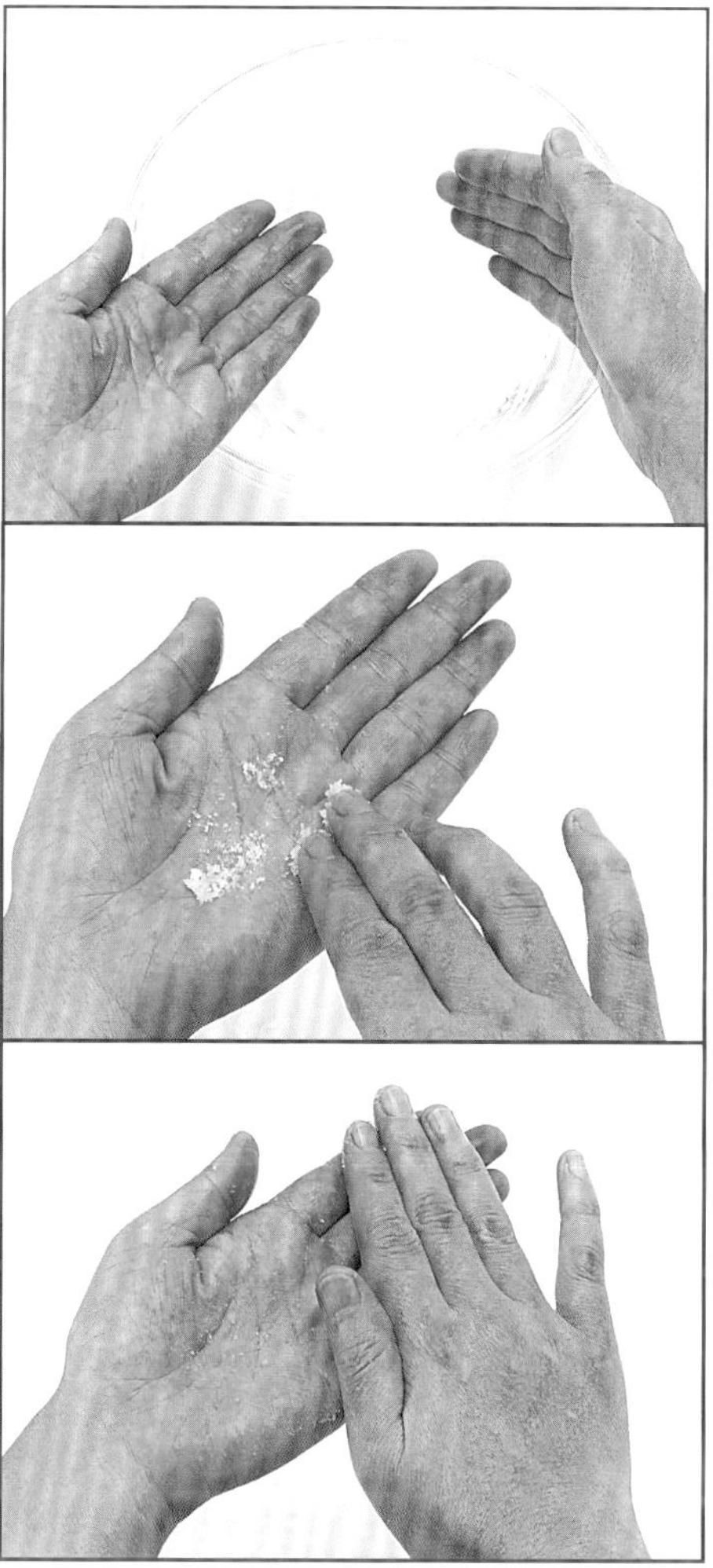

＜材料＞　4人分

鮭おにぎり

- 塩鮭………80g（切り身一切れ）
- ごはん …80g（茶わん1杯分）×4
- 焼きのり ……………………… 適宜

たらこおにぎり

- たらこ ……………………小1/2腹
- ごはん ……… 80g（1杯分）×4
- 焼きのり ……………………… 適宜

小梅おにぎり

- 小梅 ……………………………4個
- ごはん ……… 80g（1杯分）×4
- 焼きのり ……………………適宜

あら塩 ………………………適宜

❺ **ごはん**をのせて広げ、中央に**具**をのせ、具を包み込むようににぎってひとまとめにする。

❻ 俵、三角、丸と、好みの形に整える。

（丸いおにぎり）

下側の手でにぎり、上側の手は丸みをつけて手前に回しながら形を整える。

（三角おにぎり）

左手にのせ、上側になる右手は「く」の字に曲げて、手前に回しながら三角形に整えながらにぎる。

（俵おにぎり）

下側の手でおにぎりを支え、上側の手で両端をおさえながら横にころがすようにして形を整える。

⑦俵おにぎりや三角おにぎりには、1枚を6～8等分に切った**焼きのり**を巻く。丸いおにぎりには、帯状に切ったのりを巻く。

ヒント

その他の具として、山椒《さんしょう》ちりめんじゃこ、きゃらぶき、塩昆布、おかかのしょうゆまぶしなどもおすすめ。

〈かに雑炊〉

172 kcal 1人分

＜材料＞　4人分

ごはん …………………… 400g
かにの身(ゆでたもの)…… 100g
切り三つ葉 ……………… 1/2束
針のり ………………… 適宜
煮汁
　だし汁 ………………4カップ
　塩 ……………………小さじ1
　薄口しょうゆ …………小さじ2
　酒 ……………………小さじ1

1 下ごしらえ

❶ **かにの身**は軟骨をとり、あらくほぐす。

❷ **ごはん**はザルに入れ水洗いし、ぬめりを落とし、水気をきる。

❸ **切り三つ葉**は3㎝長さに切る。

ここがコツ!

さらっとしたでき上がりにするため、ごはんはよく水で洗って、一粒、一粒をぱらぱらにしておく。

2 煮る

❹ 鍋に煮汁の材料の**だし汁**を煮立て、**残りの調味料**と**ごはん**を加える。再び煮立ってきたら、**かにの身**を加える。

❺ アクをとり、再び煮立ったら**切り三つ葉**を散らし、火を止める。

❻ 仕上げに**針のり**をのせる。

仕上がり

〈白がゆ〉

143 kcal 1人分

＜材料＞	4人分
米	1カップ（200cc）
水	5カップ
塩	少々
具（塩昆布、さんしょうちりめんじゃこ、梅干しなど）	適宜

1 下ごしらえ

❶ **米**はよく洗って30分ほどザルにあげ、水気をきる。

2 炊く

❷ 土鍋（また厚手の鍋）に❶と分量の**水**を加え、煮立つまで強火にかける。

❸ 沸騰したら、少しずらしてふたをし、ふきこぼれない程度の弱火にし、水の量が3分の2くらいになるまでかき混ぜないでゆっくりと炊く。

❹ 仕上げに**塩**を加え、ひと混ぜして火を止める。ふたをして5～6分蒸らしてできあがり。

❺ 器に盛り、好みの**具**を添える。

ここがコツ！

炊いている途中でかき混ぜすぎると、焦げたり、粘りが出てしまうので注意。

おすし

●すしめしの作り方●

<材料> 4人分(できあがり1200g)

米 …………………3カップ(600cc)
水 ……………………………3カップ
昆布(8cm角) ………………1枚
すし酢
　酢 ………………………⅓カップ
　砂糖 …………………⅓カップ弱
　塩 ……………………小さじ2弱

1. **米**は炊く30分前に洗い、ザルにあげて水気をきる。
2. 昆布だしをとる。分量の**水**に**昆布**を30分ほどつけておき、昆布をとり出す。
3. 炊飯器に**米**と**昆布だし**を入れ、ふつうのごはん同様に炊きあげたら5〜6分蒸らす。
4. **すし酢の調味料**を合わせておく。
5. 飯台はあらかじめ水に浸しておき、水気をふきとったら**ごはん**をあける。

6. しゃもじづたいに**すし酢**をふり入れ、しゃもじで切るように混ぜる。

7. すし酢がなじんだらうちわであおぎ、水分をとばし、つやよく仕上げる。

〈手巻きずし〉

755 kcal 1人分

＜材料＞　4人分

すしめし（P176参照）…1000g
青じそ（細切り用）……………8枚
炒り白ごま ……………大さじ2
具
- まぐろ ……………………200g
- えび ……………………4〜6尾
- 厚焼き卵 ……………………1本
- いくら ……………………大さじ4
- 辛子明太子 …………$\frac{1}{2}$腹分
- 納豆 ……………………1パック
- 練り辛子、しょうゆ……適宜
- 万能ねぎ……………………適宜
- かにかまぼこ …………4〜6本
- きゅうり ……………………1本

青じそ……………………………適宜
焼きのり ……………………20枚
練りわさび……………………適宜

1 下ごしらえ

①**すしめし**を三つに分ける。一つはそのまま使う。

②もう一つの**すしめし**に、細切りにした**青じそ**を混ぜ、青じそ入りすしめしにする。

③残りの**すしめし**に、あらく刻んだ**炒り白ごま**を混ぜ、白ごま入りすしめしにする。

④**まぐろ**と**厚焼き卵**は巻きやすい太さの棒状に切る。

⑤**えび**はゆでてから、殻をむく。

⑥**辛子明太子**は、薄皮を除いてほぐしておく。

⑦**納豆**は**練り辛子**と**しょうゆ**を加えてよく混ぜ、**万能ねぎ**の小口切りをのせる。

⑧**かにかまぼこ**は巻きやすい太さに切る。

⑨**きゅうり**は7〜8㎝長さの棒状に切る。

⑩**焼きのり**は1枚を四つに切る。

2 盛りつける

⑪大皿に**具**と**青じそ**を彩りよく盛り合わせ、**焼きのり**、**すしめし**、**練りわさび**はそれぞれ別の器に盛る。

⑫各自で好みの具を巻いていただく。

〈ちらしずし（五目ちらしずし）〉

1 具を作る

① **干ししいたけ**は、水につけてもどす。もどし汁はとっておく。

② **高野豆腐**は70～80℃くらいの**湯**（分量外）につけてもどし、水が白く濁らなくなるまで水をかえ、軽く押して水気を絞る。

③ **しいたけ**、**高野豆腐**、**にんじん**は細切りにする。鍋に**味つけ調味料**を煮立て、4～5分煮る。

④ **れんこん**は花型にむいて（P29参照）、薄切りにし、熱湯でさっと煮る。**甘酢**に30分くらい漬け、ザルにあげて汁気をきる。

⑤ **えび**はひたひたの**水**と**塩**少々（分量外）を加え、火にかける。沸騰したら火を止め、ゆで汁につけたまま冷まし、殻をむく。

⑥ **さやえんどう**はスジをとり、塩ゆでにして1.5cm幅の斜め切りにする。

⑦ **錦糸卵**（薄焼き卵の細切り）を作る。

㋐ **卵**をボウルに割り入れ、泡立てないように溶きほぐす（菜箸の先をボウルの底にあてながら混ぜるとよい）。**砂糖**、**酒**、**塩**を入れて味つけをする。

㋑ 卵焼き鍋を熱して薄くサラダ油をひき、卵液の1/3量を流し入れ、全体に広げる。

㋒ 表面が乾いてきたら、鍋と卵焼きの間に菜箸を差し込んで持ち上げ手早く裏返す。

＜材料＞ 4人分

すしめし（P176参照）	900g
干ししいたけ	4枚
高野豆腐	2枚
にんじん	80g
味つけ調味料	
だし汁	1カップ
干ししいたけのもどし汁	100cc
砂糖	大さじ1 1/3
しょうゆ	大さじ1 1/3
れんこん	5cm長さ
甘酢	
酢	1/3カップ
砂糖	大さじ3
塩	小さじ1
えび	8尾
さやえんどう	12枚
錦糸卵	
卵	2個
砂糖	小さじ1
酒	小さじ1/2
塩	ひとつまみ
サラダ油	適宜
針のり、紅しょうが	各適宜

651 kcal 1人分

2 すしめしと具を混ぜる

❽ あたたかい**すしめし**に❸を混ぜ合わせる。

❾ 器に**すしめし**を盛り、**錦糸卵**、**れんこん**、**えび**、**さやえんどう**を彩りよく飾る。仕上げに**針のり**を散らし、**紅しょうが**を添える。

㋓さっと焼いたら盆ザルにとって冷ます。同様にあと3枚焼く。冷めたら細切りにする。

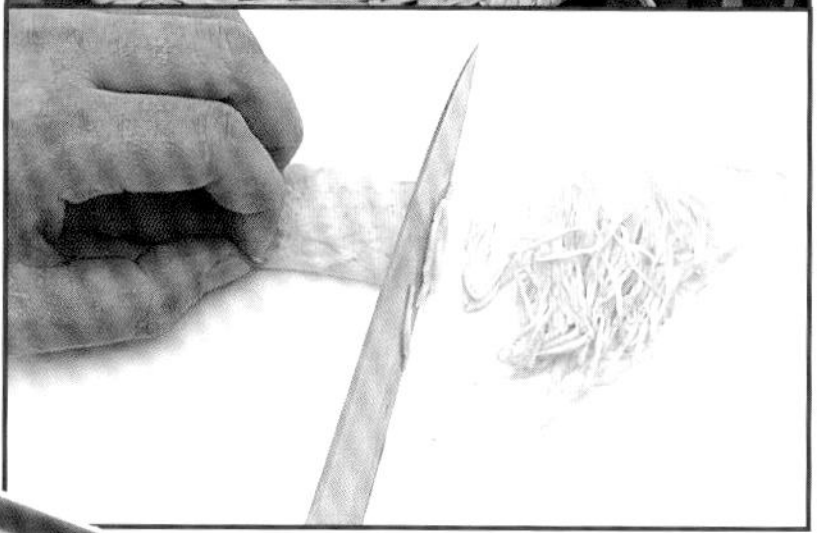

仕上がり

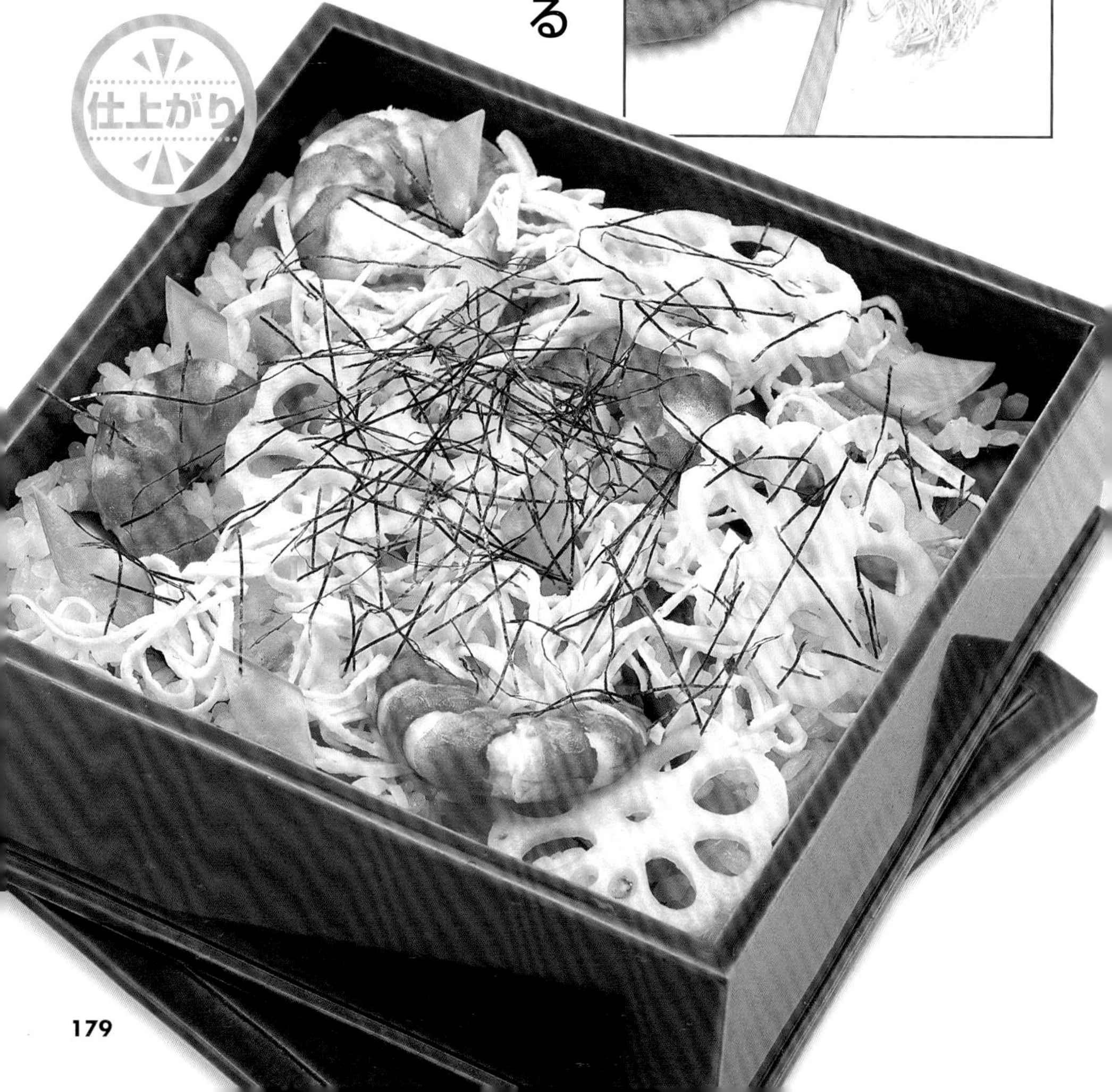

〈太巻きずし〉

607 kcal 1人分

＜材料＞　4人分

- すしめし（P176参照）…1000g（250g×4本）
- 卵焼き（Ｐ96参照）……1本
- かんぴょう（乾燥）……10g
- かんぴょうの煮汁
  - だし汁……1カップ
  - 砂糖……大さじ2
  - しょうゆ……大さじ$1\frac{1}{3}$
- 干ししいたけ……4枚
- 干ししいたけの煮汁
  - 干ししいたけのもどし汁…1カップ
  - 砂糖……大さじ3
  - しょうゆ……大さじ$1\frac{1}{2}$
- 切り三つ葉……小1束
- 焼きのり……4枚
- ガリしょうが……適宜

1 下ごしらえ

① **かんぴょう**は、さっと水でぬらしてから**塩**少々（分量外）をすり込みながらよくもみ、繊維をやわらかくする。そのあと水洗いし、たっぷりの熱湯でつめが立つくらいのかたさまでゆでる。

② 鍋に**かんぴょうの煮汁の調味料**を合わせ、水気をきった**かんぴょう**を入れて中火で煮る。汁気がなくなったらバットに広げて冷まし、のりの長さと同じに切る。

③ **干ししいたけ**はさっと水洗いし、浮かばないように落としぶたをして水でもどす。もどしたしいたけは軸をとる。

④ 鍋にしいたけの**もどし汁**と**砂糖**、**しいたけ**を入れて火にかけ、アクをとりながら3～4分煮る。**しょうゆ**を加え、汁気がなくなるまで煮、最後に鍋をゆすりながらつやよく仕上げる。冷めたら細切りにしておく。

⑤ **切り三つ葉**はさっと塩ゆでにする。

⑥ **卵焼き**は縦6等分の棒状に切る（1本のすしに1本半使う）。

2 巻く

⑦ まきすは表を下、ふさを向こう側にして置く。まきすの上に表を下にして**焼きのり**を置き、**すしめし**250gを軽くまとめてのせる。

ここがコツ！

すしめしは冷ましてからのりに広げる。熱いとのりが破けてしまう。

⑧ 手を**酢水**（分量外）でぬらし、手前から焼きのりの¾程度まで**すしめし**を均一に広げる。向こう側は少し小高くする。

⑨ すしめしの中央に**かんぴょう**、**しいたけ**、**三つ葉**、**卵焼き**を少し重ねて置く。

ここがコツ！

細かい具はいちばん向こう側に並べ、大きい具で壁を作るようにすると、できあがったときに具が真ん中に。

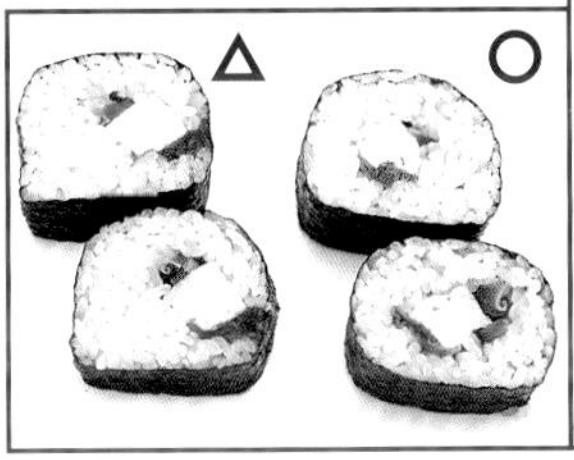

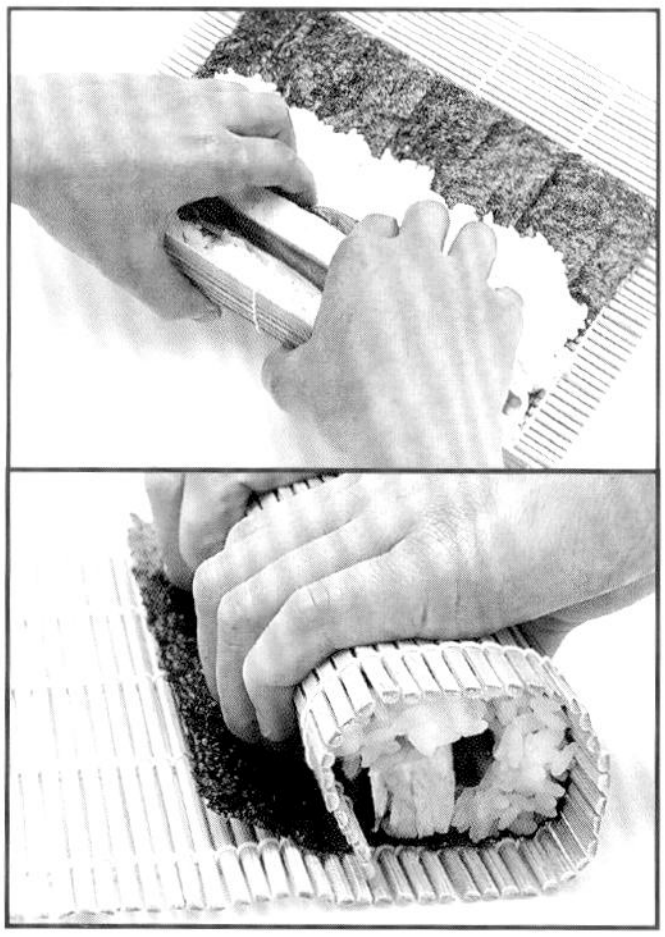

⑩ 具を押さえ、親指と人指し指でまきすを持ち上げ、手前のすしめしと向こう側のすしめしをくっつけるように一気に持ってゆきくるりと巻く。

⑪ はみ出したのりを巻き込み、巻き終わりを下にしてしばらくおいておく。

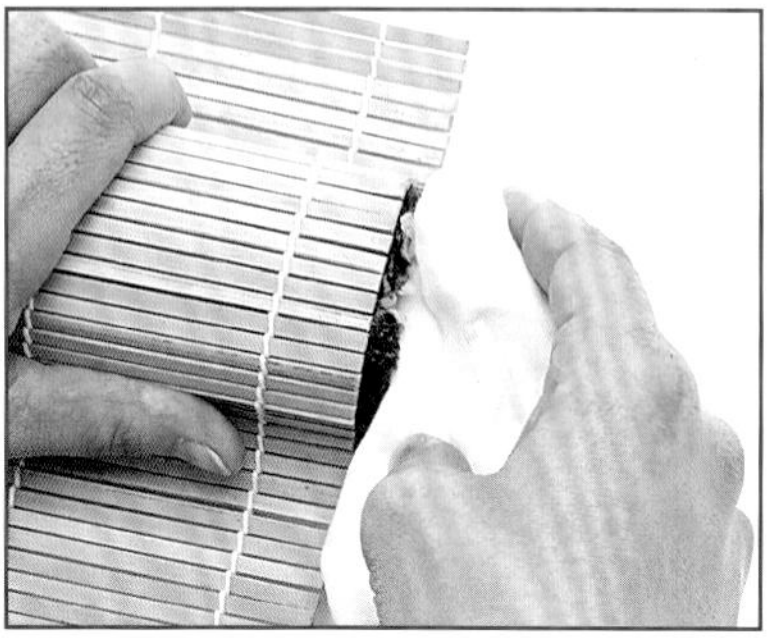

⑫ まきすをはずしたら上からかぶせ、両端のすしめしを中にしっかり押して形をととのえる。

⑬
1本を6〜8等分に切る。包丁は酢水でぬらし、一回切るごとにぬれ布巾でふいて、刃が切れるようにする。

ここがコツ!

切り分けるときは、まず真ん中に包丁を入れてから切り分けると均等になる。

仕上がり

〈細巻きずし〉

459 kcal 1人分

＜材料＞　4人分

すしめし（P176参照）
……………………840g（70g×12本）

かんぴょう巻き（4本分）
- かんぴょう（乾燥）……………10g
- かんぴょうの煮汁
  - だし汁…………………1カップ
  - 砂糖……………………大さじ2
  - しょうゆ　…………大さじ1⅓

かっぱ巻き（4本分）
- きゅうり　…………………½本
- 炒り白ごま………………小さじ1

梅じそ巻き（4本分）
- 梅干し………………………2個
- 青じそ………………………8枚

焼きのり…………………………6枚

紅しょうが　……………………適宜

1 下ごしらえ

❶ **焼きのり**は長い辺を半分に切り、計12枚にしておく。

❷ **かんぴょう巻きの具**を作る。
①**かんぴょう**は、さっと水でぬらしてから**塩**少々（分量外）をすり込みながらよくもみ、繊維をやわらかくする。そのあと水洗いし、たっぷりの熱湯でつめが立つくらいのかたさまでゆでる。

②鍋に**かんぴょうの煮汁の調味料**を合わせ、水気をきった**かんぴょう**を入れて中火で煮る。汁気がなくなったらバットに広げて冷まし、のりの長さと同じに切る。

❸ **かっぱ巻きの具**を作る。
①**きゅうり**は7～8㎝長さの細切りにする。
②**白ごま**はあらく刻む。

❹ **梅じそ巻きの具**を作る。
①**梅干し**は種をとり、包丁でたたいて梅肉を作る。
②**青じそ**は細切りにする。

2 巻く

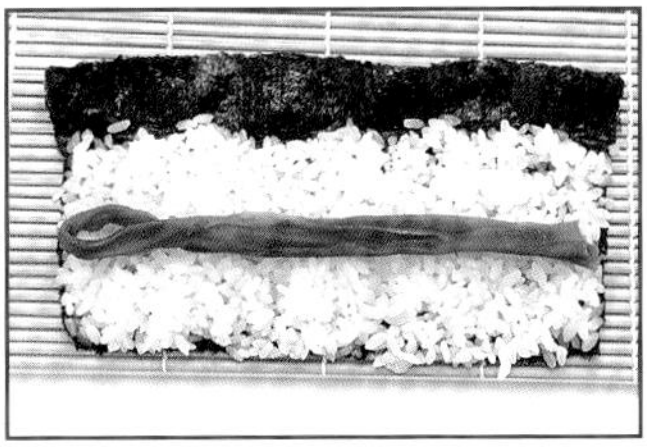

❺ 太巻きすしの要領で巻きすの上に**焼きのり**をのせ、のりの⅔程度に**すしめし**を広げ、**かんぴょう**をすしめしの中央に置く。

❻ すしめしの向こう端と巻きすの手前をくっつけるように巻く。

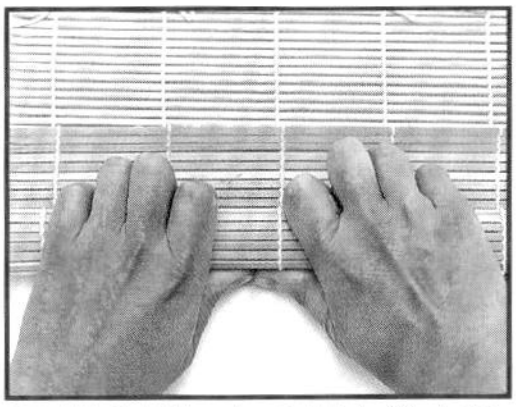

❼ はみ出したのりを巻き込み、きつく握って形を整える。計4本作る。

❽ 同様に、かっぱ巻き、梅じそ巻きを4本ずつ作る。

❾ ぬれ布巾で包丁をふきながら、各細巻き1本をそれぞれ6等分に切り分ける。

❿ 器に盛り合わせ、**紅しょうが**を添える。

〈いなりずし〉

667 kcal
5個分

1 下ごしらえ

❶ **油揚げ**はまな板の上に置き、菜箸を手前から向こう側に転がす（開きやすくするため）。

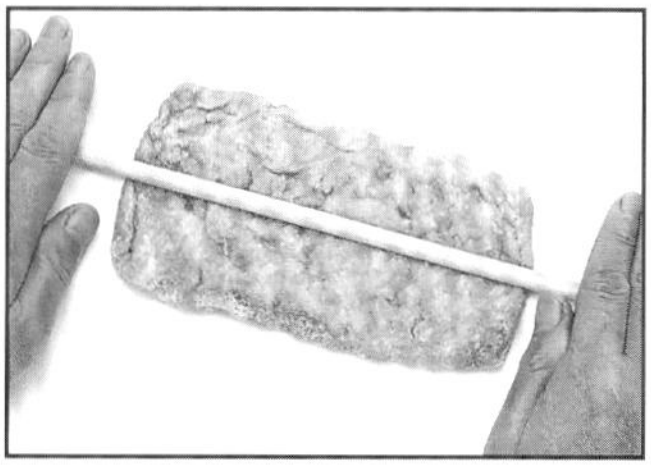

❷ **油揚げ**を二つに切り、中を開いて袋状にする(いなりずし用の油揚げを使うと開きやすい)。

❸ 熱湯で2分ほど煮て油抜きする。

❹ 鍋に**味つけ調味料**の材料を煮立て、水気をきった**油揚げ**を入れ、落としぶたをして中火で煮る。汁気がなくなるまで煮上げ、ザルにあげて冷ます。

❺ **すしめし**を半分にし、一方はあらく刻んだ**炒り白ごま**、もう一方は**ゆずの皮**のすりおろしたものをそれぞれに混ぜる。2種類のすしめしをそれぞれ10等分にして軽くにぎっておく。

2 すしめしを詰める

❻ **油揚げ**の半分はそのまま開き、**白ごま入りすしめし**を詰める。口はしっかり閉じる。

ここがコツ！

油揚げにすしめしを詰めるとき、油揚げは半分くらいめくり返しておくと詰めやすい。

＜材料＞　20個分

油揚げ	10枚
味つけ調味料	
だし汁	2カップ
砂糖	大さじ5
しょうゆ	大さじ4
すしめし（P176参照）	600g
炒り白ごま	大さじ1
ゆずの皮（すりおろし）	1/4個分
はじかみしょうがの甘酢づけ（P95）	8本

❼ 残りの**油揚げ**は裏と表を引っくり返し、**ゆず入りすしめし**を詰める。口はしっかりと閉じる。

❽ 器に盛りつけ、**はじかみしょうが**を添える。

仕上がり

めん類

〈きつねうどん〉

382 kcal 1人分

1 下ごしらえ

① **油揚げ**は熱湯で2〜3分ゆでて油抜きをする。

② 鍋に**味つけ調味料**の材料を煮立て、水気をきった**油揚げ**を入れて弱火で15分くらい煮含める。

2 かけつゆを作り、うどんにかける

③ 別の鍋に**かけつゆの材料**を入れて火にかけ、調味料が溶けてひと煮立ちしたら火を止める。

④ **ゆでうどん**はたっぷりの熱湯にさっとくぐらせてあたためる。器もあたためておき、**万能ねぎ**は小口切りにする。

⑤ 器に湯切りした**うどん**を入れ、**油揚げ**をのせる。熱い**かけつゆ**を注ぎ、**万能ねぎ**をたっぷりとのせる。

＜材料＞　4人分

- ゆでうどん ……………………4玉
- 油揚げ…………4枚(大なら2枚)
- 味つけ調味料
  - だし汁(下段参照)……2カップ
  - 砂糖 ……………………大さじ2
  - 薄口しょうゆ ………大さじ2
- 万能ねぎ ………………5〜6本
- かけつゆ
  - だし汁(下段参照)…6カップ
  - 薄口しょうゆ …………60cc
  - 塩 …………………………小さじ2
  - 砂糖 ……………………大さじ1
  - みりん ……………………小さじ2

めんつゆ用のだし汁の作り方

＜材料＞ 4人分(できあがり6カップ分)

- 煮干し ……………………30g
- 昆布 …………………………10g
- かつお節（けずり節）……20g
- 水………………………7カップ

① **煮干し**は頭と内臓をとり除き、大きいものは縦半分に裂いておく。

② **昆布**はかたく絞った布巾で汚れをとる。

③ 鍋に分量の**水**と**煮干し**、**昆布**を入れて30分くらいおく。

④ 鍋を中火にかけてアクをとりながら煮る。

〈おかめうどん〉

312 kcal 1人分

＜材料＞　4人分

ゆでうどん	4玉
卵焼き(P96参照)	1/2本
鶏肉（もも肉）	100g
ほうれん草	80g
かまぼこ(薄切り)	8枚
切り三つ葉	1/3束
かけつゆ	
だし汁(下段参照)	6カップ
しょうゆ	大さじ2
みりん	大さじ1
砂糖	小さじ2
塩	小さじ1

1 下ごしらえ

❶ **卵焼き**は4等分に切り、**鶏肉**は一口大のそぎ切りにする。

❷ **ほうれん草**は**塩**少々（分量外）を加えて熱湯でゆで、4～5㎝長さに切る。**切り三つ葉**は2～3㎝長さに切る。

2 かけつゆを作り、うどんにかける

❸ 鍋に**だし汁**を煮立て、**しょうゆ**、**みりん**、**砂糖**、**塩**で調味し、沸騰したら火を弱めて2～3分煮る。

❹ ❸の**かけつゆ**に**鶏肉**を入れ、火が通ったらとり出す。**かまぼこ**もあたためる程度にさっと煮る。

❺ **ゆでうどん**はたっぷりの熱湯にさっとくぐらせてあたためる。器もあたためておく。

❻ 器に湯きりした**うどん**と**具**を盛り、熱い**かけつゆ**を注ぐ。

仕上がり

❺ 沸騰する直前に**かつお節**を入れて、3～4分煮てから火を止める。

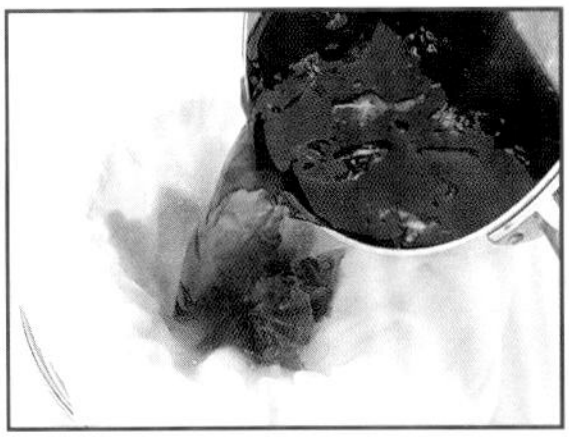

❻ 火を止めてかつお節が沈んだら、キッチンペーパー（またはかたく絞った布巾）を広げたこし器で静かにこす。

だし汁を利用して

ざるそばのつゆ（4人分）

材　料／だし汁320cc　みりん80cc　しょうゆ80cc

作り方／鍋にみりんを煮きり、だし汁、しょうゆを加えてひと煮立ちさせて冷ます。

かけそばのつゆ（4人分）

材　料／だし汁6カップ　みりん120cc　しょうゆ40cc　薄口しょうゆ40cc

作り方／鍋にだし汁を煮立て、みりん、しょうゆ、薄口しょうゆで調味する。

〈煮うめん〉

472 kcal 1人分

1 下ごしらえ

❶ **えび**は背わたをとって（P35参照）、塩ゆでしてから殻をむく。

❷ **青梗菜**《チンゲンツァイ》は茎と葉に分けて、茎の太いところは縦に2〜3等分し、塩ゆでする。

❸ **長ねぎ**は小口切りにして水にさらし、水気をよく絞っておく。**ゆず**は皮を細切りにする。

＜材料＞　4人分

そうめん（乾めん）……………400g
えび……………………………8尾
青梗菜…………………………1株
長ねぎ…………………………1/3本
ゆず……………………………少々
とろろ昆布……………………適宜
つゆ
　だし汁（P184参照）……6カップ
　みりん………………………80cc
　薄口しょうゆ………………80cc
　塩……………………………少々

2 そうめんをゆで、つゆを作る

❹ 鍋にたっぷりの湯をわかし、**そうめん**を入れて少しかためにゆでる。冷水にとり、もみ洗いしてからザルにとって水気をきる。

❺ 鍋につゆの**みりん**を煮きり（アルコール分をとばす）、**だし汁**、**薄口しょうゆ**を加えてひと煮立ちさせ、**塩**で味をととのえる。

❻ つゆを火にかけたまま**そうめん**と**えび**、**青梗菜**を入れてさっと煮て味を含ませ、火を止める。

❼ 器に**そうめん**を盛り、**つゆ**を注ぎ、刻んだ**長ねぎ**、**とろろ昆布**、**ゆずの皮**をのせる。

〈焼きうどん〉

515 kcal 1人分

1 下ごしらえ

①**豚肉**は2～3㎝幅に切る。

②**キャベツ**はざく切りにする。

③**にんじん**は1㎝幅の短冊切り（P25参照）、**万能ねぎ**は2～3㎝長さに切る。

④**ゆでうどん**はほぐしておく。

2 炒める

⑤中華鍋（またはフライパン）を熱して**サラダ油**大さじ2を入れて**うどん**を炒める。軽く焼き色がついたらとり出しておく。

⑥中華鍋に**サラダ油**大さじ1をなじませ、**豚肉**を炒める。肉に火が通ったら、**にんじん**、**キャベツ**、**もやし**の順に炒め、**うどん**を加えてよく炒め合わせる。

⑦**味つけ調味料**を加え、仕上げに**万能ねぎ**を入れてさっと炒め火を止める。

⑧器に**焼きうどん**を盛り、**針のり**と**かつお節**をかける。好みで**紅しょうが**を添える。

＜材料＞　2人分

（一度に作るのは2人分が適量）

ゆでうどん……………………………2玉
豚肉（薄切りバラ肉）…………100g
もやし …………………………………150g
キャベツ………………………………2枚
にんじん　……………………………40g
万能ねぎ………………………………6本
サラダ油……………………大さじ3
針のり、かつお節、紅しょうが…各適宜
味つけ調味料
　ウスターソース…………大さじ2
　しょうゆ…………………大さじ1
　こしょう　……………………少々
　オイスターソース………小さじ1

〈冷やしたぬき〉

709 kcal
1人分

1 下ごしらえ

① 鍋につけつゆの**みりん**を煮きり（アルコール分をとばす）、**だし汁**、**しょうゆ**を加えてひと煮立ちさせ、火を止める。

② あら熱をとってから冷蔵庫で冷やしておく。

③ **薄焼き卵**を作って薄く切り、**錦糸卵**にする（P178のちらしずし参照）。

④ **きゅうり**は塩（分量外）をふって板ずり（P20参照）してから輪切りにし、たて塩（3％の塩水・P20参照）につける。水洗いしてから、水気を絞る。

⑤ **かにかまぼこ**は4～5㎝長さに切り、ほぐしておく。**貝割れ菜**は根をとり、4～5㎝長さに切る。

2 うどんをゆで、盛りつける

⑥ **うどん**はたっぷり熱湯でゆで、流水でもみ洗いしてザルに上げる。

⑦ 器に**サニーレタス**を敷き、**うどん**を盛る。

⑧ **錦糸卵**、**きゅうり**、**かにかまぼこ**、**貝割れ菜**、**揚げ玉**をのせ、**つゆ**をかけていただく。

＜材料＞　4人分

うどん（乾めん）	400g
錦糸卵（P178参照）	2枚
きゅうり	1本
かにかまぼこ	4本
貝割れ菜	1パック
揚げ玉	大さじ8
サニーレタス	4枚
つけつゆ	
だし汁（P184参照）	2カップ
しょうゆ	1/2カップ
みりん	1/2カップ

ヒント
大根おろし、おろししょうが、青じそなどを薬味に添えてもおいしい。

仕上がり

〈冷やしそうめん〉

469 kcal 1人分

＜材料＞ 4人分

- そうめん（乾めん）……………400g
- えび…………………………………4尾
- 具
  - 干ししいたけの甘煮（P180の太巻きずし参照）……4個
  - 錦糸卵（P178参照） ………2枚分
  - かまぼこ（薄切り）……………4枚
  - きゅうり ……………………$\frac{1}{2}$本
  - 切り三つ葉………………………8本
- 薬味
  - 万能ねぎ…………………………4本
  - おろししょうが………小1かけ分
  - 針のり ……………………………適宜
- つゆ
  - だし汁（P184参照）……$1\frac{1}{3}$カップ
  - 薄口しょうゆ …………$\frac{1}{3}$カップ
  - みりん …………………$\frac{1}{3}$カップ

1 つゆと具、薬味を作る

❶ 鍋につゆの**みりん**を煮きり、**だし汁**、**薄口しょうゆ**を加えてひと煮立ちさせて冷ます。

❷ **えび**は背わたをとり（P35参照）、塩ゆでにして冷めたら殻をむく。

❸ **干ししいたけの甘煮**は、一口大の斜めそぎ切りにする。**錦糸卵**（P178のちらしずし参照）を作り、**かまぼこ**は手綱《たづな》にする（下のイラスト参照）。

❹ **きゅうり**は**塩**（分量外）をふって板ずり（P20参照）してから、斜め薄切りにする。**切り三つ葉**はさっと塩ゆでし結んでおく。

❺ **万能ねぎ**は小口切りにする。

〈手綱〉

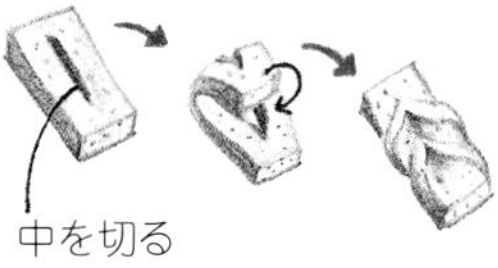

2 そうめんをゆで、盛りつける

❻ 大きめの鍋にたっぷりの湯を沸かし、**そうめん**を入れ、菜箸でくっつかないように大きく混ぜる。

❼ 煮立ってきたら$\frac{2}{3}$カップの差し水をし、再び煮立ったら火を止めてザルにあげる。流水にさらしながらもみ洗いし、ザルにあげて水気をきる（表面の油とぬめりをとるため）。

❽ 器に氷を入れ、**そうめん**を食べやすい量にまとめて盛り、**具**をのせ、**つゆ**と**薬味**を添える。

汁物

〈豚汁〉

112 kcal 1人分

1 下ごしらえ

❶ **豚肉**は2〜3㎝幅に切り、**大根**、**にんじん**は4〜5㎜厚さのいちょう切りにする。

❷ **じゃがいも**は小さめの一口大に切る。**ごぼう**は小さめの斜め切りにし、2〜3分水にさらす。**こんにゃく**は下ゆでしてから、一口大に手でちぎる。

❸ **長ねぎ**は、5㎜幅の小口切りにする。

＜材料＞　4人分

豚肉（薄切り）	100g
大根	50g
にんじん	40g
じゃがいも	1個
ごぼう	60g
こんにゃく	1/4枚
長ねぎ	1/2本
だし汁	4 1/2カップ
酒	大さじ1
みそ	60g
みりん	小さじ1
サラダ油	小さじ1
一味唐辛子	適宜

2 炒めて、煮る

❹ 鍋に**サラダ油**を熱し、**豚肉**を炒める。肉の色が変わったら、**こんにゃく**、**大根**、**ごぼう**、**にんじん**、**じゃがいも**の順に炒める。

❺ 全体に油がなじんだら、**だし汁**を加えて煮立つまで強火で煮る。煮立ったらアクをとり除いて、弱火にし、**酒**を加えて野菜がやわらかくなるまで煮る。

❻ **みそ**、**みりん**を汁で溶きのばしながら加え、煮立つ直前に**長ねぎ**を入れて火を止める。

ここがコツ！

みその風味やうま味をそこねないため、みそを入れたら煮立てないこと。

❼ 器に盛り、好みで**一味唐辛子**をふる。

仕上がり

〈かす汁〉

123 kcal 1人分

＜材料＞　4人分

豚肉(薄切り)	100g
大根	50g
にんじん	40g
こんにゃく	1/4枚
油揚げ	1/2枚
わけぎ	1本
だし汁	4カップ
酒かす	80g
酒	小さじ2
みそ	10g
薄口しょうゆ	小さじ2
塩	少々

1 下ごしらえ

① **豚肉**は2cm幅に切る。**大根**、**にんじん**は4～5cm長さの短冊切り（P25参照）にする。

ヒント

豚肉の代わりに鮭のあらを使ってもおいしい。

② **こんにゃく**は下ゆでし、**油揚げ**は熱湯をくぐらせ、それぞれ4～5㎝の短冊切りにする。

③ **わけぎ**は斜め薄切りにする。

2 煮る

④ 鍋に**だし汁**と**大根**、**にんじん**、**こんにゃく**を入れて中火で煮る。沸騰したら、**豚肉**、**油揚げ**を加えてアクをとりながら材料がやわらかくなるまで煮る。

⑤ すり鉢に**酒かす**を細かくちぎって入れ、④の**汁**1/3カップと**酒**を注いでふたをし、酒かすをふやかしておく。ふやけたら、**みそ**を加えてすり混ぜる。

⑥ ④の鍋に⑤を加えてよく溶かし、**薄口しょうゆ**と**塩**で味をととのえる。**わけぎ**を散らし火を止める。

〈のっぺい汁〉

69 kcal 1人分

1 下ごしらえ

❶ **里いも**は皮をむき、1㎝厚さの輪切り、または半月切りにし、水に放し、洗ってぬめりをとる。

❷ **大根**、**にんじん**は一口大の乱切りにし、**油揚げ**は熱湯をくぐらせてから1.5㎝長さの色紙切り（P24参照）にする。

❸ **こんにゃく**、**ちくわ**は下ゆでしてから一口大に手でちぎる。

❹ **わけぎ**は小口切りにする。

2 煮る

❺ 鍋に**だし汁**と**里いも**、**大根**、**にんじん**、**油揚げ**、**こんにゃく**を入れて煮る。煮立ったらアクをとりながら、やわらくなるまで煮る。

❻ **ちくわ**を加えてさっと煮たら、**塩**、**しょうゆ**で味つけし、**水溶きかたくり粉**でとろみをつける。

＜材料＞　4人分

里いも	小3個
大根	80g
にんじん	50g
油揚げ	$\frac{1}{2}$枚
こんにゃく	$\frac{1}{4}$枚
ちくわ	$\frac{1}{3}$本
わけぎ	1本
だし汁	5カップ
塩	小さじ1
しょうゆ	小さじ2
水溶き片栗粉	
片栗粉	大さじ1
水	大さじ1

❼ 器に注ぎ、**わけぎ**を散らす。

ヒント

夏は冷たく冷やして食べるとおいしい。

〈けんちん汁〉

67 kcal 1人分

1 下ごしらえ

❶**豆腐**はペーパータオルに包み、電子レンジ（500w）で3分加熱し、あらくほぐしておく。

❷**大根**、**にんじん**、**こんにゃく**は4〜5㎝長さの短冊切り（P25参照）にする。

❸**わけぎ**は小口切りにする。

2 炒めて、煮る

❹鍋を熱して**サラダ油**をなじませ、**こんにゃく**、**にんじん**、**大根**の順に炒める。全体に油がなじんだら、❶の豆腐を加えてさらに炒める。

❺**だし汁**を加えて中火で煮る。煮立ったらアクをとり、中火よりやや弱い火加減で野菜がやわらかくなるまで煮る。

❻仕上げに**塩**、**しょうゆ**で味をととのえて火を止める。

❼器に盛り、**わけぎ**を散らす。

＜材料＞　4人分

豆腐(木綿)	1丁(200gぐらい)
大根	80g
にんじん	40g
こんにゃく	¼枚
わけぎ	1本
だし汁	3⅔カップ
塩	小さじ1
しょうゆ	小さじ2
サラダ油	小さじ1½

仕上がり

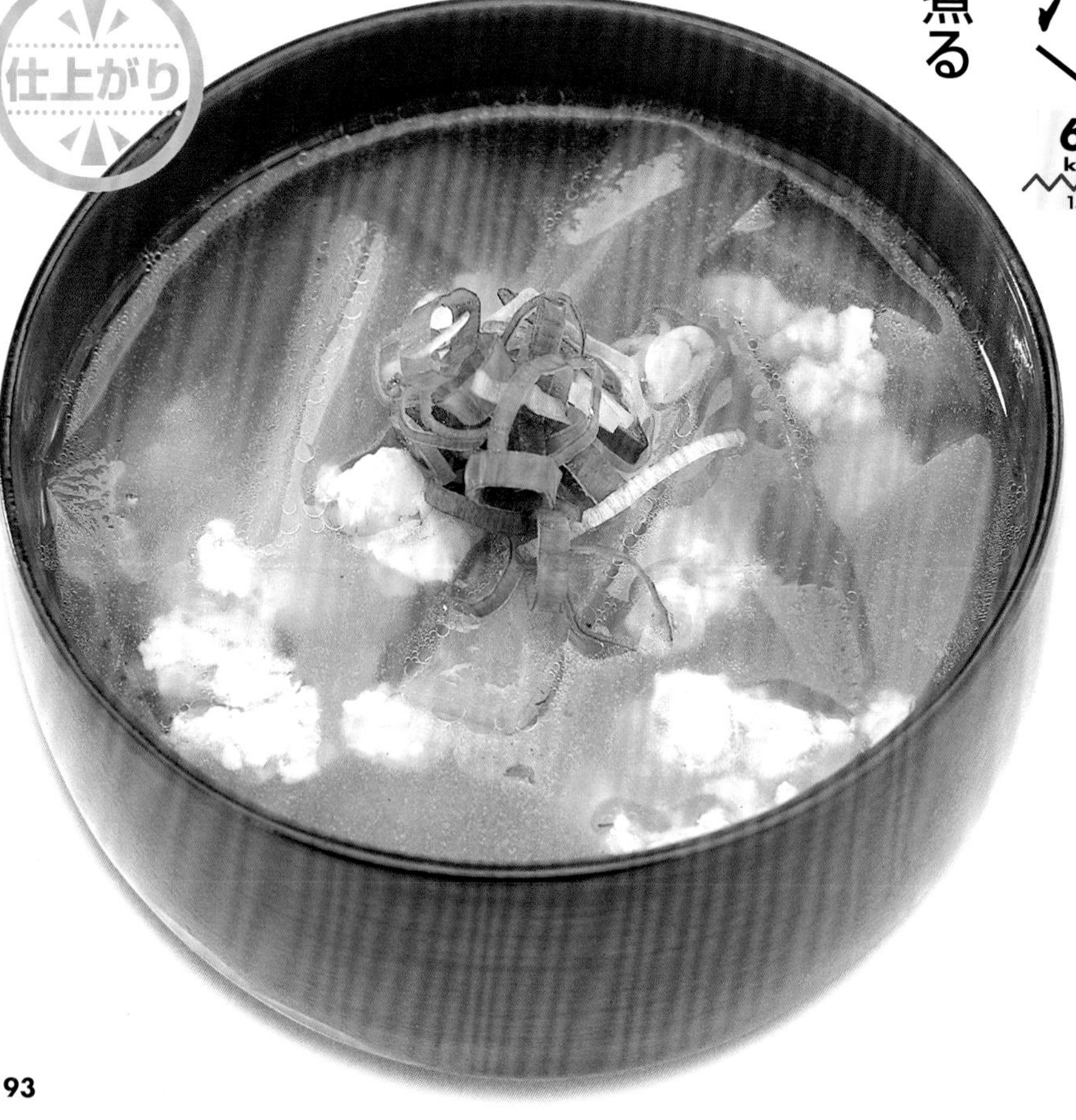

●こしあんの作り方●

＜材料＞ 4人分（できあがり約600g）

あずき	250 g
グラニュー糖	250 g
塩	ひとつまみ
水	100cc

① **あずき**は水洗いしてゴミをとり除き、ザルにあける。

② 鍋に入れてかぶるくらいの**水**を入れて強火にかけ、沸騰したら、あずきの量の半分くらいの水を**差し水**し、中火で煮る。

③ **あずき**のしわが完全にのびたらザルにあける。

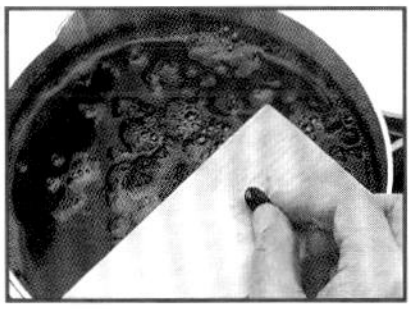

④ 再び鍋に入れてたっぷりの**水**を入れて強火にかけ、沸騰したら、あずきが軽く踊るくらいの火加減にして、ときどき水を足しながら煮る。

⑤ つまんでつぶれるくらいやわらかくなったら火を止め、ザルにあける。**煮汁**は捨てない。

⑥ **豆**を**煮汁**ごとすりこ木でていねいにつぶし、ザルに残ったカスは捨てる。ボウルにたまった汁は目の細かいザルでこす（またはさらしの布巾を通す）。

⑦ こした**あん**を大きなボウルに移し、水をたっぷり加えてよく混ぜ、そのままおいてあんを沈殿させる。

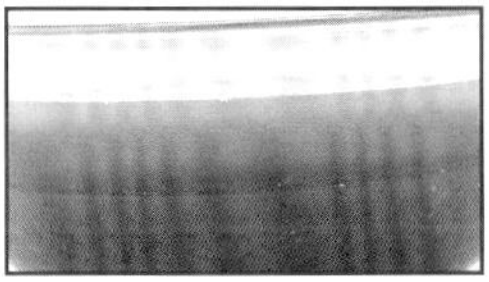

⑧ うわずみを静かに捨てる。

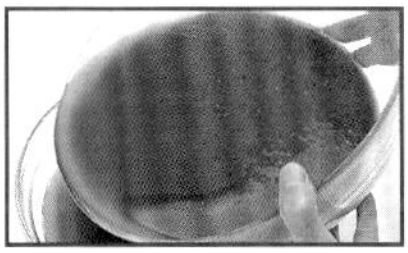

⑨ ⑦⑧を2回繰り返す。

⑩ ふきんごとギュッと絞って水気を絞る。

⑪ **あん**がバサッとした状態になるまで絞るのがポイント。

⑫ **グラニュー糖**と100ccの**水**を入れて木べらで混ぜ合わせる。

⑬ 中火より少し強火にかけて練る。

⑭ **あん**をすくって落としてみて、こんもり山のようになったら手早く練り上げる。

〈草もち〉

93
kcal
1個分

＜材料＞	12個分
上新粉	180g
ぬるま湯	180cc
よもぎの葉（生）	100g
重曹	小さじ1/5
砂糖	40g
あずきこしあん	180g
きな粉	適宜

1 下ごしらえ

❶ボウルに**上新粉**を入れ、**ぬるま湯**を3回くらいに分けて混ぜ合わせる。

❷蒸し器にかたく絞ったぬれ布巾を敷き、❶を大きめにちぎって並べる。蒸気の上がった蒸し器で、強火で14〜15分蒸す。

❸**よもぎの葉**は葉先だけ摘みとって、**重曹**を溶かした熱湯に入れ、2分ほどゆでる。流水に15分くらいさらしてアクを抜き、水気をきつく絞る。

❹**よもぎ**を細かく刻み、すり鉢でよくする。

❺
あずきこしあんは12等分に丸める。

❻
❷の生地が蒸し上がったらボウルにあけ、水でぬらしたすりこ木でつきながら、**砂糖**を2〜3回に分けて加え混ぜる。さらに、手に水をつけてよくもみ、混ぜ合わせる。

❼
❻の生地に**よもぎ**を加え、手に水をつけて均一に混ぜ合わせ、耳たぶくらいのやわらかさにする。

2 生地であんを包む

❽❼の**生地**を棒状にし、12等分にしてから丸める。ラップの上で円形にのばし、**あずきこしあん**をのせ、ラップごと茶巾に絞る。ラップをはずして**きな粉**をふりかける。

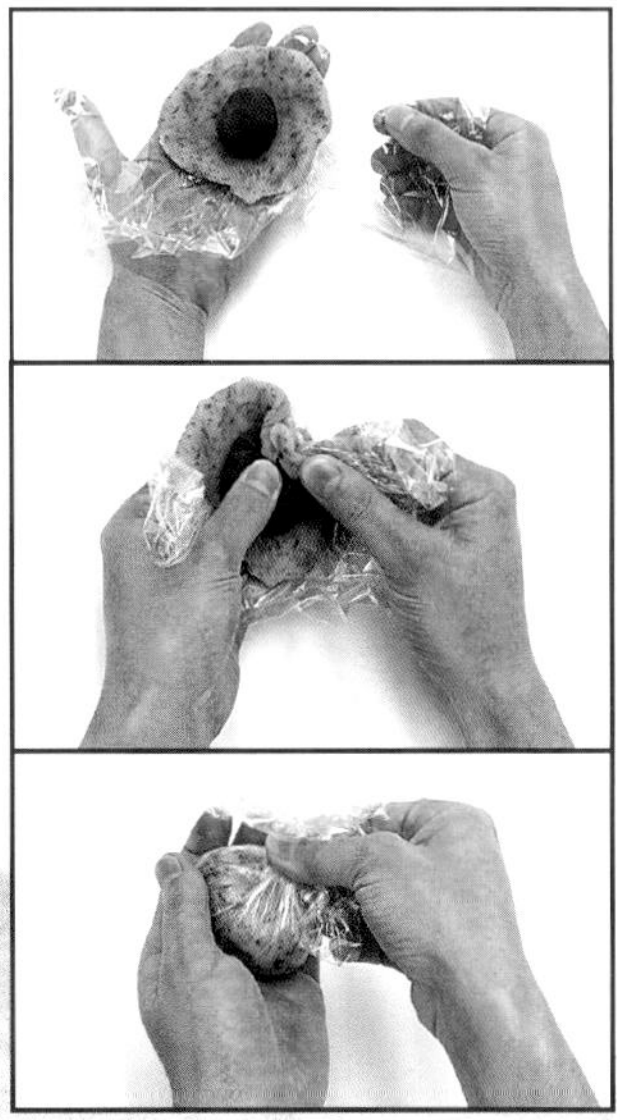

仕上がり

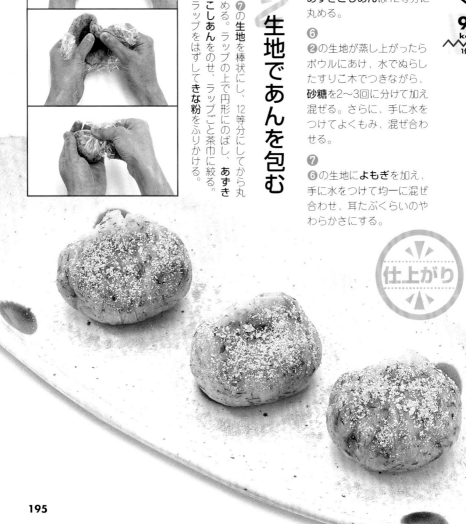

〈水ようかん〉

174 kcal ¼台

1 下ごしらえ

① **棒寒天**はたっぷりの水に1時間つけておき、汚れを落としながら水気をしっかりと絞る。

② **寒天**をちぎって鍋に入れ、分量の**水**を加えて火にかける。木べらでたえずかき混ぜながら、中火で煮溶かす。

③ **寒天**が完全に溶けたら**グラニュー糖**を加え煮溶かす。かたく絞った布巾でこしてごみをとり除く。

④ ③を鍋に戻して**あずきこしあん**を加え、木じゃくしで混ぜ合わせながら4～5分煮て火を止める。

⑤ 冷水に④の鍋底をつけ、たえずかき混ぜながら、あら熱をとる。

ここがコツ！

水ようかんの生地は、熱いうちに流し缶に入れると、寒天液とあんが分離してしまう。

2 型に入れて固める

⑥ 水でぬらした流し缶に⑤を流し入れ、室温でしばらく置き、固まったら冷蔵庫で冷やす。

⑦ 十分に冷えたら流し缶からとり出し、好みの形にとり分ける。

＜材料＞14cm×11cm×4.5cmの流し缶1台分

棒寒天	⅔本
水	500cc
グラニュー糖	60g
あずきこしあん	300g

〈おはぎ〉

207 kcal 1個分

1 下ごしらえ

① **もち米**は、よく洗ってからたっぷりの水に2時間浸しておく。ザルにあけて15分くらい水をきり、分量の**水**を加え炊飯器で炊く。

② **あずきこしあん**の$\frac{1}{3}$量は4等分に、残りの$\frac{2}{3}$量も4等分に丸める。

③ ①が炊き上がったら熱いうちにすり鉢に移し、水でぬらしたすりこ木で半つぶしにする。

④ ③の$\frac{1}{3}$量を小さく4等分に、残り$\frac{2}{3}$量も4等分に、手に水をつけながら丸める。

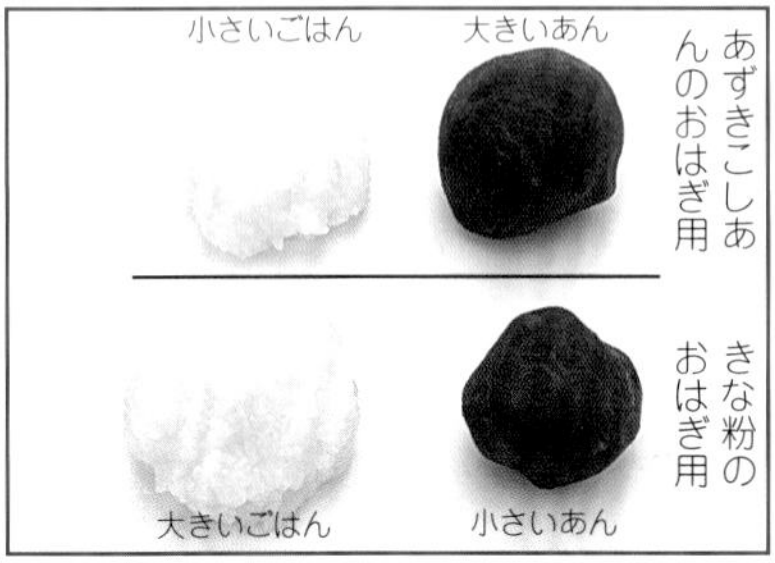

2 形を整える

⑤ **あずきこしあんのおはぎ**を作る。

㋐かたく絞った布巾に大きいほうの**あん**を平らにのばす。

㋑④の小さく丸めた**ごはん**をのせて包み込み、俵型に整える。

⑥ **きな粉のおはぎ**を作る。

㋐かたく絞った布巾に大きいほうの**ごはん**を平らにのばす。

㋑②の小さく丸めた**あん**をのせて包み込み、俵型に整え、**きな粉**と**砂糖**を混ぜ合わせたものをまぶす。

＜材料＞　8個分

もち米、水	各2カップ
あずきこしあん	240g
きな粉、砂糖	各大さじ2

仕上がり

〈フルーツみつ豆〉

196 kcal 1人分

1 下ごしらえ

❶ **棒寒天**は、たっぷりの水に1時間ほどつけてもどす。汚れをとり、きつく絞って4〜5等分にちぎる。

ここがコツ！
棒寒天は、時間があれば一晩漬けておいたほうがきれいに早く溶ける。

❷ 鍋に分量の**水**と**寒天**を入れ、中火で木べらで混ぜながら煮溶かす。

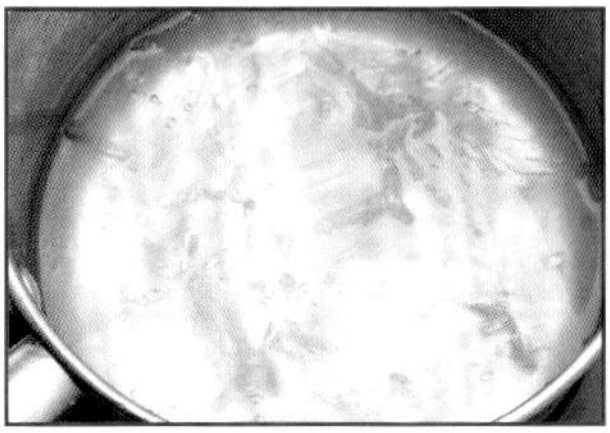

❸ **寒天**が完全に溶けたら、かたく絞った布巾でこしてごみをとり除く。水でぬらした流し缶に入れ、あら熱がとれたら、冷蔵庫に入れて冷やし固める。

❹ 黒蜜を作る。鍋に**黒砂糖**、**上白糖**、**水**を入れて中火で煮溶かす。沸騰したら弱火にし、アクをとりながら15分くらい煮て冷ましておく。

❺ **りんご**は4等分にしてうさぎの飾り切りにし、**キーウィ**は皮をむいて一口大に切る。

2 盛りつける

❻ ❸の**寒天**が固まったら、型から出して1㎝角に切る。器に寒天と❺、**みかん**、**赤えんどう**を盛りつけて**黒蜜**をかける。

＜材料＞ 4人分

棒寒天	2/3本
水	500cc
りんご	1/2個
キーウィ	1個
みかん（缶詰）	12粒
赤えんどう豆（塩ゆで）	大さじ2
黒蜜	
黒砂糖（粉状）	100g
上白糖	80g
水	1カップ

〈大学いも〉

239 kcal 1人分

＜材料＞　4人分

さつまいも	400g
黒炒りごま	小さじ2
あめ	
水	大さじ3
砂糖	80g
しょうゆ	大さじ1
揚げ油	適宜

1 下ごしらえ

① **さつまいも**はたて4等分に切り、食べやすい大きさの乱切りにする。水につけてアクをとり、2、3回水を替え、でん粉を落とす。

② たっぷりの**揚げ油**を160℃くらいに熱し、水気をふきとった**さつまいも**を入れてじっくりと火を通す。

③ **さつまいも**の外側が少し色づいてきたら、油の温度を180℃まで上げて、からっと揚げる。

2 さつまいもにあめをからませる

④ 鍋に**水**と**砂糖**を入れて火にかけ、煮詰まって泡がだんだん小さくなったら、**しょうゆ**を加えて混ぜる。

⑤ ④の鍋に揚げたての**さつまいも**を入れて、全体を混ぜる。**あめ**がとろりと伸びて糸を引くような状態までからませたら火を止める。**黒炒りごま**をふり、手早く混ぜる。

⑥ 薄く**サラダ油**（分量外）をぬったバットに広げて冷ます。

おせち料理

〈黒豆〉

2237 kcal 全部

1 下ごしらえ

① **黒豆**は大きめのボウルに入れて洗い、皮の破けた豆などはとり除く。ザルにあげて水気をきる。

② 大きめの鍋に**水**、**砂糖**、**しょうゆ**、**塩**、**重曹**、ガーゼに包んだ**錆びたくぎ**を入れて火にかける。ひと煮立ちしたら火を止めて人肌くらいまで冷まし、黒豆をつけてそのまま一晩（7～8時間）おく。

ここがコツ！

黒豆は、新豆を使うと早くやわらかく煮える。錆びたくぎを入れるのは、鉄分によって豆を黒くつやよく仕上げるため。

2 煮る

③ ②を中火にかけ、沸騰したらアクをとって弱火にし（コトコトと静かに豆が踊る程度）、紙ぶたをして7～8時間煮る。途中、**豆**が**煮汁**から出ないように、ぬるま湯を足しながら煮る。

ここがコツ！
火加減と煮汁の量に注意。火加減が強いと皮が破けてしまう。

④ **豆**が十分やわらかくなったら**煮汁**ごと冷まし、くぎをとり除いて盛りつける。

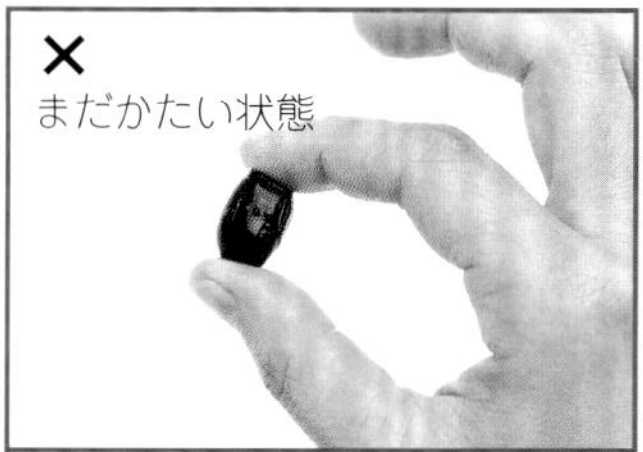
× まだかたい状態

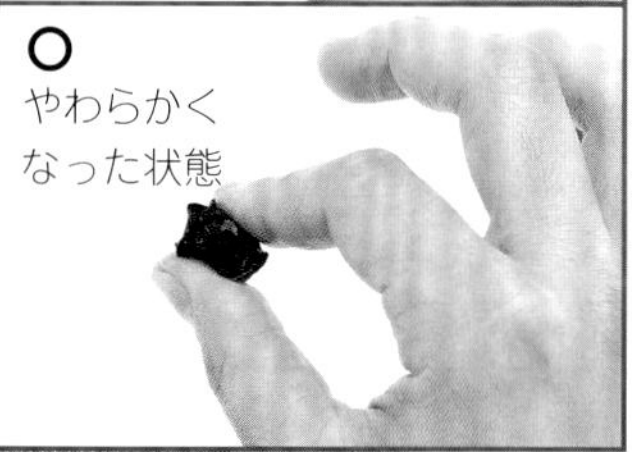
○ やわらかくなった状態

＜材料＞

黒豆（大粒）……………2カップ
砂糖（または三温糖）………250g
しょうゆ……………大さじ2
塩……………小さじ1
水……………6カップ
重曹……………小さじ1/4
錆びたくぎ… 6～7本（または市販の鉄玉1個）

〈田作り〉

209 kcal 全部

1 下ごしらえ

❶フライパンにごまめを入れ、弱火でじっくりから炒りし、盆ザルなどに広げて冷ます。

2 生地であんを包む

❷フライパンに酒、みりん、砂糖、しょうゆを入れて弱火にかける。泡がたってきたら、ごまめを加えて手早くかき混ぜ、全体にからめる。

❸サラダ油を薄くぬったバットにごまめを広げ、うちわであおいで手早く冷ます。仕上げにけしの実を全体にふる。

<材料>

ごまめ	50g
けしの実	適宜
酒、みりん	各大さじ1
砂糖、しょうゆ	各大さじ2
サラダ油	適宜

〈五色なます〉

216 kcal 全部

1 下ごしらえ

① **大根**と**きゅうり**はマッチ棒より少し細く、**にんじん**はさらに細めに切る。それぞれに**塩**少々（分量外）をふり、しんなりしたら水気を絞る。

② **きくらげ**は水につけてもどし、細く切る。

③ **菊のり**はたっぷりの湯に入れて、沸騰したらさっとかきまぜて火を止める。水洗いしてから水気をよく絞っておく。

2 甘酢につける

④ ボウルに**甘酢の材料**を合わせ、①、②、③を加えて混ぜ合わせ、3～4時間つける。

＜材料＞

大根 ……………………………100g
きゅうり ……………… 60g（細1本）
にんじん ……………………………50g
きくらげ ……………………2～3枚
菊のり ……………………………適宜
甘酢
　酢 …………………………1/3カップ
　砂糖 ………………………大さじ3 1/2
　塩 …………………………小さじ1/3
　昆布だし ………………1/3カップ

〈数の子〉

466 kcal 全部

＜材料＞

数の子 ……………………………200g
つけ汁
　酒…………………………大さじ2
　みりん、しょうゆ……各大さじ3
　濃い目のだし汁…………1カップ
糸がきかつお ……………………適宜

1 下ごしらえ

① **数の子**は米の**とぎ汁**に3～4時間つける。

② 次にたっぷりの薄い**塩水**に5～6時間つけて塩抜きする（少し塩味が残る程度）。

③ **数の子**の薄皮を指先でこすりとる。

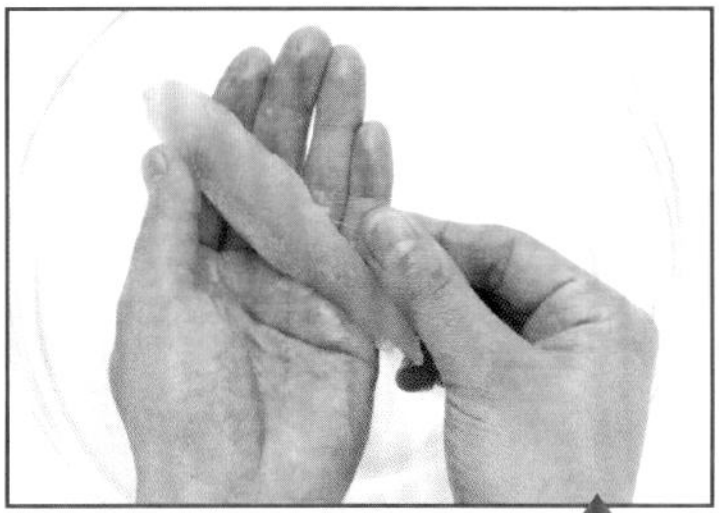

ここがコツ！

数の子の薄皮はていねいにとり除く。

2 つけ汁につける

④ 鍋に**つけ汁の材料**を合わせ、ひと煮立ちしたら冷ましておく。

⑤ **数の子**の水気をよくふきとって**つけ汁**につけ、半日以上おく。

⑥ 盛りつけるときは、**数の子**をひと口大に手でちぎり、器に入れ、**糸がきかつお**をのせる。

〈栗きんとん〉

2126 kcal 全部

＜材料＞

さつまいも（金時いも）	………800g
くちなしの実	………2個
栗の甘露煮	………20個
栗の甘露煮のシロップ	…水と合わせて1カップ
グラニュー糖	………½カップ
塩	………小さじ⅕

1 下ごしらえ

① **さつまいも**は2㎝厚さに輪切りにして皮を厚めにむく。水を2～3回かえながら、1時間くらい浸してアクを抜き、水気をきる。

ここがコツ！

さつまいもは皮を厚めにむいたほうが、口あたりがなめらかで、裏ごしもしやすい。

② **くちなしの実**は包丁で割ってからガーゼで包み、糸で縛る（くちなしの実は色鮮やかに仕上げるために使うが、なくてもいい）。

2 さつまいもを調理し、栗と混ぜる

③ 鍋に**さつまいも**とかぶるくらいの**水**、**くちなしの実**を入れてやわらかくなるまで煮る。ザルにあげ、熱いうちに裏ごしする。

④ 厚手の鍋に③と**栗の甘露煮のシロップ・水**、**グラニュー糖**、**塩**を入れて弱めの火にかけ、照りが出るまで練り混ぜる。

⑤ 鍋底が見えるくらいのかたさになったら、**栗の甘露煮**を加えてさらに4～5分火を通す。

⑥ ⑤をバットに広げて冷ます。

仕上がり

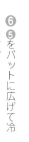

材料別さくいん

●著者紹介

伊藤 玲子

[いとう　れいこ]

長年、辻学園に勤務し、学園の料理教室で日本料理、西洋料理、中華料理、お菓子と幅広いジャンルの料理指導にあたる。東京・辻クッキングスクール池袋PARCO校長を経て、1992年に料理研究家として独立。以後、家庭料理こそ健康の源であるという信念を柱に、おいしくてヘルシー、そして手軽に作れるお料理を紹介するとともに、季節感を大切にしたテーブルコーディネートを含めた総合的な“食”を提案している。
主な著書として、『初めての中華料理　基本とコツ』（西東社）、『おせちづくり一年生』『おもてなしとパーティー料理128』『手作りの和菓子』（家の光協会）、『野菜の切り方、下ごしらえ』『電子レンジのレシピ』（永岡書店）などがある。

●写真

野澤 雅史

[のざわ　まさし]

1965年生まれ。東京写真専門学校を卒業後、広告代理店入社。1986年に独立し、以来広告や雑誌、書籍を中心に料理、旅行、人物など幅広いジャンルで活躍中。

●料理制作――伊藤玲子
●アシスタント――松本京子
●料理スタイリスト――兎兎工房（中山明美　安保美由紀）
●エネルギー計算――池崎由希
●AD & DTP――(有)ドロップス（小山内仁美　山田芽衣子）
●イラスト――西谷久
●編集協力――Star Ring（青木信子）　兎兎工房（中山明美）

初《はじ》めての和食《わしょく》　基本《きほん》とコツ

2000年7月25日発行
●著者――伊藤 玲子 [いとう　れいこ]
●発行者――若松 範彦
●発行所――株式会社西東社《せいとうしゃ》
〒113-0034　東京都文京区湯島2-3-13
TEL（03）5800-3120
FAX（03）5800-3128
落丁・乱丁本は、小社「販売部」宛にご送付下さい。送料小社負担にて、お取り替えいたします。
ISBN4-7916-0979-4